Auf den Spuren der Weisheit

Auf den Spuren der Weisheit

Sophia –
Wegweiserin für ein neues Gottesbild

*Mit Beiträgen von Ruth Albrecht, Dorit Cohen-Alloro,
Deirdre Good, Verena Maria Kitz, Monika Leisch-Kiesl,
Fairy von Lilienfeld, Barbara Newman, Silvia Schroer,
Elisabeth Schüssler-Fiorenza, Verena Wodtke*

Herausgegeben von Verena Wodtke

Herder Freiburg · Basel · Wien

Reihe *frauenforum*
Herausgegeben von Karin Walter

Umschlagbild: Sedes Sapientiae
Goslar, Neuwerkkirche, Chorapsis
1. Hälfte des 13. Jahrhunderts

Alle Rechte vorbehalten – Printed in Germany
© Verlag Herder, Freiburg im Breisgau 1991
Technische Herstellung: Ebner Ulm
ISBN: 3-451-21663-9

Inhalt

Vorwort

von Verena Wodtke

Seit Beginn der 80er Jahre hat die alttestamentliche Weisheits-gestalt, die Sophia, wieder neues Ansehen gewonnen.

Neu ist es deshalb, weil sich der Kreis Interessierter über die Fachleute hinaus erweitert hat, indem sich auch (feministisch–) theologisch interessierte Frauen »auf die Spuren der Weisheit« begeben haben.

Diese »Spuren der Weisheit« sind aber keinesfalls immer leicht zu lesen, denn »Frau Weisheit« hat im Laufe der Jahrtausende häufig ihre Kleider gewechselt. Manchmal wurde sie sogar in Männerkleidung gezwängt, so daß sie kaum mehr als weibliche Gestalt zu erkennen war. So muß die ganze Bandbreite ihrer vielfältigen Entwicklung und Veränderung innerhalb der Glaubensgeschichte neu in den Blick genommen werden, in der keinesfalls nur befreiende Aspekte für Frauen an der Gestalt der Weisheit zu enthüllen sind.

Es ist also notwendig, die vielfältigen und schillernden Facetten der Weisheit mitzuentdecken. In diesem Buch wird diese weibliche Gestalt des Alten Testamentes aus dem Blickwinkel von Frauen aus unterschiedlichen theologischen Disziplinen ins Visier genommen. Dabei wird nicht der Anspruch erhoben, die Weisheit umfassend zu beleuchten. Vielmehr war es unser Ziel, einzelne Lichter auf besondere, schöne und reizvolle, aber genauso eigentümliche und eher fremde Muster ihrer vielen bunten Gewänder zu richten, in denen sie uns in den verschiedenen Jahrhunderten, in den unterschiedlichen Konfessionen der christlichen Kirche und im Judentum begegnet. Die Vielfalt ihrer Gewänder hat schon den Kirchenvätern Kopfzerbrechen bereitet: bei Irenäus beispielsweise ist die Weisheit dem Hl. Geist zugeschrieben, bei den meisten anderen Kirchenvätern ist Christus die ewige Weisheit Gottes.

Oder ist sie nicht vielmehr als Wesensattribut der Gottheit Merkmal aller drei Personen, wie es die Scholastik erklärte? Damit hängt eine weitere Frage zusammen: Schlüpft so die männliche Gottheit in ein weibliches Kleid oder durchwirkt die weiblich vorgestellte Weisheit darin das allzu patriarchal gefärbte Gottesbild? In der Scholastik ist ihr Auftritt nicht weniger abwechslungsreich als in den Weisheitsschriften des Alten Testamentes. Als (geschaffene) Weisheit zeigt sie sich im Gewand der Geliebten, der Mutter oder Jungfrau, genauso als Ehefrau, Lehrerin oder Königin der sieben Gaben und sieben freien Künste. Wer ist also diese Weisheit?

Eine Beschäftigung mit der Weisheit erscheint heutigen Frauen sinnvoll, weil in aller Vielfalt vier Gesichtspunkte in dieser Gestalt miteinander verwoben sind:

Gerade wegen der Buntheit ihrer Kleider ist die Weisheit eine integrative Gestalt, die ihren Mantel über die Grenzen der unterschiedlichen Kofessionen und Religionen hinwegspannt, wie es die hier vorgestellten Beiträge zeigen.

Die Weisheit ist eine Repräsentationsform des einen (dreifaltigen) Gottes, zeigt aber darin eine Fülle weiblicher Ausdrucksvielfalt, ohne ihre Eigenständigkeit zu verlieren. Für Frauen liegt im Wesen der Sophia, wie sie uns die *Schrift* und *Tradition* – trotz der angesprochenen Ambivalenzen – überliefert hat, eine Möglichkeit *legitimer* spiritueller Glaubensausrichtung und theologischer Glaubensreflexion, weil sich Gott im Bild der weiblichen Gestalt der Weisheit in liebender Weise der Schöpfung und den Menschen zuwendet. Damit wird in der göttlichen Weisheit sowohl das klischeehafte Bild uneigenständiger Weiblichkeit durchbrochen, als auch die Einseitigkeit allzu patriarchal gefärbter Gottesbilder aufgedeckt, eine Einseitigkeit, die dem breiten Spektrum der jüdischen und christlichen Überlieferung nicht gerecht wird.

Weise Frauen und Ratgeberinnen in Israel – Vorbilder der personifizierten Chokmah*

von Silvia Schroer

Die personifizierte Weisheit – Grundlage neuer Spiritualität?

Der berühmt gewordene Satz von Mary Daly »Solange Gott ein Mann ist, ist das Männliche Gott« bringt die radikale feministische Kritik am jüdisch-christlichen Gottesbild markant auf den Begriff. Mit kleinen Reformen in der Liturgie und halbherziger Kosmetik an diesem dominant männlichen Gottesbild geben sich viele Christinnen in den USA und in Europa nicht mehr zufrieden.[1] Seit einiger Zeit mehren sich unter den Frauen, die sich trotz allem von der jüdisch-christlichen Tradition nicht rigoros lossagen wollen, die Stimmen, die in der biblischen Weisheit (hebr. Chokmah, griech. Sophia), ein noch verschüttetes Potential neuer feministisch-christlicher Spiritualität erkennen. Das Hauptinteresse an der israelitischen Weisheit gründet sich dabei zunächst auf die Tatsache, daß die personifizierte Chokmah das einzige anerkannte, wenn auch erst nachexilische, weibliche Gottesbild Israels ist und daß diese Gestalt zweifellos Elemente altorientalischer Göttinnenkulte in sich aufgenommen hat. Unverkennbar trägt die Chokmah Züge der ägyptischen Maat, der lebensfrohen Liebesgöttin Hathor, der erotischen syrischen Göttin (bes. Spr 8), sie tritt das Erbe der palästinischen Zweig- und der ägyptischen Baumgöttinnen an (bes. Jes Sir 24), und in Alexandrien wird sie zu einem religiösen Symbol, das die israelitisch-jüdische Tradition in eindrücklicher Weise theologisch mit dem Isiskult vermittelt (Weish).[2]

Nun reicht die Tatsache allein, daß die Weisheit im Bild als eine Frau oder Göttin dargestellt ist, natürlich als theologisches Tauglichkeitskriterium nicht aus. Es gilt, die Bedeutung dieses religiösen Symbols im Kontext der nachexilischen Zeit zu erfassen. Erst von dieser historischen Rückfrage her kann ein fundiertes Urteil darüber gefällt werden, ob die Sophia die Zukunft der feministischen Spiritualität sein wird. Diese feministisch-kritische Vergewisserungsarbeit steht für die Sophia-Theologie des Alten Testaments großenteils noch aus. Die Chokmah ist uns in Schriften überliefert, die eindeutig androzentrisch geprägt, ja teilweise sogar unübersehbar frauenfeindlich (besonders Jes Sir) sind. Sie erscheint im Buch der Sprüche neben einer sehr dämonischen weiblichen Kontrastfigur, der »fremden Frau«. Die gesamte biblische Weisheitsliteratur dürfte zudem eher gebildeten, also gehobenen jüdischen Schichten zuzuschreiben sein. Es kommt hinzu, daß aus den biblischen Texten nicht unmittelbar hervorgeht, ob die Sophia als JHWH untergeordnete Größe oder als religiöses Hauptsymbol, also an Stelle JHWHs, verstanden und verehrt wurde. Das Wissen um diese Hintergründe verbietet es uns, die Weisheit voreilig als neues Symbol des Göttlichen am Ende des 20. Jahrhunderts zu begrüßen. Im folgenden möchte ich einen kleinen Beitrag zur feministisch-kritischen Exegese leisten, indem ich eine der Rollen der personifizierten Chokmah auf ihren Sitz in der Literatur und im Leben des Alten Israel untersuche, nämlich die Rolle der Weisheit als weise Frau und Ratgeberin.

Die Weisheit als Ratgeberin

Die personifizierte Weisheit tritt im Buch der Sprüche, bei Jesus Sirach und in der Weisheit Salomos in verschiedenen Rollen, Bildern oder Symbolen auf. So ist die Chokmah zugleich das Geschöpf Gottes, seine Mitschöpferin und das die Schöpfung durchwaltende Prinzip, die Weltordnung. Sie ist die Geliebte Gottes, die Beisitzerin seines Thrones und die Geliebte, Ehefrau, Schwester des Weisheitsschülers. Sie ist eine Gastgeberin, die auf die Straßen schickt, um zum Mahl in ihrem Haus einzuladen. Sie ist eine schutzbietende, nährende Baumgöttin, die den Weisheitsschüler mit ihren Früchten beglückt. Sie ist eine zornige Lehrerin und Predigerin, die auf den Straßen ihre Stimme erhebt, und sie ist die Ratgeberin von Königen und Weisen.

In Spr 8,12.14–16 preist die Weisheit sich selbst:

»Ich, die Weisheit, pflege der Klugheit,
verfüge über Erkenntnis und guten Rat.
Bei mir ist Rat, (cṣh) und Tüchtigkeit,
ich bin Einsicht, bei mir ist Stärke.
Durch mich herrschen Könige
und entscheiden Machthaber gerecht.
Durch mich regieren Fürsten
und Edle und alle, die Recht sprechen.«

Und in Weish 8,9 berichtet König Salomo, der Patron der Weisheit: »So beschloß ich denn, sie (die Weisheit) als Lebensgefährtin heimzuführen, weil ich wußte, daß sie mir eine Ratgeberin zum Guten sein würde und ein Trost in Sorgen und Kummer.«

Ausdrücklich wird in diesen Texten die Verbindung der beratenden Weisheit mit Königen, Fürsten und Machthabern vermerkt. Die enge Verbindung von Weisheit und Rat ist aber auch sonst in vielen Sprüchen der Weisheitsliteratur greifbar:

»Merke, mein Sohn, auf meine Weisheit,
meiner Einsicht neige dein Ohr,
daß du kluge Ratschläge behaltest
und deine Lippen Erkenntnis bewahren« (Spr 5,1f).

»Den Toren dünkt sein Weg der rechte,
wer aber auf guten Rat hört, ist weise« (Spr 12,15).

»Höre auf Rat und nimm Zucht an,
auf daß du in Zukunft weise seiest« (Spr 19,20).

Mehrmals beschwert sich die Chokmah, daß man ihren Rat in den Wind schlage und nicht annehme (Spr 1,25.30), und in der Sapientia heißt es, daß der Ratschluß Gottes nicht erkennbar sei ohne die Weisheit, den heiligen Geist von oben (Weish 9,17). Vielfach berührt sich natürlich die belehrende und die beratende Funktion der Weisheit, was in der Natur der Sache liegen dürfte.

Es stellt sich nun die Frage, warum gerade die weibliche Chokmah in der israelitischen Weisheitsliteratur die Ratgeberrolle übernehmen konnte. Denn zum einen wurden diese Texte nach ägyptischem Vorbild und Einfluß vom König/Vater als Lebenslehren an den Sohn weitergegeben, d. h. der Ratgebende ist in der literarischen Fiktion normalerweise ein Mann, und zum zweiten war der Beruf des Ratgebers am königlichen Hof in Israel offenbar Männern vorbehalten. Wieso kann gerade die weibliche Chokmah in der Rolle der Beraterin von Machthabern auftreten? Die Vorbilder und Modelle dieser Identifikation sind anscheinend in diesem Fall nicht nur in der außerisraelitischen Religionsgeschichte zu suchen. Ich möchte allerdings deutlich festhalten, daß ich die Patenschaft der ägyptischen Göttin Maat auch für die ratgebende Weisheit, die in Spr 8 offenbar zugleich als Führungsmacht/Patronin der Herrscher erscheint, nicht in Abrede zu stellen gedenke. Ganz zweifellos liegen auch bei dieser Rolle Einflüsse des Alten Orients vor, der ja eine ganze Reihe von Göttinnen in der Funktion von Patroninnen des Königs kennt, worauf u. a. B. Lang aufmerksam gemacht hat.[3]

Aber es gibt für die Entwicklung des Bildes von der beratenden Weisheit auch innerisraelitische Gründe, nämlich die auffällig stabile geschichtliche wie literarische Tradition von ratgebenden Frauen in Israel, welcher C. Camp erstmals intensiver nachgegangen ist.[4] Dafür, daß die Weisheit bestimmte Züge und Rollen von Göttinnen annehmen konnte, gab es eine innerisraelitische Grundlage. Davon soll im folgenden die Rede sein.

Die ratgebenden Frauen in Israel

Im Alten Testament treten verschiedene Typen ratgebender Frauen auf, nämlich die »weisen« Frauen, die beratenden Ehefrauen und die beratenden Mütter.

Ratgebende weise Frauen[5]
Die alttestamentliche Tradition kennt neben Prophetinnen »weise« Frauen, die sich in entscheidenden Situationen diplomatisch in die Politik einmischen und durch ihren Rat den Gang der Dinge maßgeblich beeinflussen.

Joab läßt in 2 Sam 14 eine weise Frau aus Tekoa holen, die König David durch eine List davon überzeugt, daß er seinen Sohn Abschalom nicht verstoßen soll. Sie geht dabei ähnlich vor wie der Prophet Nathan, der David mit einem Gleichnis zur Erkenntnis seines Unrechts führt (2 Sam 12).

Eine andere Frau, die den Titel »weise Frau« trägt, hält Joab bei der Belagerung von Abel-Bet-Maacha von einem größeren Blutvergießen ab, indem sie von der Stadtmauer herab mit ihm verhandelt. »Weise Frau« scheint in beiden Fällen einen Status oder ein Amt zu bezeichnen, und offensichtlich war der Einfluß dieser Frauen recht groß. Sie beherrschen die Kunst der Diplomatie meisterhaft und berufen sich interessanterweise beide auf weisheitliche Traditionen.[6] Die Frau aus Tekoa erinnert David: »Sterben müssen wir zwar und sind wie Wasser, das auf die Erde geschüttet wird und das man nicht wieder fassen kann. Aber Gott wird das Leben dessen nicht hinwegraffen, der darauf sinnt, daß ein Verstoßener nicht aus seiner Nähe verstoßen bleibe« (2 Sam 14,14).

Die weise Frau aus Abel-Bet-Maacha beruft sich auf die führende Rolle ihrer Stadt für Weisung und Rat in Israel. Beide Frauen setzen sich mit ihrem Rat für das Leben eines einzelnen oder einer Gemeinschaft ein. Ich würde in die Nähe dieser beiden Gestalten auch die Abigajil in 1 Sam 25 rücken, die zwar nicht ausdrücklich als »weise«, aber doch als »klug« bezeichnet wird und damit eine Kontrastfigur zu ihrem Mann Nabal (»Dummkopf«) darstellt. Auch Abigajil setzt sich mit diplomatischem Geschick unter Anwendung brillanter Rhetorik und Berufung auf den Gott Israels gegen unnützes Blutvergießen und für das Leben ihres Hauses ein. Zugleich bewahrt sie den zukünftigen König vor Blutschuld.[7]

Eine »weise« Frau ist auch Judit, die genug Ansehen hat, um die Ältesten der Stadt zu sich rufen zu lassen und deren Weisheit von diesen Männern gebührend gelobt wird (Judit 8,29). Das Juditbuch dürfte in einzigartiger Weise das Frauenbild im 1. Jh. v. Chr. illustrieren.[8] Die Heldin übernimmt in einer Zeit der national-religiösen Bedrohung die Sicherung der Existenz Israels, durchaus mit weiblichen Mitteln, aber im Bewußtsein, nach JHWHs Willen einen neuen Exodus Israels zu leiten.

Beratende Ehefrauen

Neben diesen weisen Frauen, die sogar zu Königen vorgeladen wurden und deren Beratung hochgeschätzt war, kennt das Alte Testament eine große Zahl von ratgebenden Ehefrauen. Zu Recht hat C. Camp darauf hingewiesen, daß in Israel die Beratungsfunktion der Ehefrau neben der Rolle als Hausfrau ihre wichtigste Aufgabe war.[9] Obwohl gewiß hier und da die Übergänge zwischen Rat und Handeln fließend sind, lassen die folgenden Beispiele am Bild der Frau als Ratgeberin keine Zweifel: Abraham hört auf Saras Rat, er solle mit der Sklavin Hagar einen Nachkommen zeugen (Gen 16,2). Rebekka rät Isaak, daß Jakob nach Mesopotamien ziehen soll, sich eine Frau zu holen (Gen 27,42–28,9). Michal rät und verhilft David zur Flucht vor Saul (1 Sam 19,11). Batscheba gelingt es, David von der Rechtmäßigkeit der Thronnachfolge Salomos zu überzeugen (1 Kön 1). Salomo wird von seinen ausländischen Frauen in kultischen Angelegenheiten »beraten« (1 Kön 11,1–8). Isebel rät Ahab, Nabots Weinberg nicht aufzugeben (1 Kön 21). Die große Frau von Schunem rät ihrem Mann zum Bau eines Dachstübchens für den Propheten Elischa (2 Kön 4). Ijobs Frau rät dem geschlagenen Ijob, er solle Gott fluchen und sterben (Ijob 2,9). Im Buch Ester wird Seres, die Gemahlin Hamans, unter die beratenden Weisen gezählt (Est 6,13). Was alle diese Frauen verbindet, ist ihr Erfolg – es gibt kaum einen Fall (wie Ijob), wo der Mann nicht auf die Frau hört, ob sie nun zum Guten oder Schlechten rät.

Um den Wert einer klugen, verständigen Frau, die dem Mann mit Rat und Weisung zur Seite steht, wissen auch die Weisheitsbücher, vor allem die Sprüche (31,10; 31,26).

Auffällig ist, wie in den Proverbien die Ehefrau und die Chokmah in verschiedenen Metaphern parallelisiert werden. Sowohl die Weisheit (Spr 3,15; 8,11; Ijob 28,18) als auch die tüchtige Frau (Spr 31,10), sind mehr wert als Korallen. Sowohl die Weisheit (Spr 4,8f) als auch die gute Ehefrau (Spr 12,4) sind für den Weisen ein Kranz oder eine Krone, ebenso die Weisung und Belehrung der Eltern (Spr 1,8). Wer eine Frau findet, erlangt Wohlgefallen bei JHWH (Spr 18,22) wie jemand, der die Weisheit findet (Spr 8,34). Die kluge Frau kommt wie die

Weisheit von JHWH (Spr 19,14; vgl. Sir 1,1). Der Ruf und Ruhm der tüchtigen Frau (Spr 31,31; vgl. Rut 3,11) ertönt in den Toren der Stadt wie der Ruf der verborgenen Weisheit (vgl. Ijob 28,22) oder das laute Rufen der unter die Menschen gehenden Chokmah (Spr 1,21; 8,3).

Diese Auswechselbarkeit von Ehefrau und Chokmah im metaphorischen Sprachgebrauch ist m. E. ein Hinweis darauf, daß die (weise) Ehefrau tatsächlich als Repräsentantin oder Verkörperung der Sophia angesehen und erfahren wurde.

In der Weisheit Salomos wird die Ratgeberin Sophia als Salomos Braut und Lebensgefährtin und zugleich als Geliebte und Ehefrau Gottes vorgestellt (Weish 7–9). Leider kaschieren die gebräuchlichen Übersetzungen die verhalten erotische Terminologie des Griechischen dabei so stark, daß von dieser Liebesbeziehung kaum noch etwas zu spüren ist.[10]

Bei Jesus Sirach sind solche erotischen Vergleiche der Weisheit mit der Frau der Jugend, der Ehefrau, ebenfalls zu finden. Der Tenor dieses Buches ist jedoch, was die Frau betrifft, gründlich verschieden von den Sprüchen und der Sapientia Salomonis. Mehrmals rangiert hier Schönheit vor Klugheit, die Klugheit der Frau besteht vor allem in Schweigsamkeit und Ehrfurcht gegenüber ihrem Mann. Der Wert einer Frau wird nun fast ausschließlich als Kapital für den Mann gedeutet. Unter den guten Ratgebern des Mannes in Sir 37,7–18 kommen Frauen nicht vor, es wird im Gegenteil abgeraten von der Besprechung mit der Hauptfrau, wenn es um die Nebenfrau geht.[11]

Die beratende Königinmutter und die Mütter des Volkes

Neben den weisen Frauen und klugen Ehefrauen gibt es noch ein drittes literarisches Modell der Chokmah, nämlich die beratende Mutter. In den Sprüchen wird sie fast immer zusammen mit dem Vater genannt als die, die den Kindern »Weisung« vermittelt. Die Rolle als mütterliche Ratgeberin hat in Juda offenbar der Mutter des Königs zu besonderen Ehren, politischen Vollmachten und großem Einfluß verholfen.

Über das Amt der Gebira, der Gebieterin, wissen wir zwar aus den alttestamentlichen Texten nur sehr wenig,[12] folgendes dürfte aber nach neueren Beiträgen[13] gesichert sein:

1. Es handelte sich um ein politisches Amt, das normalerweise die leibliche Mutter des regierenden Königs übernahm. Nach Jer 13,18 (vgl. 29,2) trugen in Juda König und Gebira eine Krone.

2. Diese Institution war eine judäische Besonderheit, da im Nordreich nur die phönizische Prinzessin Isebel von judäischen Prinzen (2 Kön 10,13) mit diesem Titel bedacht wird.

3. Die Geschichte über die Absetzung der Gebira Maacha durch ihren Sohn Asa (1 Kön 15,9–14) legt nahe, daß der Ascherakult unter besonderer Protektion der Königinmutter stand.[14]

4. Eine Hauptaufgabe der Gebira war die (politische) Beratung des Königs.

Letzteres läßt sich deutlich an jener Geschichte ablesen, in der Batscheba auf die Bitte Adonijas hin versucht, ihren Sohn Salomo dazu zu bewegen, daß er Abischag von Schunem Adonija zur Frau gibt (1 Kön 2,13–23). Dieser setzt dabei ganz auf den Einfluß der Königinmutter bei ihrem Sohn:

»Rede doch mit dem König Salomo,
dich wird er ja nicht abweisen« (1 Kön 2,17).

Der König empfängt seine Mutter, indem er sich erhebt, ihr entgegengeht, sich vor ihr in Proskynese niederwirft und ihr einen Thron zu seiner Rechten hinstellen läßt. Obgleich er zunächst verspricht, die Bitte seiner Mutter zu erfüllen, veranlaßt er, daß Adonija getötet wird.

Einen weiteren Hinweis auf den beratenden Einfluß der Gebira finden wir in 2 Chr 22,2–4, wo die Notiz über Ahasja gegenüber der in 2 Kön 8,27 um einen entscheidenden Satz erweitert ist:

(V2) 22 Jahre alt war Ahasja, als er König wurde, und ein Jahr regierte er in Jerusalem. Seine Mutter hieß Atalja, die Enkelin Omris.

(V3) Auch er wandelte auf den Wegen des Hauses Ahab, *denn seine Mutter war seine Ratgeberin, die ihn zur Gottlosigkeit verleitete.*

(V4) Er tat, was dem Herrn mißfiel, gleich wie das Haus Ahab. Denn diese Leute waren nach dem Tod seines Vaters seine Ratgeber, ihm zum Verderben.

Wahrscheinlich ist auch in Dan 5,10–12 die Königinmutter gemeint, die dem erschrockenen König Belsazzar rät, Daniel zur Deutung der geheimnisvollen Schrift an der Wand beizuziehen. Und schließlich begegnet uns in einem rätselhaften Kapitel im Buch der Sprüche die ratgebende Mutter des Königs erneut, nämlich in den Worten an Lemuel, den König von Massa (Spr 31,1–9). Obwohl der Adressat dieser Weisungen und die Lokalisierung rätselhaft bleiben, besteht doch kein Zweifel, daß hier die Weisung an den König von der Mutter ausgeht. Sie rät ihm zur Zurückhaltung im Umgang mit Frauen und im Genuß von Alkohol. Sie berät ihn gar, im Sinne eines idealen Königtums, seine Aufgabe als gerechter Richter, als Anwalt der Witwen, Waisen und Armen wahrzunehmen und nicht zu vernachlässigen.[15]

Auf die enge Verbindung von Mutterrolle und Beratungsfunktion gerade im politischen Kontext gibt es noch andere Hinweise, die P. A. H. de Boer bereits 1955 in seinem hervorragenden und sehr inspirativen Beitrag »The Counsellor«[16] zusammengestellt hat.

Die genaue Untersuchung der Bedeutung von »Rat«, »Ratgeben«, »Ratgeber« in den hebräischen Texten führte ihn zu dem Schluß, daß nicht nur Rat und Weisheit untrennbar zusammengehören, sondern daß der Rat eines besonders autorisierten Menschen in Israel als eine orakelhafte, für das Leben des einzelnen wie des Volkes lebensgarantierende Entscheidung galt.

Prophetisch begabte RatgeberInnen wurden in Israel wahrscheinlich »Vater« oder »Mutter« genannt. So ist Josef nach Gen 45,8 »Vater« des Pharao, d. h. dessen Berater, geworden. Joas, der König von Israel, nennt Elischa »Vater« (2 Kön 13,14; vgl. 2 Kön 2,12). Ein Titel des idealen Königs in Jes 9,6 ist ᶴbjᶜd, was de Boer mit »Ratgeber für die Zukunft« übersetzt. Entsprechend wird Debora in Ri 5,7 »Mutter in Israel« genannt. Die Deutung de Boers[17], daß dieser Titel ihre zukunftsbestimmende Rolle als Ratgeberin für Israel hervorhebt, überzeugt mehr als die üblichen Deutungen im Sinne eines Ehrentitels. Debora wird ja in Ri 4,4–5 als weise Richterin und Prophetin vorgestellt, die das Volk in der entscheidenden Situation berät und ihre Hand zur Ausführung des Plans bietet. Und wenn in der erwähnten Geschichte von der weisen Frau in Abel-Bet-Maacha diese Stadt als eine »Mutter in Israel« gerühmt wird, dann dürfte damit gemeint sein, daß Abel-Bet-Maacha eine Stadt des guten Rates war, ein berühmter Orakelplatz oder ein Ort, wo die Weisheit, auch von Frauen, gepflegt wurde.

Die ratgebenden Frauen Israels – literarische/historische Vorbilder der ratgebenden Weisheit

Halten wir als Ergebnis der Untersuchung zunächst folgendes fest: Obwohl der Ratgeber-Beruf im engeren Sinne des Beamten am Königshof durchaus Männern vorbehalten gewesen sein mag, war Beratung und »Weisheit« in Israel keineswegs eine Männerdomäne. Ob im Privaten oder Politischen, Frauen hatten Einfluß auf ihre patriarchale Umwelt. Prophetisch begabten Frauen, Ehefrauen und Müttern stand es zu, diesen Einfluß durch ihren Rat geltend zu machen und in Taten umzusetzen. Die hohe Autorität der Frau als Ratgeberin ist dabei offensichtlich nicht schichten- oder klassengebunden. Die Erzählungen spielen sowohl an Königshöfen wie auch auf dem Land. Die soziale Ubiquität der »Ratgeberin« verbindet sich mit der Kontinuität dieses Frauen-»Typos«. Die Quellen belegen das für den gesamten Zeitraum von der Frühzeit bis in die nachexilische Zeit.

Daß die personifizierte Weisheit gerade als weibliche Ratgeberin auftritt, ist also innerisraelitisch begründbar, d. h. begründet in sozial-kulturellen Gegebenheiten der israelitischen Tradition und Geschichte. Die literarischen Frauengestalten des Alten Testaments müssen zum einen gewiß als Ausnahmeerscheinungen gelten. Sie verkörpern jedoch sicher auch alltägliche Erfahrungen der damaligen Menschen. Wie die historisch bedeutsamen Frauen mit großem öffentlichem Ansehen sind sie Vorbilder der beratenden Chokmah. Den Begriff »Vorbild« möchte ich dabei im Sinne eines prägenden, wirkungsgeschichtlich bedeutsamen Modells verstanden wissen, nicht im Sinne einer literarischen Abhängigkeit von einzelnen

alttestamentlichen Geschichten. Die literarischen und historischen Ratgeberinnen Israels ermöglichen es, daß die personifizierte Weisheit in dieser Rolle auftreten kann oder daß reli-
gionsgeschichtliche Einflüsse rezipiert werden können. Denn
weise Frauen, beratende Ehefrauen und Mütter in Israel berie-
fen sich über Jahrhunderte auf die Chokmah, auf ihre Weisheit.
Und sie waren als Repräsentantinnen der Chokmah anerkannt.

Mit der personifizierten Weisheit als Ratgeberin dürfte somit ein wesentliches Element des Frauenbildes, aber auch au-
thentischer Frauenerfahrung und -identität Israels in das weibliche Gottesbild der nachexilischen Zeit integriert worden sein.
Die Sophia, die in verschiedenen Bildern die gütige und men-
schenfreundliche Seite des Gottes Israels repräsentiert, bot daher mit hoher Wahrscheinlichkeit damaligen Frauen Identifi-
kationsmöglichkeiten, und vielleicht hat dieses Gottesbild
rückwirkend auch wieder Einfluß auf das Ansehen und die soziale Realität von Frauen gehabt.

Der sozial-religiöse Hintergrund
des weisheitlichen Gottesbildes

Es stellt sich nun die Frage, warum gerade die nachexilische
Zeit ein weiblich geprägtes Gottesbild entwickelte. Ich möchte
diese Frage in der hier gebotenen Kürze aufnehmen, ohne eine
erschöpfende Antwort geben zu können.

Wie R. Albertz, F. Crüsemann und andere in verschiedenen
kleinen Beiträgen der letzten Jahre[18] eindrücklich gezeigt haben, war die sogenannte »Krise der Weisheit« in Israel keine
geistesgeschichtliche Entwicklung, sondern eine gesellschaftliche Krise mit komplexen politischen, ökonomischen und sozialen Gründen, die ihre Reflexion und Verarbeitung dann geistesgeschichtlich u. a. in der »Weisheit« fand. Angewendet auf
unsere konkrete Fragestellung heißt das: Das weisheitliche
Gottesbild der nachexilischen Zeit ist auch als Reaktion auf die
speziellen Verhältnisse dieser Epoche zu verstehen. Mir
scheint, daß C. Camp eine wichtige Ursache für die vielzitierte
Ferne des Gottes Israels in der exilisch-nachexilischen Zeit

richtig darin erkannt hat, daß das Königtum als religiös-sakrale Mittlerinstanz zwischen JHWH und Israel ausgefallen war.[19] An die Stelle des Königtums tritt nun wie in vormonarchischer Zeit erneut die Sippe, die Familie, die Hausgemeinschaft als Ort der Offenbarung. Der Haushalt ist in der nachexilischen Zeit nicht nur die primäre sozioökonomische Einheit, sondern er bestimmt auch den Charakter und die Identität der sozialen israelitischen Existenz in den nicht monarchischen Epochen.

Durch die Integrität der Familie wird nach dem Zusammenbruch des Königtums das Bundesverhältnis Israels zu Gott gewährleistet. Und in diesem veränderten sozial-religiösen Kontext dürfte wohl der wesentliche Grund für die hohe Achtung der Frau in der Weisheit wie für die damit verbundene Veränderung des Gottesbildes in dieser Zeit liegen. Das Buch der Sprüche schließt mit dem Lob der tüchtigen Frau, die als Quelle und als Zentrum der Identität des ganzen Hauses erscheint. Das Haus ist ihr Haus, durch ihre Arbeit und ihre Gottesfurcht geschieht Schalom. Auch die personifizierte Weisheit erscheint als Hausbauerin, als Mitschöpferin; denn Frauen waren maßgeblich am Wiederaufbau nach dem Exil beteiligt. Sie fühlten sich nach Neh 5,1–5 für Haus und Besitz ebenso verantwortlich wie ihre Männer. Es dürfte daher kein Zufall sein, daß schon bei Deutero- und Tritojesaja (Jes 40–66) die Mutter und die Familie religiös wieder an Bedeutung gewinnen und das Gottesbild mütterlicher wird.[20]

Das weibliche Bild der Ratgeberin Weisheit hat also seinen Ursprung im Haus, in der Familie, und es gelangte zu Bedeutung in einer Epoche, als es in Israel keinen König – und damit keine Hof-Berater – mehr gab. An die Stelle des mit der Weisheit begabten Königs tritt nun die Chokmah selbst. Sie ist eine universelle Ratgeberin, nicht die Ratgeberin des israelitischen Königs, sondern aller Könige oder auch des schon sagenhaften Königs Salomo. Auf dem hier skizzierten historischen Hintergrund wird nach C. Camp auch die Bedeutung des Gegenbilds der Weisheit, nämlich der Torheit, ersichtlich.[21] Daß es Ratgeberinnen zum Guten und Schlechten gab, mag Grund genug für die Aufspaltung in ein Doppelbild Weisheit – Torheit gewesen sein. Jedoch ist damit nicht geklärt, warum die Verführung der Frau Torheit zumeist als Ehebruch konkretisiert wird und sie selbst im Bild der fremden Frau und verfemten Göttinnenanhängerin erscheint. Die Motive für diese Entwicklung sind wohl engstens verbunden mit der Abgrenzung Israels gegen andere religiöse Kulte und mit dem Mischehenverbot unter Nehemia, das der Stabilisierung der inneren Ordnung in Jerusalem und Juda dienen sollte. Nach Mal 2,14–16; 3,5 häuften sich in der persischen Zeit die Fälle von Ehebruch und Ehescheidung, und auch die Praxis der Mischehen mit ausländischen Frauen aus Aschdod, Ammon und Moab hatte nach Neh 13,23–27 zugenommen. Die zum Ehebruch verführende Frau Torheit, die fremde Frau und Verehrerin fremder Kulte, dürfte das Symbol des drohenden, nationalen und religiösen Identitätsverlustes in einer Zeit gewesen sein, als Ehe und Familie die Identität Israels garantieren mußten.

Die ratgebende/personifizierte Weisheit – Quelle heutiger Frauenidentität und Zukunft feministisch-christlicher Spiritualität?

Ich möchte zum Schluß an die eingangs gestellten Fragen wieder anknüpfen. Hält die hier untersuchte Rolle der Sophia als Beraterin für eine feministisch-christliche Theologie und Spiritualität ein überzeugendes biblisches Angebot bereit?

Feministische Spiritualität versucht immer, vom Leben, d. h. von menschlicher, besonders von weiblicher Erfahrung auszugehen.[22] Christinnen in der ganzen Welt erleben sich in der Rolle der Beraterin/Ratgeberin, vor allem im Bereich der Ehe und Familie, zunehmend aber auch im Bereich von Kirche und Politik. In den weisen Frauen Israels und der beratenden Chokmah könnten sie bestärkende und ermutigende Vorbilder finden, die in erstaunlicher Weise heutige Anliegen von Frauen zur Sprache bringen. Denn die weisen Ratgeberinnen und die ratgebende Weisheit setzen sich mit ihrem Rat und Entschluß für Gerechtigkeit, vor allem aber für das Leben ein, für das Leben des Volkes, für das Überleben einer Stadt oder einzelner, für das Leben der Witwen und Elenden, für das Leben in Zukunft. Und es ist zugleich die Erfahrung von Frauen damals wie heute, daß dieser Rat von den Herrschenden zu oft in den Wind geschlagen wird. »Wer mich aber verfehlt, der schädigt sich selber; alle, die mich hassen, lieben den Tod«, sagt die Weisheit in Spr 8,36. Dieses Programm gegen die Nekrophilie und für das Leben dürfte heute, angesichts globaler, durch das Patriarchat verursachter Bedrohungen, aktueller denn je sein.

Die Ratgeberin Chokmah ist eingebunden in ein sehr vielfältiges, weibliches Gottesbild. Die Chokmah ist eine schöpferische, kreative Gestalt, eine vor Selbstbewußtsein strotzende Frau, die mit Eigenlob nicht spart. Sie kann zornig werden, und sie tritt mit dem Anspruch auf, eine Lehre zu verkünden. Alle diese Eigenschaften entsprechen dem herrschenden androzentrischen Frauenbild kaum oder gar nicht – was gerade nach feministischen Auseinandersetzungen mit diesem anderen Frauenbild verlangt. Zudem integriert die Weisheit in reflektierter Mythologie eine Fülle von Bildern, Symbolen und Zügen der altorientalischen Göttinnen.

Das weisheitliche Gottesbild der frühjüdischen Zeit hat, wie Felix Christ, Max Küchler, E. Schüssler Fiorenza[23] und andere sehr eindrücklich gezeigt haben, das junge Christentum und seine Schriften in einem Maße geprägt, das gar nicht überschätzt werden kann. Jesus und Johannes verstanden sich als Gesandte der Sophia, und eine der ältesten Christologien der Kirche dürfte die Sophia-Christologie gewesen sein, die in Jesus selbst die Weisheit erkannte, die von Gott gesandt, von den Menschen verworfen wurde und wieder in den Himmel zurückkehrte. Wir können diese verschüttete Tradition mit Recht als jüdische und christliche Tradition wieder einfordern.

Dabei kommt die Sophia dem großen Bedürfnis von Christ Innen nach neuen Bildern entgegen und steht doch in einer alten, biblischen Tradition.[24] Sie integriert die Göttin, ohne den jüdisch-christlichen Monotheismus aufzugeben. Sie ist eine vermittelnde Instanz zwischen Gott und Menschen, Himmel und Erde, wie Jesus Christus, und so wird durch sie die Transzendenz und der Himmel mit der Weiblichkeit verbunden. Die biblische Sophia kommt dem Anliegen feministischer Theologie entgegen, menschliche Erfahrungen zu integrieren statt abzuspalten und zu dämonisieren, nach Verbindung und Verbundenheit zu suchen statt nach Unterscheidung und Trennung. Sie bietet Brücken an, weil sie interaktiv und offen ist, einbezieht statt auszugrenzen. In einer Welt, in der Spaltungen (Kernspaltung, Dualismus, Apartheid, Sexismus, Antisemitismus, Ost-West-Nord-Süd-Konflikte) unser Leben täglich konkret bedrohen, scheint diese integrative, verbindende Funktion einer christlichen Sophia-Spiritualität ein verheißungsvoller Weg in die Zukunft, in eine Welt der Gerechtigkeit, des Friedens und des Respekts vor der Schöpfung. Solche Erfahrungen sind große Zeichen der Hoffnung. Und es bleibt abschließend zu hoffen, daß der weise Rat der Christinnen von den Verantwortlichen (Männern) der Kirchen nicht in den Wind geschlagen, sondern rechtzeitig gehört wird, denn auch für sie gilt:

»Wohl denen, die auf die Weisheit hören,
wohl denen, die ihre Wege einhalten,
an ihrem Tor wachen Tag für Tag
und ihre Türpfosten hüten.
Denn wer die Weisheit findet,
findet das Leben und erlangt Wohlgefallen bei JHWH«
(Spr 8,34f).

Auf den Spuren der Weisheit – Weisheitstheologisches Urgestein

von Elisabeth Schüssler Fiorenza

In ihrem Gedicht »Natural Resources«[1] vergleicht Adrienne
Rich feministische Arbeit mit der von BergwerkarbeiterInnen,
die verborgene und verschüttete Bodenschätze ans Licht fördern, um ihre Welt wieder neu zu schaffen. Wenn feministisch
nach der göttlichen Weisheit (Sophia) im NT gesucht wird,
stellen sich gleich mehrere Schwierigkeiten: Die Rede von der
Weisheit findet sich nicht nur in einer christologisch verschütteten Tradition, die exegetisch ausgegraben und wiederhergestellt werden muß, sondern sie ist auch androzentrisch bestimmt. Die Freude an der Wiederentdeckung einer weiblich-
göttlichen Gestalt kann nicht übersehen, daß diese Gestalt in
androzentrischem Sprachgewand und in einer Literatur erscheint, die patriarchalen Interessen dient.

Kann eine solch androzentrische Sprache im feministisch-
theologischen Labor so umgeschmolzen werden, daß die Gestalt der göttlichen Weisheit, der Sophiagott, nicht nur christ-
lich wieder zum Tragen kommen, sondern auch befreiend
wirken kann? Wie können wir die historisch nicht realisierten
theologischen Möglichkeiten, die uns die Spuren der göttlichen Sophia im NT eröffnen, so aufgreifen, daß sie zum feministischen »Lebens-Mittel«[2] für heutige Menschen werden?
Um diesen Fragen nachzuspüren, werde ich zuerst eine kritische Rekonstruktion des schwierigen exegetisch-theologischen Forschungsstandes versuchen, um diesen feministisch
zu beleuchten und im Sinne einer feministischen Befreiungs-
theologie kritisch abzuwägen und auszuloten.

Frühjüdische Weisheitstheologie

Um die verschütteten urchristlichen Weisheitstraditionen zu erfassen, ist es zuerst nötig, ihre Wurzeln in der jüdischen Theologie freizulegen. Die theologische Durchdringung der Weisheitstradition wurzelt im nach-exilischen Judentum, wurde besonders in Ägypten gepflegt, durchzieht die apokalyptische Literatur und findet sich auch in Qumran.

Claudia Camp[3] hat deutlich gemacht, daß »Frau Weisheit« im Buch der Sprüche die Mittlerrolle zwischen Jahwe und Israel übernimmt, die vor dem Exil der König innehatte. Die weibliche Personifikation der Weisheit ist nicht nur durch den grammatisch femininen Genus von Chokmah bestimmt, sondern auch durch soziologische Veränderungen, die theologische Auswirkungen hatten. Nach dem Exil mußte die israelitische Gesellschaft den Verlust des Königtums theologisch verarbeiten. Der Wechsel von einer monarchischen, zentral verwalteten Gesellschaft zu einer Gesellschaft, die an den Nöten und Ansprüchen von Familien und Großhaushalten orientiert war, wurde positiv im Bild der weisen Hausfrau (Spr 31) und dem Lob von Frau Weisheit, die ihr kosmisches Haus baut (Spr 9), aufgenommen. Die Rolle des Königs als Verkünder von Gottes Willen und Verwalter göttlicher Gerchtigkeit, als Repräsentant von Gottes universaler Herrschaft, als autoritativer Ratgeber und Garant von kosmischer Ordnung wird jetzt durch Frau Weisheit ausgeübt.

Die jüdische Weisheitstheologie feiert Gottes Gnade und Güte, die wirksam ist in der Schöpfung der Welt und in der Erwählung Israels zu einem Volk, in dem Gott in der weiblichen Gestalt der Weisheit gegenwärtig ist. Frau Weisheit ist Führerin auf dem Weg, Predigerin in Israel, Weltarchitektin. Sie wird Schwester, Gattin, Mutter, Geliebte und Lehrerin genannt. Sie sucht die Menschen, findet sie auf der Straße und lädt sie zum Gastmahl ein. Sie bietet Leben, Ruhe, Wissen und Rettung allen, die sie aufnehmen. Sie hat eine bleibende Wohnung in Israel, das ihr Eigentum ist (Bar 4, 1–4), und wirkt als

Liturgin im Tempel. Sie sendet ProphetInnen, ApostelInnen, Weise und macht die, die ihr folgen, zu FreundInnen Gottes. Doch weiß die apokalyptische Weisheitstheologie auch, daß die göttliche Weisheit Bleibe unter den Menschen gesucht hat, aber keine Aufnahme fand. Darum hat sie sich wieder zurückgezogen und Wohnung bei den Engeln genommen (I Hen 42,1f).

Doch wird auch spürbar, wie schwer sich die Sprache tut, Frau Weisheit als göttlich zu charakterisieren, ohne einem Ditheismus zum Opfer zu fallen. Dies kommt besonders in der Weisheit Salomos zum Vorschein. Die göttliche Weisheit hat ihre Wohnung im Himmel. Sie ist Abglanz Gottes (Weish 7, 25–26), Schöpfungsmittlerin (Weish 8, 5–6) und Throngenossin Gottes (Weish 9,3). Sie herrscht über Könige, sie vermag alles, wirkt alles, erneuert alles, und durchwaltet das All (Weish 7, 23.27; 8,1.5). »Obwohl sie nur eine ist, vermag sie alles, und obgleich sie in sich selbst bleibt, erneuert sie doch das All« (Weish 7, 27). Sie ist »verständig, heilig, einzig in ihrer Art« (Weish 7,22). Sie ist eine »menschenliebende Geistin« (Weish 1,6), die Anteil am Throne Gottes hat (Weish 9,10). Sie ist die Eingeweihte in Gottes Wissen, Mitarbeiterin an Gottes Werk, Abglanz des göttlichen Lichts und Abbild von Gottes Güte, kurz: sie lebt symbiotisch mit Gott zusammen (Weish 8,3f; 7,26). Besonders in Ägypten wird die göttliche Weisheit als Israels Gottheit in der Sprache und Gestalt der Göttin gesehen. Wie die Göttin Isis, so spricht die göttliche Sophia im proklamatorischen Ich-Stil und verkündet ihre universale Heilsbotschaft. Nach einem bekannten Isis-Gebet verwenden all die verschiedenen Nationen und Völker jeweils die ihnen für ihre eigenen Götter vertrauten Namen, wenn sie die Göttin anrufen. Sie tun dies im Wissen, daß Isis als die Eine alle miteinschließt.

Anders als in der klassischen Prophetie ist die Weisheitstheologie und ihr Monotheismus nicht durch die Furcht vor der Göttin motiviert. Die Weisheitstheologie versucht vielmehr positiv in der Sprache ihrer Kultur zu sprechen und Elemente aus dem internationalen Göttinnenkult, besonders dem Isiskult, in die jüdische monotheistische Theologie zu integrieren. Damit treibt sie Theologie als *reflektierende Mythologie*, d. h. sie verwendet Elemente aus der Göttinnensprache, um von der liebenden Zuwendung Gottes zu ihrem Volk und ihrer Schöpfung zu sprechen. Sophia ist die Personifikation von Gottes rettendem Handeln in der Welt und »seiner« heilschaffenden Zuwendung zu Israel und der Menschheit. Dies kommt besonders durch die funktionale Gleichsetzung von Sophias heilschaffendem Handeln mit dem Handeln Jahwes in der Heilsgeschichte Israels zum Ausdruck.

Doch darf nicht übersehen werden, daß in der Weisheits- und in der apokalyptischen Literatur die positive Sicht der göttlichen Frau Weisheit oft mit einer negativen Sicht von Frauen und Frausein Hand in Hand geht. Solch ein androzentrischer Geschlechterdualismus, in dem Männlichkeit positiv und Weiblichkeit negativ besetzt ist, bestimmt vor allem das theologische Werk Philos, der im ersten Jh. unserer Zeitrechnung in Alexandrien wirkte.[4] In Fuga 50–52 spricht Philo von der Weisheit als der Tochter Gottes. Er erklärt, daß sie als eine weibliche Figur dargestellt wird, um die erste Stelle dem Schöpfer beizumessen, der männlich verstanden werden muß, da das Männliche immer den Vorrang hat und das Weibliche geringer ist. In Wirklichkeit aber sei die Weisheit »männlich« (arsen). Deshalb dürfe man dem grammatischen Geschlecht keine Bedeutung beimessen, sondern müsse betonen, daß die Tochter Gottes nicht nur männlich, sondern auch Vater sei.

Philo spannt diesen Geschlechterdualismus in einen kosmologischen Dualismus ein, was ihm erlaubt, die Züge der Weisheit auf den Logos zu übertragen. Nach Philo gibt es zwei Welten: die himmlische Welt der Weisheit und des Heiles und die irdische Welt der Sterblichkeit und des Kampfes. Ist die Weisheit in der unzugänglichen Welt Gottes, so weilt ihr Sohn, der *Logos* (das Wort), in der diesseitigen, um für die Seele den Weg nach oben zu bahnen. Dadurch daß die Weisheit ins Jenseits verbannt wird, ist ihr Platz als Heilsmittlerin und Fürsorgerin für die Menschen frei geworden. Ihr Logos-Sohn kann jetzt ihre Funktionen und Titel übernehmen.

Wie nach Philo die Sophia mit Isis-Prädikaten Erstling, Tochter Gottes, die Älteste, die Erstgeborene und der Anfang genannt werden kann, so erhält der Logos Titel wie Sohn Gottes, der Älteste, der Anfang und Erstgeborene Gottes. Auf einer zweiten Stufe der Reflexion wird schließlich der Logos mit der himmlischen Weisheit in eins gesetzt. Der Logos als der Sohn Gottes und der Sophia (Fuga 109) ist zugleich die *Eikon,* i. e. das Abbild und Wesen Gottes schlechthin. Bei Philo sind die Sophia-Eikon und der Logos-Eikon zusammengeflossen. Nach B. Mack[5] wurzelt Philos Ersetzung der Weisheit durch den Logos in der theologischen Reflexion über das Wesen und Schicksal Israels (Logos = Israel), das »durch repräsentative Gestalten – die Väter, den Hohenpriester, Moses – dargestellt und als der weise, königliche Gerechte« in kosmischen Herrschaftsdimensionen verstanden wird.

Die Ersetzung der Sophia durch den Logos hat die maskuline Reihe *Vater – Sohn Gottes – Söhne des Sohnes Gottes* sprachlich entwickelt. Doch darf nicht übersehen werden, daß Philo die aus dem Isis-Osiris Mythenkreis stammende kosmologische Sprache gebraucht, um psychologisch-mythische Realitäten auszudrücken. Der Logos als Priester und König des Kosmos wird zum Priester der Seele. Die historischen Gestalten Moses und Isaak werden zu Archetypen und Symbolen für Tugenden. Die Geschichte Israels wird zum psychologisch-mythischen Paradigma.

Die Sophiagott Jesu

Die frühjüdische Weisheitstradition stellt eine theologische Sprachtradition bereit, die in der Reflexion der frühchristlichen Gemeinden zugleich mit anderen frühjüdischen Traditionen aufgegriffen wird, um die theologische Bedeutung Jesu herauszuarbeiten. Die neutestamentliche Wissenschaft ist sich ziemlich einig darüber, daß wie bei Philo zwei Reflexionsstufen in dieser sophialogisch bestimmten urchristlichen Theologie unterschieden werden können.

Die erste Stufe, die vielleicht auf den historischen Jesus zurückgeht, versteht diesen als den Gesandten der Sophia und sieht somit »den« Gott Jesu in der Gestalt der göttlichen Frau

Weisheit. Sehr alte Traditionen der Jesusbewegung verstehen Jesus als den Gesandten der göttlichen Sophia. Dienst und Sendung Jesu werden als die eines Propheten der Sophia gesehen, der gesandt ist zu verkünden, daß Gott die Sophiagott der Armen und Beladenen, der Ausgestoßenen und Unrecht Leidenden ist. Es war möglich, Jesu Wirken als das Werk der göttlichen Sophia zu verstehen, weil sich Jesus wohl selbst als Bote und Kind der Sophia verstanden hat. Als Sophias Gesandter verkündet er nicht nur das Reich Gottes den Armen, Hungernden und Ausgestoßenen in Israel, sondern macht es auch erfahrbar in seinem Wirken. Der sehr alte Spruch »Die Weisheit wird gerechtfertigt [oder verteidigt] von ihren Kindern« (QLK 7,35) hat vermutlich seinen Sitz im Leben in der inklusiven Tischgemeinschaft Jesu mit SünderInnen, ZolleintreiberInnen, und Prostituierten. Jesu Sophiagott erkennt alle IsraelitInnen als ihre Kinder an, und sie wird durch sie gerechtfertigt. Die erste christliche Theologie ist Sophialogie.

Die Gemeinde der Logienquelle schränkt diesen Spruch ein, indem sie betont, daß die hervorragendsten unter den Sophiakindern Johannes, der Täufer, und besonders Jesus waren, dessen Wirken die Q-Gemeinde fortsetzt. Als Sophias Bote beruft Jesus alle, die mühselig und beladen sind, und verspricht ihnen Ruhe und Schalom. Das »Joch« der Sophia (die Nachfolge) ist sanft und ihre Last leicht (QMT 11,28–30). Ein solcher sophialogischer Kontext macht auch den schwierigen Spruch aus der Logienquelle (Mt 12,32; Lk 12,10) verständlich, daß die Lästerung gegen Jesus, das Menschenkind, vergeben werden wird, nicht aber die Lästerung gegen die Geist-Sophia.

Als Kind der Sophiagott steht Jesus in einer langen Sukzessionsreihe von ProphetInnen, die die Kinder Israels zu ihrer gnadenvollen Sophiagott zu versammeln suchen. Wie die anderen BotInnen vor ihm, so werden Johannes und Jesus als Propheten und Apostel der göttlichen Weisheit verfolgt und getötet: »Darum hat auch die Sophia Gottes gesprochen: Ich werde ProphetInnen und ApostelInnen zu ihnen senden, und sie werden etliche von ihnen töten und verfolgen« (QLK 11,49). In einem Klagespruch über Jerusalem[6] beweint die Sophia die Ermordung ihrer BotInnen: »Jerusalem, Jerusalem, du tötest die ProphetInnen und steinigst, die zu dir gesandt sind; wie oft habe ich deine Kinder sammeln wollen, wie eine Henne ihre Küken unter ihren Flügeln sammelt, und ihr habt nicht gewollt« (QLK 13,34). Dieser Spruch vergleicht das Werk der göttlichen Sophia mit der Fürsorge und Pflege eines Muttervogels für ihre Kinder.

Die Hinrichtung Jesus ist damit, wie die des Johannes und anderer ProphetInnen, die Folge seiner Sendung als Bote der göttlichen Sophia, die für die Armen und Ausgestoßenen die Zukunft offen hält und ohne Ausnahme allen Kindern Israels Heil und Wohlergehen zuspricht. Der Tod Jesu ist nicht von Sophiagott gewollt, sondern die Folge seiner Sendung. Dieses Verständnis der Hinrichtung Jesu im Sinne prophetischer Sophialogie kommt auch in dem schwierigen Spruch zum Ausdruck, der die Weisheits- und Reich-Gottes-Traditionen zusammenbringt: »Seit den Tagen Johannes des Täufers bis heute leidet das Reich Gottes Gewalt und wird von Gewalttätigen verhindert« (QMT 11,12). Kurz: Diese inklusive sophialogische Reflexion versteht Jesus als den in einer Reihe von Sophias ProphetInnen und Gesandten Stehenden, die in der Nachfolgegemeinschaft der Q-Gemeinde fortgesetzt wird.

Silvia Schroer hat etwas vom Urgestein einer solchen Weisheitstheologie auch in der vormarkinischen Tradition freigelegt. Im Zusammenhang mit der Taufe Jesu erscheint in allen vier Evangelien »der« Geist in Gestalt einer Taube, begleitet von einer Stimme: »Du bist mein geliebter Sohn, an dir habe ich Wohlgefallen gefunden« (Mk 1,11). Schroers Sichtung des religionsgeschichtlichen Materials zeigt, daß die Taube der Botenvogel der orientalischen Liebesgöttinnen war. Sie weist daraufhin, daß Philo die Turteltaube als Symbol der transzendenten und die Felsentaube als das der immanenten Sophia versteht (Quis rerum divinarum heres, 127f). Sie folgert: »Das Taufgeschehen offenbart, daß Jesus der Mensch ist, in dem, auf dem die Weisheit/der Geist Ruhe findet. Die Stimme aus den Himmeln ist die Stimme der göttlichen Sophia/Sophiagottes, der/die seinen/ihren Erwählten gefunden hat. Als Symbol der Sophia, als Botschaft von ihrer

Liebe und als Zeichen ihrer Gegenwart in Jesus kommt die Taube der ›Göttin‹ Sophia/des Pneuma.«[7]

Nach Silvia Schroer versteht die Taufperikope Jesus nicht nur als einen geisterfüllten Propheten der göttlichen Sophia, sondern schon als Inkarnation der Weisheit selbst, da sie Weisheit und Geist identifiziert. Doch scheint eine solche Identität von Jesus und Sophia vom markinischen Text her, der ja gerade Jesus als das Kind der Sophia auszuweisen sucht, nicht begründet. Vielmehr scheint das älteste, uns noch zugängliche weisheitstheologische Urgestein die Besonderheit Jesu als des Propheten, leidenden Gerechten und Kindes der Sophia im Kontext der Heilsgeschichte Israels zur Sprache zu bringen.

Weisheitschristologie

Auf der zweiten Stufe der Reflexion wird die göttliche Sophia sowohl mit dem erhöhten als auch mit dem irdischen Jesus in eins gesetzt. Das Johannesevangelium schließlich verbindet beide Interpretationsstränge, indem es Jesus von Nazareth als den personifizierten Logos und die bei ihren Kindern wohnende göttliche Sophia darstellt.

Christus Sophia:

Das theologische Urgestein der christlichen Missionsbewegung, das noch in den paulinischen Briefen zum Vorschein kommt, identifiziert »den« Auferstandenen nicht nur mit Gottes Geist, sondern auch mit Gottes Weisheit. Dies war möglich, weil im Hebräischen und Aramäischen beide Begriffe grammatisch feminin und daher nicht nur gegenseitig, sondern auch mit dem der Schekina austauschbar sind. Daß die vorpaulinische Missionsbewegung Christus im Sinne von Sophia-Geist verstand, wird besonders noch in der polemischen Argumentation von Paulus im 1. Brief an die KorintherInnen deutlich. Der Inhalt der »Weisheit«, gegen die Paulus polemisiert, dürfte der in 1 Kor 1,24 gebrauchten christologischen Formel entsprochen haben, die Christus als »Gottes Macht und Sophia« bekennt. Sie könnte auch zum Ausdruck kommen in der Charakterisierung Jesu Christi in 1 Kor 1,30, die sich auf die Taufe bezieht[8]: »Ihr jedoch seid in Christus Jesus, der uns von Gott zur Sophia geworden ist, zur Gerechtigkeit, Heiligung und Befreiung (Erlösung).« Christus ist die »verborgene« göttliche Sophia (1 Kor 2,7). »Der« Auferstandene ist »die« göttliche Sophia, die Israel beim Auszug aus Ägypten geleitet hat (1 Kor 10).

Während die Jesusbewegung Jesus und Johannes als Boten und Propheten der göttlichen Sophia verstand, betrachtet die Weisheitstheologie der christlichen Missionsbewegung Jesus als die göttliche Sophia selbst. Wie die formgeschichtliche Forschung herausgearbeitet hat, kommt eine solche Sophia-Christologie besonders in den vorpaulinischen Hymnen (Phil 2,6–11; 1Tim 3,16; Kol 1,15–20; Eph 2,14–16; Hebr 1,3; 1 Petr 3,18; Joh 1,1–14) zum Ausdruck, in denen das Wesen, um das es geht, nicht genannt, sondern nur mit dem Relativpronomen *hos* eingeführt wird. Diese Hymnen verkünden die Universalität des Heils in Jesus Christus in einer Sprache, die aus der jüdisch-hellenistischen Weisheitstheologie und aus den Mysterienreligionen stammt.[9] Dienst und Bedeutung Christi, »des« Kyrios, werden zum Beispiel in Phil 2,6–11 im Sinn der Weisheit-Isis Theologie verstanden. Der Weg Jesu Christi war derselbe wie der Weg der Sophia-Isis.[10]

> »Die Weisheit fand keinen Platz, wo sie wohnen konnte,
> da ward ihr eine Wohnung in den Himmeln zuteil.
> Die Weisheit ging aus, um bei den Menschenkindern
> Wohnung zu nehmen,
> aber sie fand keine Wohnung;
> da kehrte die Weisheit zurück an ihren Ort
> und nahm ihren Sitz bei den Engeln«
> (1 Hen 42,1–2 vgl. Sir 24, 3–7).

Durch die Erhöhung und Inthronisation hat Christus-Sophia ihre Regentschaft über den ganzen Kosmos, über himmlische und irdische Mächte erlangt. Dies wird in Phil 2,6–11 in einer auf Jes 45,23 und den Isiskult jener Zeit anspielenden Sprache verkündet. Wie Isis wird Christus-Sophia von allen Mächten im Kosmos verehrt, und es wird »ihm« ein Name gegeben, »der über allen Namen ist«. Ebenso wie die Akklamation für die Göttin Isis »Isis, ›der‹ Kyrios (masculinum)« lautet, so ist die christliche Akklamation »Jesus Christus ist ›der‹ Kyrios«. Diese Verkündigung der universalen Regentschaft von Christus-Sophia richtet sich an Personen der hellenistischen Welt, die glauben, daß die Welt von gnadenlosen kosmischen Mächten – und über allem einem blinden Schicksal – regiert werde. Sie spricht die Wünsche und Sehnsüchte hellenistischer Personen an, die die Befreiung von den Mächten dieser Welt und die Teilhabe an der göttlichen Welt ersehnen. Ein ähnliches Weltverständnis kommt auch in den Inthronisationshymnen für den Schöpfungsmittler in Hebr 1,3 und Kol 1,15–30 zum Ausdruck, die ebenfalls Prädikate der Sophia auf Christus übertragen, um »seine« kosmische Macht zu betonen.[11]

In diesem religiösen Milieu verkünden ChristInnen, daß jetzt Christus-Sophia wie Isis RegentIn der Mächte und Gewalten ist, die bisher die Welt versklavt haben. In diesem Milieu, in dem die Hymnen und Preislieder auf Isis und andere GöttInnen gesungen werden, singt die christliche Gemeinde Hymnen zum Lobe Jesu Christi, der Sophia Gottes, die auf Erden erschien, hier keine Bleibe fand und nun zum Kyrios über den ganzen Kosmos eingesetzt worden ist. Diese ChristInnen glauben, daß sie aus der Sklaverei des Todes und kosmischer Mächte befreit worden sind. Sie bekennen, daß sie bereits an der Macht und »Energie« von Christus-Sophia teilhaben, daß sie die erneuerte Schöpfung repräsentieren, weil sie in der Taufe die Leben schaffende Macht »der« Geist-Sophia empfangen haben.

Diese urchristliche »reflektierende Mythologie«, die diverse mythologische Elemente benutzt, um von Jesus Christus als der göttlichen Sophia und kosmischen RegentIn zu sprechen, erhält in der christlichen Gemeinde die Funktion eines eigenständigen Mythos, der seinen eigenen Kult hervorbringt. Christi Erhöhung und Inthronisation zu kosmischer Versöhnung und Regierung sind die zentralen Symbole dieses Mythos. Das Verständnis Christi im Sinne der Sophia als »Mittlerin« in der Schöpfung und als Macht der wiedererneuerten Schöpfung unterstreicht die kosmische Bedeutung des christlichen Glaubens, hält aber auch das Wissen lebendig, daß diese kosmische Herrln derselbe Jude Jesus ist, der in Israel einen »Platz zum Ausruhen« gesucht hat. Dieses Wissen kommt in den Kategorien Erniedrigung, Inkarnation und Tod zum Ausdruck. Die mythologischen Züge dieser Hymnen sind jedoch so stark, daß die Erinnerung an das menschliche Leben Jesu Christi von ihnen aufgesaugt zu werden droht.

Die Gefahr der Spiritualisierung und Psychologisierung, die mit der Mythologisierung Jesu im Sinne hellenistischer Weisheitstheologie gegeben ist, wird später in der christlichen Gnosis deutlich[12], kann aber nicht schon für die vorpaulinische Christologie angenommen werden. Doch muß betont werden, daß diese theologische Gefahr nicht in der Übernahme von *weiblicher* Gottessprache und Symbolik besteht. Sie besteht vielmehr zum einen darin, daß Jesus, ein historischer Mensch, jetzt als göttliche *Sophia* und als Isis – *Kyrios* verkündet wird, d. h. zum mythologisch-göttlichen Herrschaftswesen gemacht wird. Zum anderen besteht sie darin, daß Jesus zum Herrn der Welt erhöht wird. Eine solche imperiale Christologie führt auf Dauer dazu, christliche Herrschaft zu legitimieren.

Jesus Sophia

Die In-eins-Setzung von Jesus und Sophia geschieht in der Evangelientradition aus ganz anderen Interessen als in der vorpaulinischen missionarischen Bewegung. Es ist umstritten, ob bereits auf einer letzten Stufe von Q eine Identifikation Jesu mit der göttlichen Sophia vorgenommen worden ist oder erst später. Im sogenannten Jubelruf Jesu (QMt 11, 25–27) scheint Jesus mit Sophia identisch zu sein, da sich jeder einzelne Gedanke des exklusiven Jesuswortes in V. 27 scheinbar auf die Weisheitstradition zurückführen läßt. So wie die Weisheit alles von Gott empfing, so wird auch Jesus alles von Gott übergeben (V.27a). So wie die Weisheit nur von Gott erkannt wird und als einzige Gott kennt, so besitzt auch Jesus alle Weisheit, ja, er ist die Weisheit selbst (V.27bc). So wie die göttliche Sophia ihre Weisheit schenkt, so offenbart sich auch Jesus allen, denen er sich offenbaren will (V.27d).[13]

Doch hat Kloppenborg zu Recht darauf hingewiesen, daß nirgendwo in der Weisheitstradition gesagt wird, daß Sophia Wissen oder Macht von Gott erhalten hat. »In der Tat hat Sophia das Wissen von allen Dingen (Weish 7,18–21; 8,8) und *exousia* in Jerusalem (Sir 24,11b), aber diese sind von der Tatsache abgeleitet, daß sie bei der Schöpfung Gottes Werkzeug war.«[14] Kloppenborg folgert daher, daß die Philonische Logostradition, in der der Logos der erstgeborene Sohn Gottes genannt wird, die theologische Reflexion von QMt 11, 25–27 bestimmt hat. Wir haben es also nicht nur mit einer sprachlichen, sondern auch mit einer theologischen Verschiebung in der Jesustradition zu tun. Die Gemeinde, die dieses Wort formulierte, hat die inklusive Sophialogie der ältesten Jesustraditionen durch ein exklusives Offenbarungsverständnis ersetzt, das eng mit einer »Vater-Sohn-Sprache« verknüpft ist.

Die Identifikation von Jesus und Sophia findet sich im Matthäusevangelium, das die Tendenz von Q weiterentwickelt hat. QLK 7,37: »Die Weisheit wird gerechtfertigt *durch ihre Kinder*« wird in der Redaktion Mt 11,19c mit: »Die Weisheit ist gerechtfertigt *durch ihre Werke*« wiedergegeben. Damit wird die Antwort Jesu direkt auf die Frage des Johannes, der im Gefängnis von den *Werken* des Messias (Christi) hörte, bezogen. Das messianische Wirken Jesu und das der göttlichen Sophia sind identisch. Darüber hinaus legt Mt das Sophia-Wort QLK 11,49 Jesus selbst in den Mund (23, 34). Es spricht nun nicht mehr Sophia, sondern Jesus. Dadurch daß Mt das Sophia-Orakel, das von einer zukünftigen Sendung spricht, Jesus in den Mund legt, charakterisiert er »ihn« als die Sophia, die jetzt ihre NachfolgerInnen zu Israel sendet.

Indem Mt dieses Orakel in die Strafrede gegen die Pharisäer und Schriftgelehrten einbindet und eng mit dem Weheruf über Jerusalem verbindet (23,37–39), verschärft er das exklusive, antijüdische Potential dieser Evangelientradition. Er identifiziert Jesus mit der göttlichen Weisheit, um Jesu Zurückweisung durch das eigene Volk theologisch zu verarbeiten. Die Eroberung und Zerstörung Jerusalems wird hier als Folge der Hinrichtung von Jesus-Sophia gesehen. Wie Sophia hat auch Jesus ein Zuhause in Israel, ihrem/seinem Volke gesucht, ist zurückgewiesen worden und hat sich von ihm zurückgezogen, bis sie/er in Herrlichkeit wiederkehren wird (Mt 23,39).

Während die missionarische sophialogische Reflexion aus universalen, religiösen Interessen heraus Jesus mit der göttlichen Weltherrin Isis in eins setzt, verdankt sich die matthäische Interpretation Jesu als *inkarnierte Sophia* dem bitteren Konflikt zwischen der wohl weitgehend judenchristlichen Gemeinde des Matthäus und der jüdischen Gemeinde der Schriftgelehrten und Pharisäer. Die Ineinssetzung von Jesus-Sophia, die die Mühseligen und Beladenen zur Nachfolge ruft, und dem zum Gericht wiederkehrenden Menschensohn hat in diesem Konflikt ihre Wurzeln.[15]

Die Christologie des Johannesevangeliums scheint beide urchristlichen Traditionen, die Jesus mit der göttlichen Weisheit identifizieren, zu integrieren, indem sie kosmische Aspekte der hymnischen Christologie mit der sich von der jüdischen Gemeinde abgrenzenden Tendenz der im Matthäusevangelium artikulierten Weisheitsreflexion verbindet. Nach dem Johannesevangelium ist Jesus die personifizierte Weisheit.[16] Wie Sophia-Isis spricht Jesus im »Ich-Stil« und lädt Menschen mit der Symbolik von Brot, Wein und lebendigem Wasser zum Essen und Trinken ein. Wie Sophia so verkündet Jesus seine Botschaft laut auf öffentlichen Plätzen. Wie Sophia ist er Licht und Leben der Welt. Denen, die ihn/sie suchen und finden, verspricht Sophia-Jesus, daß sie leben und nicht sterben werden. Wie Sophia ruft Jesus Menschen zu sich und macht sie zu seinen/ihren Kindern und FreundInnen.

Das Geschick der göttlichen Weisheit ist das Erzählmuster des Johannesevangeliums für das Leben und die Sendung Jesu. Wie Sophia kam Jesus in sein Eigentum, wurde nicht von den Seinen/Ihren aufgenommen und ist in seiner/ihrer Erhöhung in die Welt Gottes zurückgekehrt. Doch ist diese weisheitliche Matrix des Lebens Jesu insofern verschüttet, als der Prolog nicht die weibliche Gestalt der Sophia, sondern den alternativen maskulinen Begriff des *Logos* einführt. Indem die Maskulinität des grammatischen Geschlechts, der mythologischen Personifikation und des historischen Menschen Jesus begrifflich in Übereinstimmung gebracht wird, wird die grammatische

Spannung in der christologischen Sicht des Evangeliums aufgelöst. Damit eröffnet sich theologisch die Tür, das biologisch männliche Geschlecht Jesu und das grammatisch männliche Geschlecht des *Logos* ontologisch zu verknüpfen.

Dazu kommt, daß das Evangelium als explizites Interpretament der in Jesus geschehenen Offenbarung die intime, ebenfalls aus der Weisheitsliteratur stammende »Vater-Sohn-Sprache« bevorzugt. Diese »Vater-Sohn-Sprache« ist wie auf der letzten Stufe von Q mit einem exklusiven Offenbarungsverständnis verknüpft und dient wie im Matthäusevangelium zu einer defensiven Abgrenzung von der jüdischen Muttergemeinde. Beide Formen der christologischen Identifikation des Wirkens und Lebens Jesu mit der göttlichen Sophia in den Evangelien scheinen damit ihre Formulierung einer Situation zu verdanken, in der sich die christliche Gemeinde nicht mehr als eine in Kontinuität mit Israel stehende Größe verstand, sondern ihre Identität christologisch im Gegensatz zu ihrer jüdischen Muttergemeinde artikulierte. Der urchristliche Versuch, sich weisheitschristologisch von jüdischen Gemeinden abzugrenzen, ist durch den christlichen Kanon jahrhundertelang – und vielerorts bis heute – als Antijudaismus und Antisemitismus fortgeschrieben worden.

Feministisch-theologische Reflexion

Im Vergleich zur jüdischen Weisheitsliteratur finden sich in den christlich-kanonischen Schriften nur wenige verschüttete Spuren der göttlichen Weisheit. Dies macht es verständlich, warum Gott in der Gestalt der göttlichen Sophia im christlichen Bewußtsein der westlichen Kirchen heute so gut wie unbekannt ist. Frühchristliche reflektierende Mythologie hat die von der Weisheitstheologie aus der Göttinnensprache übernommenen Elemente entweder durch den grammatisch maskulinen Logosbegriff christologisch absorbiert oder auf die Mutter Jesu übertragen. Der Vatertitel für Gott ist zwar im Neuen Testament weitgehend durch die liebende Zuwendung Gottes zur Welt, wie sie in der Gestalt der Weisheit zum Ausdruck kommt, bestimmt, doch ist diese weisheitliche Definition der Vateranrede christlichem Bewußtsein fast ganz verlorengegangen.

Feministische Theologie hat diese exegetisch-theologischen Ergebnisse weisheitstheologischer Forschung verschieden bewertet und ausgewertet. Drei Richtungen lassen sich unterscheiden: Die eine arbeitet mit den von der Psychoanalyse geborgten Begriffen Verdrängung und Archetyp, die zweite mit dem Begriff der inkarnatorischen Androgynie, der sich an Chalkedon anlehnt, und die dritte mit einer sozio-kulturellen Sprachtheorie.

Daß die Rede von der göttlichen Sophia im NT fast ganz verschüttet ist und nur durch harte exegetische Arbeit wieder zum Vorschein kommt, wird *erstens* damit erklärt, daß die Weiblichkeit der Quasi-Gottheit Weisheit patriarchal verdrängt worden ist.[17] In der Theologie Philos und der des NT ist die göttliche Sophia dadurch zum patriarchalen Opfer geworden, daß ihre Prädikate und Funktionen auf den männlichen Logos-Christus übertragen wurden. In der Geschichte des Christentums kehrt die verdrängte göttliche Weiblichkeit dann in maskierter, entstellter Form immer wieder zurück. Doch muß beachtet werden, daß sich zwar ein androzentrisch-patriarchales Symbolsystem in der Theologie Philos und christlich-gnostischen Schriften aufzeigen läßt, jedoch läßt sich nicht nachweisen, daß die neutestamentliche sophialogische Reflexion mit einem solchen männlich-weiblichen Begriffsdualismus arbeitet.

Die *zweite* feministisch-theologische Aufarbeitung der sophialogischen Spuren des NT greift auf die christologische *Zwei-Naturen-Lehre* zurück, wenn sie Jesus als wahre Göttin und wahren Mann versteht.[18] In Jesus als der Inkarnation der göttlichen Sophia sind göttlich-weibliche und menschlich-männliche Natur miteinander verschmolzen. Zwar wird in dieser Interpretation Weiblichkeit nicht im Sinne des patriarchalen Androzentrismus als zweitrangig gesetzt, doch besteht die Gefahr, daß die soziokulturell patriarchal besetzten Begriffe »weiblich und männlich« ontologisch-christologisch verfestigt werden. Insbesondere wenn weisheitlich bestimmte

Christologie in einen essentiellen Geschlechterdualismus eingespannt wird.[19]

Als einen *dritten* Weg für die feministisch-theologische Aufarbeitung der neutestamentlichen Weisheitsspuren habe ich vorgeschlagen, die Diskussion über die weibliche Gestalt der Weisheit von der psychologisch-ontologisch-christologischen Ebene auf die sprachlich-theologische Ebene hin zu verlagern.[20] Dies ist gerechtfertigt, da zum einen Weisheitstheologie sich als reflexive Mythologie versteht. Zum anderen hat es, wie wir gesehen haben, eine grammatisch androzentrische Sprache sehr schwer, im Rahmen des jüdisch-christlichen Monotheismus adäquat von der göttlichen Sophia so zu sprechen, daß sie nicht zur zweiten weiblichen Gestalt wird, die der männlichen Gottheit nach- oder untergeordnet ist.

Es geht aber nicht an, diese sprachlich-theologische Schwierigkeit so zu lösen, daß die Rede von der weiblichen Sophia metaphorisch verstanden und von der »eigentlichen« männlich bestimmten Rede von Gottvater unterschieden wird. Nach jüdischem und christlichem Verständnis ist menschliche Rede von Gott immer uneigentliche Rede. Sie ist als symbolische, metaphorische, analoge und ihrem Gegenstand vollkommen unangemessene Rede immer auch sozio-kulturell bestimmte Rede. Grammatisch androzentrische Sprache, die konventionelle Sprache ist, wird zwar als »natürliche« und wirklichkeitsentsprechende Sprache ausgegeben, aber sie wird von patriarchaler Gesellschaft und Kultur produziert, reguliert und weitergeschrieben.

Wenn Sprache nicht Abbild der Wirklichkeit, sondern ein sozio-kulturell vereinbartes Zeichensystem ist, dann wird das Mißverhältnis zwischen Sprache und Wirklichkeit grenzenlos, sobald es sich um göttliche Wirklichkeit handelt, da sich diese jedem Versuch einer begrifflichen Erfassung entzieht. Die Unfaßbarkeit und Unaussprechlichkeit Gottes verbietet jegliche Verabsolutierung und Festschreibung von Symbolen, Bildern und Namen für Gott, seien sie grammatisch männlich, weiblich oder sächlich bestimmt. Eine absolute Relativität theologischer Sprache verlangt im Gegenteil nach einer Proliferation von Symbolen, Bildern und Namen, um die menschlich unausschöpfbare göttliche Wirklichkeit anzusprechen. Wenn Sprache eine sozial-kulturelle Konvention und nicht eine Abbildung der Wirklichkeit ist, dann müssen wir aber nicht nur eine ontologische Ineinssetzung von grammatischem Geschlecht und göttlicher Wirklichkeit, sondern auch von grammatischem Geschlecht und menschlicher Wirklichkeit theologisch ablehnen. Nicht alle Sprachen kennen drei grammatische Geschlechter oder setzen natürliches Geschlecht mit grammatischem überein. Männliche oder weibliche Identität ist zudem nicht nur bestimmt durch unser biologisches Geschlecht, sondern auch durch unsere gesellschaftliche, kulturelle, religiöse oder rassische Zugehörigkeit. Biologisches Frausein und kulturelle Weiblichkeit hatten einen ganz unterschiedlichen Stellenwert, z. B. für eine freigeborene Frau und ihre Sklavin in Athen, für eine Königin und ihre Leibeigene in Europa oder für eine weiße Plantagenherrin und ihre schwarze Sklavin in Nordamerika.[21] So hat z. B. feministische Theologie nicht genügend bedacht, daß Sophia-Isis eine *schwarze* göttliche Frau ist oder daß Weiblichkeit rassistisch-bourgeois bestimmt ist.[22]

Kurz: Die Aufdeckung weisheitstheologischer und christologischer Spuren im NT zwingt TheologInnen, die Unzulänglichkeit grammatisch androzentrischer Sprache deutlich zu markieren und ins christliche Bewußtsein zu heben. Sie lädt uns nicht so sehr ein, die Sprache der frühjüdisch-christlichen Weisheitstheologie zu wiederholen, als dazu, ihr Ringen mit konventionell androzentrischer Sprache fortzusetzen. Feministische Theologie hat Symbole, Bilder und Namen der göttlichen Sophia in unseren Erfahrungsbereich und in die theologische Reflexion so einzubringen, daß männlich verfestigte und verabsolutierte Gottessprache und Christologie radikal in Frage gestellt werden. Sie lädt uns ein zur kritischen Praxis reflektierender Sophialogie. Eine solche kritisch-feministische Praxis hat für die theologische Reflexion diejenigen Elemente und Spuren biblischer Weisheitstheologie auszusortieren und in die Erfahrung der Frauenkirche einzubringen[23], die historisch noch nicht verwirklichte Befreiungsmöglichkeiten für alle Frauen ohne Ausnahme eröffnen.

Ein Bild voller Spannungen –
Die Sophia in der Gnosis

von Deirdre Good

Sophia in der Gnosis

Bis in diese Jahrhundert verdankten wir unser Wissen über den Gnostizismus fast ausschließlich den Schriftstellern der frühen Kirche, die dem Gnostizismus unversöhnlich gegenüberstanden. Mit Hilfe der koptisch verfaßten gnostischen Texte aus Ägypten kann die manchmal voreingenommene Information der Kirchenväter ergänzt und korrigiert werden.

Die Gnostiker glaubten, daß die Schöpfung der materiellen Welt durch einen untergeordneten Gott namens Ialdabaoth – eine Gestalt, die eine gewisse Ähnlichkeit mit dem Gott der hebräischen Tradition aufweist – die Folge eines Vergehens in der göttlichen Welt (pleroma) sei. Die Erkenntnis der göttlichen Welt und der Mittel zu ihrer Erlösung werde durch Offenbarung zuteil. Einige christliche Gnostiker (Valentianer) scheinen sakramentale Riten praktiziert zu haben. In den meisten Texten wird Sophia, eine der Äonen des Pleroma, in die materielle Schöpfung verstrickt. Manchmal erscheint sie als eine göttliche Gestalt, deren Schicksal demjenigen der menschlichen Seele ähnlich ist. Die Gleichsetzung der Menschheit mit einer weiblichen Gestalt, die sich mythologisch allmählich entwickelte, gibt uns einen reizvollen Einblick in eine Religion, die für das Christentum der Spätantike eine ernsthafte Herausforderung darstellte.

Der aufsehenerregende Fund von Texten einer koptischen Bibliothek bei Nag Hammadi in Ägypten, ihre Veröffentlichung und Übersetzung in den letzten dreißig Jahren führten dazu, daß das Interesse an der gnostischen Religion der Spätantike[1] zunahm. Alle Beschreibungen des Gnostizismus, die von Gnostikern oder anderen verfaßt wurden, enthalten, gleich ob sie vor, während oder nach der Publikation der Nag Hammadi-Texte erschienen, Einschätzungen über Rolle und Funktion der Sophia-Gestalt. Es gibt die unterschiedlichsten Deutungen in der Rezeptionsgeschichte:

Bousset charakterisierte zu Beginn dieses Jahrhunderts die Lehre der valentianischen Gnosis durch den ›Fall‹ der Sophia in den *Bythos* (Tiefe) aus Liebessehnsucht[2].

Für Puech ist die Gestalt der Sophia Ausdruck einer emotionalen Projektion der Gnostiker[3]. Nach Wilckens »läßt sich in allen gnostischen Texten derselbe Weisheitsmythos erkennen ... Die Weisheit ist ein himmliches Wesen, das aus seinem Ursprungsbereich herausgefallen und aus dieser Verlorenheit wieder erlöst worden ist«[4]. Solche Urteile konzentrieren sich aber nur auf die gefallene Sophia und lassen sich durch andere Einschätzungen und die Texte selbst korrigieren. Bousset selbst deutet an, daß der Valentianischen Gnosis eine ältere Auffassung zugrundeliege, nach der die Sophia freiwillig in die niedere Welt hinabsinke[5]. Doresse beschrieb als einen gemeinsamen Zug der Mythen »den Gedanken (des Vaters), der zur Mutter wird und in verschiedenartigen Gestalten in die Materie fällt ...«[6]. Der »Gedanke des Vaters« ist die Sophia selbst. Sowohl Jonas als auch Rudolph meinen, daß »eine Störung in den Höhen« die Abwärtsbewegung in Gang gesetzt habe, die »sich als Drama von Sturz und Entfremdung fortsetzt«. Aber auch sie gehen davon aus, daß nicht nur Sophia diesen Fall herbeiführt[7]. Bei Forscherinnen ist die Tendenz noch ausgeprägter, solche Einschätzungen zu korrigieren, wonach ausschließlich der Sophia die Rolle des gefallenen Äons zukommt, der die Tragödie der materiellen Schöpfung auslöst. Schottroff beispielsweise beharrte bereits vor der vollständigen Veröffentlichung der Nag-Hammadi-Texte mit gutem Grund darauf, daß ein komplexeres Bild entstehe, wenn die verschiedenen Versionen des *Johannes Apokryphon* mit den Texten verglichen würden, die uns Irenäus in *Adversus haereses* I.29 und I.30 überliefert. In ein und demselben Text könne eine Spannung auftreten zwischen der Verantwortung der Sophia für den ›Fall‹ und ihrer Entlastung davon. Schottroff zeigt, daß einige gnostische Texte eher die Überwältigung einer himmlischen Figur durch die Materie beschreiben als den ›Fall‹ einer bestimmten Gestalt[8]. Elaine Pagels verweist in mehreren ihrer Bücher auf die komplexe Bedeutung, die der Sophia in den gnostischen Quellen zukommt: Sie ist Schöpferin, Erleuchterin, Wohltäterin und Leiterin[9]. Unter besonderem Hinweis auf die Textfassungen des sogenannten *Eugnostos-Briefes* und dem Text der *Sophia Jesu Christi* habe ich ausgeführt, daß sich die Vorstellung einer schuldig gefallenen Sophia-Gestalt von einem älteren Verständnis herleiten läßt, wonach sie als überragende Erzeugerin gilt[10]. Nach dem, was wir aus Erzählungen über Valentinus entnehmen können, scheint dieser Dichter und Mystiker des 2. Jh. von der Tragödie im göttlichen Reich in einer rätselhaften und anspielungsreichen Sprache berichtet zu haben. Irenäus zitiert ihn folgendermaßen: »Eine von ihnen (gemeint sind die himmlischen Mächte) fiel, geriet in einen Zustand der Not und verursachte dadurch alles, was danach geschah.«[11] Ebenso sind manche seiner Zeitgenossen und deren Nachfolger zu verstehen. Secundus spricht von der »Macht, die fiel«[12], und Markus nennt sie »die Schwache«[13]. Es waren spätere Interpreten, die, mit Fragen der Schuld beschäftigt, die Sophia für die pleromatische Tragödie verantwortlich machten. Dadurch wurde die ursprünglich mehrdeutige Ausdrucksweise unglücklicherweise beseitigt[14]. Arthur argumentierte mit einem verdorbenen Text, in dem Hinweise auf eine »gefallene« Sophia-Gestalt mit dem übrigen Textmaterial nicht übereinzustimmen scheinen[15]. Im *Johannes Apokryphon* sieht Buckley Sophia beschrieben »als das geistige Prinzip im Menschengeschlecht, das sowohl die Menschheit wie auch sich selbst vollendet«. Sie sieht Parallelen zwischen Adam und Sophia, da beide keinen Partner haben und beide der Erlösung bedürfen. Nach der Vollendung findet eine Versöhnung der oberen und unteren Regionen statt[16]. Für P. Perkins gehören die schöpferischen und erlösenden Eigenschaften der Sophia zu ihrer Vielgestaltigkeit innerhalb der gnostischen Spekulation. Wie Luise Schottroff weist sie auf die erlösende Fähigkeit der Sophia als Mutter hin[17]. Beide nehmen an, daß die Voreingenommenheit durch die theologischen Kategorien des Christentums die früheren Forscher dazu veranlaßte, den ›Fall‹ als zentrales Thema des Gnostizismus anzusehen[18]. Die gnostischen Texte selbst unterstützen eine solche Einschätzung.

Die Ursprünge

In der Forschung besteht heute weitgehende Übereinstimmung darüber, daß die Weisheitsliteratur des Alten Testamentes viel Material für das Bild der Sophia in der gnostischen Literatur lieferte. Diese These verdankt sich zum Teil der Ansicht, daß vor allem die jüdische Literatur und Tradition für die gnostische Religion grundlegend gewesen sei[19]. Man siedelt diese in den jüdischen Intellektuellenkreisen hellenistischer Städte[20] oder in den Strömungen des Mittelplatonismus[21] oder in beiden an[22]. Dahinter steckt nicht nur der Wunsch, gnostische Texte im Lichte der weiteren Umwelt zu erklären, sondern auch das Bestreben, diesen fremdartigen Texten mehr Glaubwürdigkeit zu geben. Aber gnostische Texte werden nicht dadurch befriedigend erklärt, daß man die Ursprünge einer bestimmten mythischen Struktur zur allgemeinen Zufriedenheit erkennt.

Die Weisheitsliteratur
Seit dem 19. Jh. wurde eine Beziehung der Gestalt der Sophia zur jüdischen Weisheitsliteratur angenommen[23]. Für diese These sprechen folgende Merkmale[24]: Die Sophia ist ein präexistentes personales Wesen; sie ist eine göttlich-weibliche Gestalt in Verbundenheit mit Gott. Sie wohnt in den Wolken, ist das Werkzeug der Schöpfung und offenbart eine Botschaft, die den erlöst, der sie empfängt. Aufgrund dieser Fähigkeit

wird sie mit dem Heiligen Geist und dem Leben (in den gnostischen Texten als Eva, der Mutter des Lebens, oder als der Baum des Lebens bezeichnet) gleichgesetzt. Sie steigt in die menschliche Welt hinab (in einigen Texten fällt sie aus dem göttlichen Reich) und kehrt wieder in die himmlische Heimat zurück. Sie hat Adam beschützt, befreit und gestärkt.

Durch die Auflistung dieser Parallelen wird es leichter, die gnostische Neuinterpretation zu erkennen: In 1 Henoch 42 wird eher der ›Fall‹ der Sophia als der Abstieg betont. In der valentianischen Tradition tritt die Sophia in doppelter Gestalt auf. Auf diese Weise soll die strikte Trennung von materieller Schöpfung und oberer göttlicher Welt gewahrt bleiben. In der Folge steht die Sophia an den äußeren Enden der göttlichen Welt und damit in weitester Enfernung vom göttlichen Sein. Möglicherweise hat auch die Erzählung von Eva in Gen 3 den Anstoß dazu gegeben, daß der Abstieg der Sophia in 1 Henoch 42 in einen ›Fall‹ umgedeutet wurde: In beiden Fällen wird die weibliche Figur wegen ihres Verlangens, ›wie Gott zu sein‹, getadelt. Allerdings ist es nicht möglich, diese Umwandlung vom Abstieg zum ›Fall‹ durch das Auflisten der Parallelen zu erklären, weil die Parallelen selbst weder erklären, weshalb sie ausgewählt wurden, noch wie sie in unterschiedlichen Kontexten funktionieren.

Andere Einflüsse

Bei der Beschreibung der Erlösergestalt in der Gnosis entdeckte Bousset die Spuren einer Göttin hinter der Gestalt der Helena, die von Irenäus als Gemahlin des Simon Magus beschrieben wird. Da Bousset die simonianische Gnosis für die älteste Form der Gnosis hält, sieht er die Verbindung von Simon und Helena als Darstellung einer heiligen Hochzeit (hieros gamos), bei der ein Gott eine Göttin errettet, um sie zu heiraten. Dieses Schema entdeckte er auch in einigen Beschreibungen der Beziehung zwischen Christus und Sophia[25]. Für Bousset hat die Erlösung im Valentianismus nichts mit der christlichen Erlösungsvorstellung zu tun, sie geschieht vielmehr durch die Vereinigung eines Gottes mit einer Göttin. Obwohl die Wissenschaft Simon Magus nicht mehr für den Begründer der gnostischen Religion hält, ist Boussets Werk immer noch hilfreich, weil er die Sophia nicht isoliert betrachtet, sondern als einen Teil der gnostischen Welt. Trotzdem gibt es gnostische Texte, die auch eine isolierte Tätigkeit der Sophia kennen. Das Motiv einer selbständigen Sophia kann aus den Weisheitstexten stammen, wie z. B. Jes Sir 24, 3–7, wo die Sophia sagt: »Ich allein habe das Himmelsgewölbe durchschritten.« Dieser Text könnte Vorstellungen von der Göttin Isis als der alleinigen Herrscherin widerspiegeln[26]. In den gnostischen Texten dagegen, wo die gemeinsame Tätigkeit, etwa mit dem Gemahl, die Norm ist, wird eigenmächtiges Handeln entweder nur beschrieben oder mit kritischen Augen betrachtet.

Die Typologie der Sophia in der gnostischen Literatur

Bis heute gibt es zwei Versuche, eine Typologie der Sophiavorstellungen in der gnostischen Literatur zu entwerfen. Beide wurden vor der vollständigen Publikation der Bibliothek von Nag Hammadi unternommen. Der erste stammt von Schenke, der sich vor allem auf das *Johannes Apokryphon* (Berliner Kodex) und die *Sophia Jesu Christi* bezieht[27]. Er kam zu dem Ergebnis, daß beide Schriften spätere Entwicklungen derselben Grundanschauung darstellen, von der nur der Ausgangspunkt rekonstruiert ist. Beide Dokumente sprechen vom Vater und seiner Ennoia, die auch Sophia heißen könne, und dem gemeinsamen Sohn, Christus. Dieses Urpaar bringt gemeinsam Äonen hervor. Der Fehltritt der Sophia besteht darin, daß sie sich alleine fortpflanzt. Dieses so entstandene unvollkommene Produkt ist die niedere Welt.

Obwohl Schenkes Rekonstruktion sehr gründlich ist, bedarf sie einiger Modifikationen. Ennoia kann zuweilen als Spiegelbild des Vaters (Eugnostos) erscheinen. In dieser (männlichen) Gestalt, genannt Autopator (Selbst-Vater), ist jedoch keine Fortpflanzung möglich[28]. Im *Tripartate Tractate* kann die Sophia als Mann (Logos) in Erscheinung treten. An anderer Stelle erfahren wir über Sophia, daß sie »Ogdoad und Sophia, Erde, Jerusalem und, mit einem männlichen Bezug, Herr« genannt werden kann[29]. Es gibt auch eine Textstelle, die den Namen Sophia als Patronymikon (als eine vom Vaternamen abgeleitete Form) beschreibt[30]. Im *Brief des Eugnostos* ist die Sophia Teil des androgynen unsterblichen Menschen[31]. Solche Fälle lassen vermuten, daß die geschlechtliche Identität von (weiblichen) Äonen veränderlich ist. Schenkes Klassifikationen sind im Blick auf geschlechtsspezifische Unterscheidungen zu undifferenziert. Man sollte sich davor hüten, menschliche Kategorien wie z. B. Heterosexualität in die ewigen Reiche zu übertragen.

In einigen Fällen scheinen Gnostiker einen ursprünglichen Elternteil beschrieben zu haben, der gemeinsam mit einem androgynen Wesen weitere Androgyne mit männlichen und weiblichen Namen oder Eigenschaften hervorbringt[32].

Schottroff geht es nicht darum, ein einziges System ausfindig zu machen, von dem aus sich spätere Dokumente als Varianten erklären lassen, sondern sie unterscheidet aufgrund von Textvergleichen zwischen zwei Systemen. Im *Johannes Apokryphon* wird die Unversehrtheit des Pleroma von Beginn an behauptet und der ›Fall‹ der Sophia als eine Störung in den himmlischen Regionen beschrieben:

»Und die Sophia von Epinoia, die eine Äone ist, faßte den Gedanken ihrer selbst und die Vorstellung vom unsichtbaren Geist und vom Vorherwissen. Sie wollte aus sich selbst eine Gestalt hervorbringen ohne Zustimmung des Geistes – er hatte es nicht gebilligt – auch ohne ihren Gemahl, ja ohne ihn überhaupt zu berücksichtigen. Und aufgrund der unbesiegbaren Kraft, die in ihr steckt, blieb ihr Plan kein eitler Gedanke, es ging etwas aus ihr hervor, das unvollkommen war und verschieden von ihr selbst, weil sie es ohne ihren Gemahl geschaffen hatte . . . Sie stieß es von sich, hinweg von jenem Ort[33].«

Andere gnostische Systeme setzen einen Dualismus von Anfang an voraus. Die Tragödie besteht in solchen Fällen nicht in einem schuldhaften Fall, sondern in der Überwindung eines himmlischen Elementes durch die Materie: »Die sprudelnde Kraft dieser Frau, so lehren sie, in der eine Spur des Lichtes war, fiel abwärts von den Vätern, bewahrte aber nach deren Willen eine Spur des Lichtes, das fortan ›Rest‹, Prunicos, Sophia oder Mann-Frau genannt wurde. Sie fiel geradewegs ins Meer, wühlte es wild auf bis ganz in die Tiefe und nahm von ihm einen Körper an. Aufgrund des Lichtrestes stürmte und raste alles um sie her, so sagen sie, blieb an ihr haften und umrang sie. Ohne den Rest des Lichtes wäre sie wahrscheinlich verschlungen und von der Materie überwältigt worden[34].«

Keines der Systeme ändert etwas an dem grundsätzlichen Dualismus zwischen Welt und Gott. Beide Erklärungen für die Tragödie im Pleroma sind im selben Dokument, dem *Johannes Apokryphon* anzutreffen. Nach diesem Text besteht das Vergehen der Sophia nicht in der sexuellen Verfehlung, ohne einen Partner schwanger geworden zu sein, sondern vielmehr darin, daß sie die Mißbilligung des Pleroma ignoriert hatte. Durch die Hochzeitssymbolik wird das Pleroma von der Verantwortung für den Fall der Sophia entlastet. In allen vier Fassungen des *Johannes Apokryphon* fällt auf, daß der ›Fall‹ oder ›Sprung‹ der Sophia nicht erwähnt wird, während er in anderen Texten im Zusammenhang mit der ›Klage‹ gegen Sophia auftaucht.

Das Bild der Sophia bleibt ambivalent: Einerseits setzt sie das Böse in Gang, andererseits wird sie als »unsere Schwester, die unschuldig hinabstieg« beschrieben. Wenn sowohl das Verhalten Sophias als auch das der Nachkommenschaft Adams und Evas später als ein Fehltritt bezeichnet wird, so wird die Verbindung der Sophia mit der Menschheit deutlich. Deren Schuld besteht darin, nicht vollkommen zu sein und auf den Ruf des Erlösers nicht zu antworten.

Belege für »die umherirrende Sophia« sind für Luise Schottroff Helena (die Partnerin Simons) und die in einigen gnostischen Texten erwähnte »Bewegung der Seele«[35]. Sophia macht sich, so heißt es dort, in ihrer Not auf die Suche nach einem Gefährten. Nach 1 Henoch 42 ist sie bei dieser Suche nicht bekümmert. Das Motiv der umherirrenden oder sich fortbewegenden Sophia ist eine Metapher für ihren Fehltritt. Im *Johannes Apokryphon* »will« Sophia »nicht in ihrer Lage verharren« und beginnt, nachdem sie das Unvollkommene ihres Sohnes erkannt hat, sich in ihrem Elend hin- und herzubewegen. Diese Bewegung veranlaßt sie, ihren Mangel zu erkennen. Sie beginnt zu weinen und zu bereuen. Ihre Bewegung spiegelt sich in Gen 1,2 wider, wo sich der Geist Gottes über den Wassern bewegt. Eine ähnliche Bewegung erlebt der Logos im *Tripartate Tactate*, weil es ihm nicht gelingt, das Wesen des Vaters zu erfassen[36]. Im *Johannes Apokryphon* stört die Sophia, im *Tripartate Tractate* der Logos die Stabilität der ursprünglichen Äonen im Pleroma[37].

An anderer Stelle spricht Luise Schottroff von der Nonad, dem Himmelsbereich, der von den sieben Archonten, Sophia und ihrem Sohn Ialdabaoth bewohnt wird. Sie vertritt die Auffassung, daß diesem Motiv die astrologische Vorstellung von den sieben Sphären des Kosmos zugrundeliege, über denen eine weibliche Himmelsgottheit präsidiere (Adv. haer. I 30, 4). Einige Texte beschreiben diese Vorstellung als »die Mutter und die Sieben« (*Thomasakten*) oder als Ogdoad (Die *Sophia Jesu Christi*).

In einer Untersuchung der Erlösung der Sophia im *Johannes Apokryphon* gelangt Luise Schottroff zu der Ansicht, daß die Abweichung der einen Textfassung von den drei anderen auf einen Versuch hinweise, die Tradition zu korrigieren und die Erlösung der Sophia durch ihren Partner zu eliminieren. In dem außergewöhnlichen Text vollendet Sophia das Werk ihrer Wiederherstellung selbst[38]. Dahinter steht die Ansicht, daß die Sophia keiner Erlösung bedarf und ihre Fehler selbst korrigieren kann, weil ihre himmlischen Fähigkeiten durch den Fall kaum beeinträchtigt wurden. Luise Schottroff zeigt, daß sich solche Abweichungen durch die unterschiedlichen Menschenbilder der gnostischen Editoren erklären lassen. Eine Anschauung, die die Menschheit für fähig hält, sich schrittweise zu verbessern, spiegelt ein entsprechendes Bild der Sophia wider.

Ein Text nennt Sophia »unsere Schwester, die uns ähnelt«, und berichtet, wie der Fehltritt sowohl durch Sophia als auch durch Epinoia berichtigt wurde. Kein Text bejaht das Handeln der Sophia uneingeschränkt. Ebensowenig drückt sich in den sehr verschiedenen Erlösungsvorstellungen der Texte ein Interesse an diesem Äon als solchem aus.

Schottroffs Beobachtungen an einem Einzeltext sind sehr hilfreich und machen es unwahrscheinlich, daß aus den verschiedenen Versionen eines Textes oder auch aus einem vollständigen Kodex ein einheitliches Bild der Sophia gewonnen werden kann. Die ältere Forschung erklärte zuversichtlich – wahrscheinlich unter dem Einfluß der religionsgeschichtlichen Schule –, daß die Sophia im Rahmen der gnostischen Überlieferungen als eine Muttergottheit zu betrachten sei, unabhängig davon, ob sie Sige (Schweigen), Charis (Gnade), Aletheia (Wahrheit), Barbelo oder einfach Mutter genannt wurde[39]. Diese Ansicht hat sich bis heute durchgehalten[40]. In einer gefallenen Stellung erscheint Ennoia – der Gedanke des Vaters – als Sophia. Sie fällt in die Materie, oder sie wird von den Engeln (Archonten), den Geschöpfen der niederen Welt zurückgehalten.

Puech legt nahe, daß in älteren Vorstellungen der Vater selbst herabsteigt, um den gefallenen und gefangengehaltenen Gedanken zu retten. In manchen Texten verändert die Mutter ihre Gestalt und erscheint als Sophia oder Barbelo, als jungfräulich, transzendent und auch als die schuldhaft gefallene Sophia[41]. In Texten, die davon sprechen, daß ein Element aus dem göttlichen Reich in die Welt fällt oder von ihr zurückgehalten wird, haben wir es mit der Emanationslehre zu tun.

Die sethianischen Traditionen dagegen sprechen von drei hierarchischen Prinzipien, die die Welt bilden. Sophia wird oft auf der dritten und untersten Ebene angesiedelt, die der materiellen Welt am nächsten ist[42].

Zweifelsohne ist die Gestalt der Sophia eng mit der menschlichen Seele verbunden, von der in einigen Texten gesagt wird, daß sie auf die Erde herabsteigt und in einem menschlichen Körper Wohnung nimmt. Die Schrift *Exegese über die Seele* ist eindeutig gnostisch, obwohl sie keinem der größeren Systeme gleicht. Nach Scopello verfolgt sie die Absicht, mit Hilfe der klassischen und biblischen Sprache den gnostischen Mythos der Seele zu erklären[43]. Scopello meint, der Autor habe damit ein selbständiges Werk verfaßt, in dem er den Sophiamythos in eine romanhafte Erzählung umformt. »Die Abenteuer der Seele verbergen in der Tat den vielschichtigen Sophiamythos. Sie gestalten sich so, daß die Aufmerksamkeit des Lesers oder des Hörers durch den Strom der Ereignisse und die Lebendigkeit der Beschreibung gefesselt ist.« Die Seele fällt in einen Körper und anschließend in die Hände vieler Räuber. Auf die Reue der Seele folgen ihre Wiederherstellung und der Aufstieg zu ihrem früheren Wohnort. So wird deutlich, daß die Seele von den Bedingungen der körperlichen Existenz überwältigt wurde und an ihrer Schändung keine Schuld trägt. Der Text mißt der Weiblichkeit der Seele, die diese durch den Reinigunsprozeß erlangt, eine einzigartige Bedeutung zu. Der Mythos von der Seele stellt, indem er das Problem des Bösen aufwirft, die Frage nach der menschlichen Verantwortung. Er spricht dem Menschen in der materiellen Welt nur wenig Entscheidungsfreiheit zu. Deshalb gibt der Text auch kein moralisches Urteil ab, vielmehr spricht er die Seele von jeder moralischen Schuld frei. Der irdische Aufenthalt der Seele wird als ein notwendiger Schritt auf der Reise des Individuums zu Gott betrachtet.

In einigen Texten verhilft die Sophia der Menschheit dazu, ihre Erlösung zu erlangen. Sie ist in der Lage, den aufsteigenden Weg zur Errettung zuverlässig aufzuzeigen, weil sie selbst eine erlöste Erlöserin ist, die hinabstieg und wieder heraufkam. An anderer Stelle bewahren Adam und Eva eine Spur des Lichtes, das aus dem göttlichen Reich herausgefallen ist. Unter der Führung Sophias finden sie irdische Nahrung[44]. Sophia inspiriert die Propheten, von Christus zu sprechen, und während sie den menschlichen Jesus dem Kreuzestod überläßt, steigt sie mit Christus in den unvergänglichen Äon auf. Im Anschluß an dieselbe Erzählung halten andere Gnostiker Sophia für die Schlange aus Gen 3,1, die den Menschen das Wissen zuteil werden läßt und sich dadurch dem hebräischen Schöpfergott widersetzt, der Männern und Frauen das Wissen vorenthalten will[45]. Diese Art von historischem Resumé, das die Heilsgeschichte Israels überarbeitet und die Sophia an die Stelle Jahwes setzt, kann aus den Weisheitstraditionen (Weish 10) stammen. In der gnostischen Bearbeitung dieser Erzählung beschützt Sophia jene, die dem Geschlecht Seths angehören oder die Gnostiker selbst, deren menschliche Existenz durch die feindlichen Herrscher und ihren Führer Ialdabaoth bedroht ist. Dadurch wird die Bedeutung der Mutter für die Errettung des

Menschengeschlechtes gegenüber der des Sohnes geschmä-
lert. Nicht selten versuchen in gnostischen Texten die Mütter
ihren Töchtern gegen männliche Aufdringlichkeit zu Hilfe zu
kommen. In den sethianischen Texten beispielsweise betrachten sich die Sethianer oftmals als das edle Geschlecht Seths,
dessen unversehrter Status von vielen Mächten bedroht wird.
Die mögliche Versklavung der Nachkommenschaft Seths ist
eine Variation des Motivs der »Überwältigung«, das in diesem
Kontext ausdrücklich sexuell aufzufassen ist. So beschreibt
die Schrift *Hypostase der Archonten* den Raub der Eva und die
Flucht ihrer Tochter Norea vor dem gleichen Schicksal. Der
Text verheißt die rettende Flucht auch den Kindern Noreas,
den Gnostikern.[46]

Zusammenfassung

Welche Bedeutung hat die Sophia für die heutige Frauenbewegung? Kann diese Gestalt zu einer feministischen Theologie
oder Spiritualität einen Beitrag leisten? Bevor wir diese Frage
beantworten können, müssen wir den alten Texten, die von der
Sophia sprechen, mindestens zwei Fragen stellen: Ist das Geschlecht Sophias zufällig oder nebensächlich? Welcher Gebrauch wird davon in den Texten gemacht?

Wenn wir diese Fragen beantwortet haben, können wir besser beurteilen, welche Bedeutung die Sophia für die soziale Dimension des Geschlechts sowohl in den alten Texten wie auch
in unserer Zeit hat.

Wenn ich die ähnlich gelagerte Frage nach dem häufigen
Gebrauch weiblicher und männlicher Bildsprache außer acht
lasse[47], so scheint mir jedenfalls deutlich, daß das Genus der
Sophia in den weisheitlichen oder gnostischen Texten nicht
zufällig ist. Es ist natürlich zu beachten, daß es nicht absolut
verwendet wird – Sophia kann im *Tripartate Tractate* auch als
eine Logos-Gestalt auftreten. Im *Evangelium der Wahrheit* erscheint die Sophia als die sehr abstrakte Gestalt Plane (Irrtum),
deren Genus für das Thema des Textes von geringer Bedeutung ist. Aber in den meisten Texten ist das Geschlecht der So-

phia für die sexuelle Dynamik der Erlösung wichtig. Seine Verwendung variiert von Text zu Text. Beispielsweise wird das Genus der Weisheit in den verschiedenen Weisheitstexten der hebräischen Bibel nur in bezug auf Männer gebraucht – es sind Männer, an die sich die Weisheit wendet, und Männer sind es auch, die aus der Verbindung mit ihr Nutzen ziehen[48]. Es wäre einzuwenden, daß diese ausschließliche Verbindung durch die Gegenwart der Dienerinnen, die die Weisheit aussendet, um die Geladenen an ihrem Tisch zu versammeln, relativiert wird, auch wenn die griechische Übersetzung der hebräischen Bibel das Genus dieser Frauen getilgt hat, indem sie einfach von »Bediensteten« spricht. Zum Glück bewahren ikonographische Darstellungen des Festes der Weisheit in Spr 9 sowohl das Genus der Weisheit als auch das ihrer Dienerinnen und deuten darin ihre enge Verbindung an[49].

In gnostischen Texten kann die Weiblichkeit der Sophia Ausdruck ihrer Nähe zur Menschheit sein. Wenn das Schicksal der Seele durch die Erzählung von der Sophia dargestellt wird, dann steht das weibliche Genus der Seele dafür, daß die Menschheit den Mächten der Welt unterworfen ist. Die *Exegese von der Seele* spricht Männern und Frauen eine Seele zu, die sie abhängig macht von den Mächten der Welt. Hinsichtlich ihres Sklavenzustandes sind sich die Geschlechter gleich. Aber ihre Unterschiede sind im Text ausdrücklich festgehalten. Die Texte von Nag Hammadi sind für Frauen vor allem deshalb interessant, weil einige von ihnen die sexuelle Unterdrückung von Frauen durch Männer schildern und weil sie das selbständige Handeln der Sophia als Weg empfehlen, wie die Bedingungen des Menschen in der materiellen Welt überwunden werden können.

Gelehrte beiderlei Geschlechts beginnen jetzt, die Bedeutung zu ermessen, die einer Beschreibung der »conditio humana« in einer geschlechtsspezifischen Sprache zukommt. Hier liegt die Schwierigkeit und zugleich der Reiz der Aufgaben, die uns die Texte von Nag Hammadi stellen. Folgendes scheint nun klargeworden zu sein: Man kann nicht die männlichen und weiblichen Rollen des einen Textes verallgemeinernd auf einen anderen übertragen. Und entsprechend kann nicht angenommen werden, daß geschlechtsspezifische Rollen in jedem Text gleich bedeutsam sind. In einigen sind sie zentral, in anderen sind sie eher nebensächlich für die Absicht des Textes. Manchmal steht die weibliche (Ennoia/Weisheit/Seele), oder die männliche Figur (Logos) stellvertretend für die »conditio humana«. Sie kann von der Materie bezwungen werden, zur Erde herabsteigen oder -fallen, so daß er/sie in gewisser Weise in die Schöpfung der materiellen Welt verstrickt ist. Erlösung kann auf verschiedene Weise erwirkt werden, entweder durch die jeweilige Gestalt selbst (den erlösten Erlöser) oder durch einen Partner aus den göttlichen Regionen oder gar (wie in einigen christlich-gnostischen Texten) durch Sakramente. In diesem Geschehen kann die Sophia eine untergeordnete oder eine zentrale Rolle spielen. Uns fehlt noch eine ausgearbeitete Typologie der Sophia unter Berücksichtigung sowohl patristischer wie auch gnostischer Texte sowie eine Untersuchung des Messiasverständnisses der vorchristlichen und der christlichen Zeit, die das Kräftespiel des (zuweilen konkurrierenden) Verhältnisses zwischen Sophia und Jesus erforscht.

Wer ist die »Schöne Maid«, die ihr Gesicht mit Schleiern verhüllt? – Die Weisheit in der jüdischen Kabbala

von Dorit Cohen-Alloro

Die nachstehende Abhandlung befaßt sich mit dem im Buch Sohar dargestellten weiblichen Aspekt der Weisheit, der sowohl mit dem göttlichen Wert der Thora (Gottes Weisung, Pentateuch), als auch mit der *Sephirah Malkut*, als dem weiblichen Aspekt der Gottheit identisch ist.

Bevor wir dies im einzelnen betrachten, wollen wir kurz das Buch Sohar und einige Grundsätze seiner Lehre skizzieren.

Die Grundsätze des Sohar

Das Buch Sohar ist das Kernstück der jüdischen Geheimlehre, der Kabbala. Es kam erstmals am Ende des 13. Jh. in Spanien ans Licht der Öffentlichkeit und nahm großen Einfluß auf das jüdische Denken. Seine Verbreitung verdanken wir dem Kabbalisten Moshe de Leon. Nach der Überlieferung führte Moshe de Leon das Buch auf eine Schrift aus dem 2. Jh. von Rabbi Schimon Bar Yochai zurück.[1] Die Kabbala als Mystik des Judentums ist als historische Erscheinung erst seit dem 12. Jh. bekannt. Damals tauchte in Südfrankreich ein Buch auf, das unter dem Namen *Sepher ha'Bahir* (Buch der Klarheit) bekannt wurde. Große Gelehrte der Halachah[2] sammelten Schülergruppen um sich, um sie in die Geheimnisse der Kabbala einzuführen.

Ihr Erscheinen in der Öffentlichkeit rief jedoch eine große Gegnerschaft aus den Reihen des rabbinischen Judentums und der damals herrschenden philosophisch-rationalistischen Richtung hervor. Diese Gegner versuchten, Argumente gegen die Ursprünglichkeit und damit Heiligkeit der Sohar zu finden. Die Kritik (Ende 13. Jh.) verstärkte sich zunehmend mit dem

Aufkommen der christlichen Kabbala in der Renaissance und dem Auftreten des Schabtaismus[3], weil beide Gruppen die Grundsätze ihrer Lehre aus dem Sohar ableiteten. Trotz der unterschiedlichen Auffassungen bezüglich des Ursprungs und der Identität des Sohar, erlangte dieses Werk im Lauf weniger Jahre eine bedeutende Stellung in jüdischen Kreisen, so daß es nach der Inquisition und der Vertreibung der Juden aus Spanien, Ende des 15. Jh., als eines der drei geheiligten Bücher (neben Tanakh = Hebr. Bibel und Talmud) des Judentums galt.[4]

Der Sohar wird von den Kabbalisten als eine Auslegung der Thora-Geheimnisse bezeichnet. Während der Talmud sich mit den offen zu Tage liegenden Aspekten der Thora befaßt, beschäftigt sich der Sohar mit den verborgenen Aspekten, der innersten in die Thorah eingebetteten Wahrheit. Was ist diese Wahrheit?

Der Sohar und die Kabbala allgemein stellen eine revolutionäre Weltauffassung dar, die auf den ersten Blick für den Geist des rabbinischen Judentums fremdartig ist, und auch dem rationalistisch-philosophischen Wahrheitsbegriff jener Epoche zu widersprechen schien. Die kabbalistische Darstellungsweise der Geheimnisse der Gottheit scheint den Kern der jüdischen Religion, den Monotheismus, in Frage zu stellen. Auch die von der Kabbala gelehrten Nähe des Menschen zu Gott, die bis zu einer Einflußnahme auf die göttliche Welt verstanden wird, irritierte die rationalistisch denkenden Gegner, die von einem tiefen Abgrund zwischen Gott und Mensch ausgingen.

Gemäß der kabbalistischen Lehre offenbart sich der verborgene und unendliche Gott durch das System der *Zehn Sephirot* – der göttlichen Kräfte oder Emanationen.[5] Diese Kräfte, insbesondere deren untere Manifestationen, stellen den Aspekt der Gottheit dar, der sich vom Menschen erfassen läßt, auf den er sogar gemäß seiner jeweiligen geistigen Stufe und seelischen Verfassung Einfluß nehmen kann. Diese Sichtweise sprengte auch den Rahmen der damaligen Geisteswelt, die von der aristotelischen Philosphie erfaßt war. Aristoteles bezeichnete Gott als »unbewegten Beweger«, das heißt als Verursacher von Veränderung und Bewegung in den Welten, der selbst unveränderlich ist. In der Unbewegtheit und Unveränderlichkeit

Die zehn Sephirot

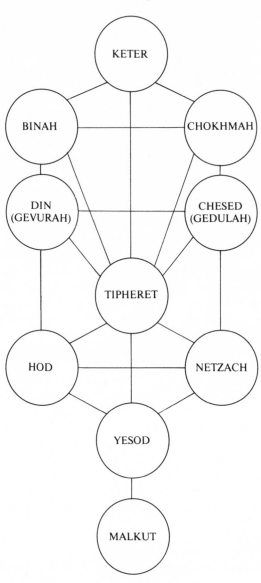

Gottes liegt seine Vollkommenheit begründet. Aus diesem Grund liegt es auch außerhalb des Willens und der Werke des Menschen, den Willen oder die Werke Gottes zu beeinflussen. Diese Auffassung drohte die Fundamente des jüdischen Glaubens zu erschüttern, der auf der Grundlage der willentlichen Schöpfung durch Gott, der göttlichen Offenbarung, der göttlichen Aufsicht über jedes Individuum und dem Halten der Gebote beruht. Die Kabbalisten versuchten, die rationalistische Ansicht von der Unveränderlichkeit Gottes mit der religiösen vom persönlichen Gott zu verbinden. Es bestehe, so betonten sie, einerseits der Aspekt der Verborgenheit, über den nichts ausgesagt werden kann und der außerhalb dessen liege, was ein Mensch erreichen kann; dies sei der Aspekt des Unendlichen, der »Gottheit als solcher«. Auf der anderen Seite gäbe es den Aspekt des Offenbarten, nämlich die *Zehn Sephirot*, die die Macht Gottes in der Welt widerspiegeln und dem Menschen die Möglichkeit eröffnen, die göttliche Welt zu erreichen und die somit einen Hin- und Rückweg zwischen dem Unendlichen und Endlichen darstellen. Dieser Gedanke kommt in den Schriften des Rabbi de Leon zum Ausdruck, in denen er einen Vergleich zieht zwischen dem Wirken der Seele im Körper, das man erfahren kann, obwohl die Seele selbst unsichtbar ist, und Gott, der auch verborgen ist, dessen Wirken man aber in den *Zehn Sephirot* erkennen kann, denn in ihnen wirkt Gott seine Werke.[6] Diese Lehre ermöglicht es den Kabbalisten, einerseits die Grundlage des Monotheismus zu wahren, andererseits für den Menschen den Weg zu einer Verbindung mit Gott zu öffnen. Die *Sephirot* seien in Wirklichkeit nichts anderes als verschiedene Facetten der einen Wirklichkeit des unendlichen Lichtes Gottes, das hervorleuchte wie die Flamme aus der glühenden Kohle (vgl. Sohar Abschn. C, S. 70). Unter Wahrung des Monotheismus betonen die Kabbalisten aber, daß derjenige, der die Gottheit als eine Mehrzahl sehe, die schwerwiegendste aller Sünden begehe und als Häretiker anzusehen sei.[7]

Der Mensch, als geistiges Wesen nach Gottes Bild geschaffen, habe die Aufgabe, die göttlichen Welten[8] zu verwirklichen. Diese Art von Gottesdienst wird als mystische Vereinigung mit Gott vorgestellt, indem man durch Betrachtung der *Sephirot* deren Qualitäten erwirbt. Die Kraft des Gesetzes, die Begrenzung und Einengung bedeutet, ermöglichte die Verdinglichung der göttlichen Welten. Das dabei entstehende Übel konnte aber solange nicht aus seinem Potential hervortreten, wie sich die Welten in ihrem geordneten Zustand befanden. Das Übel, das von Anfang an einen Platz hatte, den Gott ihm gab, konnte erst durch die irregeleitete freie Wahl des Menschen aus diesem Möglichkeitszustand zur Wirksamkeit gelangen. Das Resultat war, daß der Mensch seinen geistigen, Gott-nahen Status verlor und sich in das Reich des Bösen begab. Diese Sünde des ersten Menschen wird als Abtrennung der *Sephirah Malkut* (Königreich) – des weiblichen Aspekts der Gottheit – ausgelegt. Das heißt, diese *Sephirah,* die auch durch den Baum der Erkenntnis von Gut und Böse symbolisiert wird, wurde von ihrer ursprünglichen Verbindung mit der *Sephirah Tipheret* (Herrlichkeit), die auch durch den Baum des Lebens symbolisiert wird, getrennt. Diese Trennung ist identisch mit der Sünde der Häresie und der Störung der Harmonie in den *Zehn Sephirot,* in denen sich das göttliche Leben offenbart. Dabei erhielten die Kräfte des Bösen durch den Menschen[9] die Herrschaft in den unteren Welten, und er selbst kam unter die Herrschaft des Todes. Damit bekommt die Sünde des ersten Menschen eine zentrale Stellung in der Lehre des Sohar über das Böse. Der Mensch hat mit seiner Sündentat das Gleichgewicht zwischen den Kräften der Heiligkeit und denen der Unreinheit beeinflußt, die Seite des Widerwirkers gestärkt und ihm ermöglicht, die Grenzen zu durchbrechen, die ihm vom Schöpfer gesetzt wurden. Diese Beschreibung trifft bis heute auf den Zustand des Menschen zu, auf sein Verhältnis zu Gott und zur Schöpfung.

Während jede Sündentat eine gewisse Wiederholung der Ursünde ist, mit allen Folgen der Störung der in der Welt wirkenden Kräfte, ist in jeder Gebotserfüllung und in jedem Gebet der Schlüssel zur Wiederherstellung der kosmischen und göttlichen Harmonie enthalten.

Für den Menschen, der sich in dieser Realität des Unvollkommenen befindet, gibt es viele Wege, wieder zu den göttlichen Geheimnissen zu gelangen, so die innere und verborgene Bedeutung der Gebote und des Gebets zu verstehen, den Zweck des Daseins in der Welt zu erkennen und sich vor den Kräften des Bösen zu schützen. Der Hauptweg ist die Vertiefung in die Thora selbst, wo er über sein eigenes leibliches und seelisches[10] Woher und Wohin belehrt wird, aber vor allem darüber, wie er wieder den Zustand der Vollkommenheit erreichen kann.

Bei der Vertreibung aus dem Paradies verlor der Mensch die mystische Weisheit, die es ihm ermöglicht hatte, Gott direkt und ohne Zwischenstufen nahe zu sein. Nun muß er einen anderen, jenseits seines begrenzten Verstandes liegenden Weg suchen. Ein solcher Weg steht in der Symbolik offen. Die Thora insgesamt, sowie die Welt und ihre Erscheinungen sind in der Sicht der Kabbalisten ein System von Symbolen. Sie beleuchten das, was nicht mehr erklärt werden kann und stellen somit eine Brücke zwischen Mensch und Gott dar.

Laut dem Sohar ist in der Thora, die uns am Sinai gegeben wurde, zwar alle göttliche Weisheit tief verborgen, aber in dem, was sie uns offen darlegt, ist (nur) die *Sephirah Malkut* sichtbar gemacht, der weibliche Aspekt der Gottheit.

Dieser Gedanke kommt in einem der schönsten Gleichnisse des Sohar zum Ausdruck. In ihm ist die Thora als eine Schöne Maid dargestellt, deren Gesicht mit Schleiern verhüllt ist, die nur der, der sie wirklich liebt, der Weise und Kabbalist, einen nach dem anderen abnehmen kann, bis er schließlich gewürdigt wird, ihr Antlitz voll zu schauen.

Dieses Gleichnis und die aus ihm abgeleiteten weiteren Gleichnisse, sind im Sohar in einer ihm eigenen Erzählweise in viele Lehrstücke eingewoben. Zusammen beleuchten sie aus dieser eigentümlichen Perspektive das uns hier beschäftigende Thema und enthüllen damit einige der interessantesten Grundanschauungen des Sohar. Im folgenden wird das Gleichnis und der umgebende Erzählrahmen aus dem Sohar zitiert.[11]

Das Gleichnis

Als sich Rabbi Chija und Rabbi Jossi eines Nachts in Migdal Zur befanden, erfreuten sie sich gegenseitig mit ihren Gesprächen. Rabbi Jossi sagte: »Wie sehr freute ich mich, als ich die Schechinah sah[12]. Auf dem ganzen Weg (den wir heute gegangen sind) habe ich mich betrübt über die Worte eines Alten, eines Eselstreibers, der mich fragte: ›Wer ist die Schlange, die in der Luft blüht und allein geht und zwischen ihren Zähnen eine Ameise ruhen läßt – beginnend mit einer Verbindung und endend mit einer Trennung? Und wer ist der Adler, der auf einem unsichtbaren Baum nistet und dessen Junge geraubt wurden, aber nicht von (anderen) Geschöpfen, die geschaffen wurden an einem Ort, wo sie nicht geschaffen wurden, die, wenn sie hinaufgehen, hinuntergehen und umgekehrt, zwei die eins sind und eines das drei ist? Wer oder was ist diese Schöne Maid, die keine Augen hat, deren Körper verborgen und offenbar ist, die morgens herauskommt und tagsüber verschwindet und sich mit unwirklichen Schmuckstücken schmückt?‹[13] All dies fragte der Alte auf dem Weg, und ich war deshalb traurig; jetzt aber bin ich beruhigt (da wir miteinander sprechen). Denn wenn wir (auf dem Weg) eins gewesen wären, hätten wir uns mit der Thora beschäftigt anstatt mit anderen verwirrenden Dingen.«

Da sagte Rabbi Chija: »In jenem Eselstreiber hast du nichts erkannt?«

Rabbi Jossi antwortete: »Mir scheint, daß seine Worte nichts Wesentliches besagen; denn wenn er etwas wüßte, hätte er über die Thora gesprochen und unsere Wegstunden wären nicht nutzlos verstrichen.«

Rabbi Chija fragte: »Ist der Eselstreiber da? Denn manchmal findet man in solchen Nichtsnutzen doch ein Goldkorn.«

»Ja, er ist hier und füttert seinen Esel.« Sie riefen ihn, und er kam. Da sprach er: »Jetzt sind zwei drei und drei sind eins.«[14]

Rabbi Jossi sagte (zu Rabbi Chija): »Sagte ich dir nicht, daß all seine Worte nur eitles Geschwätz sind?«

Der Eselstreiber aber saß vor ihnen und sprach: »Rabbanan, ich wurde vor wenigen Tagen zu einem Eselstreiber; denn zuvor war ich kein Eselstreiber. Aber ich habe einen kleinen Sohn, den ließ ich zur Schule gehen, damit er die Thora lerne. Nun da ich (heute) auf dem Weg einen Rabbinern fand, trieb ich ihm meinen Esel nach und dachte, daß ich Neues aus der Thora hören würde – aber nichts dergleichen hörte ich.«

Rabbi Jossi entgegnete: »Bei allem was du plauderst, frage ich mich nur: Entweder redest du Unsinn, oder meine Worte sind hohl und leer.«

Da fragte der Alte: »Also, was trifft zu?«

Er sprach: »Die Schöne Maid . . .«

Da begann der Alte zu sprechen: »›Der Herr ist für mich, ich fürchte mich nicht; was sollten Menschen tun? Der Herr ist für mich unter meinen Helfern . . . Es ist besser, auf den Herrn zu vertrauen . . .‹ (Ps.118,6). Wie gut und lieblich und wertvoll sind doch die Thora-Worte. Aber wie kann ich sie vor den Herren Rabbinen sagen, da ich doch bisher aus eurem Mund nicht eines davon hörte? Jedoch scheint mir, es ist nichts Verwerfliches, Thora-Worte vor allen zu sprechen.«

Zögernd sprach er weiter: »›Wenn die Tochter eines Cohen (Priesters) das Weib eines Fremden wird, darf sie vom Anteil des Erhebungsritus, von den heiligen Gaben nicht mehr essen‹ (Lev 22,12). Dieser Vers stützt sich auf folgenden: ›Wenn aber eine Priestertochter Witwe wird oder von (ihrem Mann) verstoßen wird, und wenn sie keine Kinder hat und wieder ins Haus ihres Vaters zurückkehrt, wie in ihrer Jugend, so darf sie von der Speise ihres Vaters essen; irgendein Fremder aber darf nicht von ihr essen‹ (V 13). Dies ist zwar so zu verstehen wie es geschrieben ist[15]; aber die Thora-Worte sind versiegelt. Wie sehr sind in jedem Thora-Wort Dinge der Weisheit versiegelt, die nur den Weisen und Thora-Kennern bekannt sind. Die Thora ist keine Traumgeschichte, die man erst aus den Worten des Traumdeuters versteht und die man in der ihr eigenen Weise entschlüsseln muß. Wenn es hinsichtlich der Traumdeutung schon so ist, um wieviel mehr trifft dies dann auf die Thora zu, die doch (kein menschlicher Traum, sondern) die Wonne des Heiligen Königs ist (vgl. Spr 8,30: ›Und ich war seine Wonne Tag für Tag‹, was sich auf die Weisheit, d. h. die Thora bezieht, wie Ps 119,7 besagt: ›. . . denn deine Thora ist meine Wonne‹). Ja um wieviel mehr muß man ihretwillen, d. h. in der Entschlüsselung der Thora-Geheimnisse, den Weg der Wahrheit beschreiten, wie geschrieben steht: ›. . . denn gerade sind die Wege des Ewigen.› (Hos 14,10).

So muß man sagen: Mit der Priestertochter ist die hohe Gottseele gemeint, die Tochter unseres Vaters Abraham, des ersten Bekehrten, der sie von oben anzog . . . Die Priestertochter, die das Weib eines Fremden wird, ist die heilige Seele, die von oben kommt und in den inneren Baum des Lebens eingeht[16], *während der Geist des Hohen Priesters*[17] *die Gottseelen in den Baum führt, sie in dem Baum aufblühen und in den Sammelraum*[18] *einfließen läßt* . . . ›*und wenn ein Mensch – dies ist der Heilige, gelobt sei Er – seine Tochter – dies ist die Gottseele – als Dienstmagd verkauft‹ (Exod 21.7), damit sie unter euch in dieser Welt dient, dann bitte darum, wenn die Zeit kommt aus dieser Welt zu scheiden,* ›*nicht wie Sklaven‹ mit Schulden aus dem Morast zu scheiden,* ›*sondern wie eine reine und unbefleckte Tochter der Freien, so daß sich ihr Eigner (Schöpfer) freuen und ihre rühmen kann* . . .[19] *Ihr Abstieg in einen Körper dieser Welt macht sie zu einer Magd, die den Gesetzen der Materie unterworfen ist. Daher die Warnungen der Thora an den Menschen, die ihm gegebene reine Gottseele nicht durch Verschuldungen zu beschmutzen.«*

Da weinte jener Alte wieder wie zuvor und sprach zu sich selbst: »Alter, Alter, wie sehr hast du dich abgemüht, diese heiligen Dinge zu begreifen, und jetzt äußerst du sie in einem einzigen Augenblick. Wenn du sie (aber) für dich behalten und nicht weitergeben würdest, hätte man dir dann nicht gesagt: ›*Weigere dich nicht, Gutes dem zu tun, dem es zukommt, wenn es in deiner Macht steht‹ (Spr 3,27). Nichts anderes aber bedeutet:* ›*Weigere dich nicht, Gutes dem zu tun, dem es zukommt‹, als daß der Heilige, gelobt sei Er, und die Gemeinde Israel gegenwärtig sind. Denn überall, wo Thora-Worte gesprochen werden, sind sie (Gott und Israel) gegenwärtig und hören zu. Und wenn jene zuhören, wird im Baum der Erkenntnis des Guten und Bösen*[20] *die Seite des Guten gestärkt und steigt auf, und der Heilige, gelobt sei Er, und die Gemeinde Israel krönen sich mit jenem Guten; denn sie sind jene, denen es zukommt. Der Heilige, gelobt sei er, der alles Verborgene macht, hat alles in seine Thora eingebettet, alles findet sich in ihr, und alles Versiegelte enthüllt sie, aber sofort bekleidet es sich wieder mit einem anderen Gewand und verhüllt sich darin. Die Weisen aber, deren Augen erfüllt sind und vor denen sich das Wort enthüllt und sich nicht sofort wieder verkleidet, sehen es mit geöffneten Augen, und es geht nicht mehr aus ihrem (inneren) Blick verloren.«*

Die Erklärung des Gleichnisses von der Schönen Maid

»Wie soll man dieses Gleichnis verstehen? Es ist gleich einer Geliebten von schöner Gestalt und schönem Aussehen, die in einem Palast gehalten und eingeschlossen ist. Sie hat einen Liebhaber, unerkannt von den Menschen und verborgen vor ihnen. In seiner tiefen Liebe zu ihr geht er ständig am Tor ihres Hauses auf und ab und erhebt seine Augen in alle Richtungen, um sie zu sehen. Was macht sie, da sie weiß, daß er ständig am Tor umhergeht? Sie öffnet das Tor ihres Palastes ein klein wenig, zeigt sich ihm für einen kurzen Augenblick, zieht sich aber sogleich wieder zurück und verschwindet. All die anderen Menschen, die in der Nähe des Verehrers sind, sehen und verstehen das nicht.

Sein Innerstes aber, sein Herz und seine Seele fliegen ihr zu. Er weiß, daß sie in der Liebe, mit der auch sie ihn liebt, sich für einen kurzen Augenblick zeigte, um seine Liebe weiter anzuregen.

So verhält es sich auch mit der Thora. Auch sie enthüllt sich nur denen, die sie lieben. Sie erkennt den von Herzen Weisen, der tagein und tagaus vor dem Tor ihres Palastes suchend auf und ab geht, gibt ihm einen kurzen Wink, zieht sich aber sofort wieder zurück und entschwindet. Alle anderen, die sich auch dort befinden, erkennen und verstehen das nicht, sondern nur er, und sein Innerstes, sein Herz und seine Seele, erheben sich zu ihr. Sie enthüllt sich jedoch nur kurz und verfährt genau so mit denen, die sie lieben, um ihre Liebe weiter anzuregen. So verstehe, der Weg der Thora ist ebenso: Zuerst beginnt sie, sich dem Menschen durch das zu zeigen, was offen zutage liegt, um ihm damit Andeutungen und Hinweise zu geben. Wenn er versteht, dann ist es gut. Wenn er aber nicht versteht, schickt sie nach ihm und nennt ihn »Peti« (törichter Einfaltspinsel): »Sagt diesem Peti: Komm hierher und rede mit ihr!« So steht es geschrieben: »Wer einfältig (peti) ist, der komme hierher . . .« (Spr 9,4). Sie wird mit dem, der zu ihr kommt, anfangs wie verschleiert reden und ihm Worte entsprechend seines Auffassungsvermögens sagen, bis er langsam zu verstehen beginnt. Damit ist die übliche Homiletik gemeint. Dann spricht sie zu ihm rätselhafte Worte wie durch einen dünnen Schleier hindurch – dies ist die Haggadah (Legende).[21] Später dann, nachdem auch diese ihm geläufig ist, enthüllt sie sich ihm von Angesicht zu Angesicht und spricht mit ihm über alle ihre Geheimnisse und verborgenen Wege, die von Uranfang in ihr waren, aber den gewöhnlichen Blicken entzogen sind. Dann wird *er ein vollkommener Mensch, ein Thorakundiger im wahren Sinn des Wortes, ein Hausherr, dem sie all ihre Geheimnisse preisgegeben hat und vor dem sie nichts mehr verborgen und geheimhält. Sie sagt ihm: »Du sahest die Andeutungen und Hinweise, die ich dir anfänglich gab, und nun siehst du die in ihnen enthaltenen Geheimnisse.« Unverzüglich versteht er, daß den Worten der Thora nichts hinzuzufügen und nichts weggenommen werden kann, kein einziger Buchstabe und kein einziges Zeichen. Daher sollten die Menschen wie mit einem Lichtstrahl nach der Thora suchen und ihr Liebhaber sein, wie dargetan.«[22]*

Der Grundgedanke des Gleichnisses besagt, daß die Wahrheit in der uns (am Sinai) gegebenen Thora verborgen liegt, und daß der einfache Lesetext einer Hülle mit Hinweisen gleicht, die uns zu jener Wahrheit leiten.

Die Thora wird mit einer Maid verglichen, die keine Augen hat, das heißt, sie ist unter den Schleiern des einfachen Lesetextes und dessen wörtlicher Auslegung verhüllt. Ähnlich wie die kabbalistische Lehre über die Gottheit, muß man auch diese Vorstellung vor dem Hintergrund der mittelalterlichen Gedankenwelt sehen. Das Problem, das aus der Kollision zwischen dem religiösen Glauben und der rationalistisch-philosophischen Grundrichtung entstand, drohte die zentrale Grundlage des Judentums zu erschüttern, nämlich die Auffassung der Thora als göttlicher Offenbarung. Der damals weitgehend akzeptierte Versuch der jüdischen Philosophie, das Problem dadurch zu lösen, daß die Worte der Thora eine Allegorie in menschlichen Worten sei, konnte nach Ansicht der Kabbalisten jedoch nicht die Kardinalfrage lösen: Aus welchem Grund beharrt das Judentum darauf, daß die Thora ein heiliger Text sei, der nicht geändert werden könne, dem nicht ein Buchstabe hinzuzufügen und nicht einer wegzunehmen sei? Denn wenn die Thora die Wahrheiten nur gleichnishaft ausdrückt, die man auch auf andere Weise sagen könnte, warum, so fragte der Sohar, sollte man sie dann nicht gleich neu und in einer eleganteren Sprache formulieren, die von allen verstanden würde? Oder noch einen Schritt weiter wäre zu fragen, weshalb man die Thora nicht gleich durch die Schriften Platons und Aristoteles ablöst, wenn beide die Wahrheit abstrakter und gefälliger zum Ausdruck gebracht hätten. Der Sohar, der wie die Kabbala in der damaligen jüdischen philosophischen Darstellung der Thora eine ernsthafte Gefahr sah, schlug eine andere Lösung des Problems vor, das trotz seiner Neuheiten paradoxerweise den Boden für die Erhaltung und Stärkung der religiösen und traditionellen Grundlagen des Judentums bildete.

Laut Sohar wurde die Thora in ihren Grundzügen dem ersten Menschen gleich bei seiner Erschaffung gegeben. Sie enthielt alle Geheimnisse der himmlischen und irdischen Weisheit.[23] Sie war aber dem geistigen Zustand des Menschen im Garten Eden angepaßt. Dementsprechend lag ihre göttliche Weisheit vor ihm offen zutage, ohne Schleier und Trennung. Nachdem er sündigte und fiel und sich damit in den Bereich des Materiellen begab, verlor er jene obere Weisheit des Baumes des Lebens (*Sephirah Tipheret*), und es blieb ihm nur der untere Aspekt, nämlich die Weisheit, die durch den Baum der Erkenntnis des Guten und Bösen dargestellt und in der *Sephirah Malkut* symbolisiert wird.

Die Thora, die ihm in seinem gefallenen Zustand gegeben wurde, erhielt nun das Gewand, das der Welt entspricht, in der er sich jetzt befindet. Dieses Gewand ist der heute vor unseren Augen liegende simple Text. Hinter ihm ist die göttliche Weisheit verborgen, wobei das Verhältnis zwischen dem Gewand und der verborgenen Weisheit dem Verhältnis der unsichtbaren Gottseele und dem Körper entspricht. Dieses Gewand ist daher nicht nur ein Gleichnis, sondern umfaßt ein System mystischer Symbole. Es ist ein Schlüssel zum Verständnis des Wesens der Gottheit und zu deren Geheimnissen, die nicht mehr in menschlicher Sprache ausgedrückt werden können. Ein Mensch, der diese Symbole zu entschlüsseln versteht, kann durch das Gewand hindurchschauen und das Geheimnis der Gottheit begreifen, die oberen Stufen erklimmen und erkennen, »was oben und was unten ist«.

Diese Ausführungen erklären, was jener Alte in dem Gleichnis von der Maid sagte. Wer begreift, daß jedes Wort in der Thora auf ein oberes Geheimnis hinweist, versteht auch, daß ihr einfacher Lesetext genau in der Art richtig ist, wie er Wort für Wort vorliegt. So wie die Thora uns gegeben ist, reflektiert sie die göttliche Welt. Sie ist *das Geheimnis des Namens seines Wesens*[24], des wahren Namens des Heiligen, gelobt sei Er! Jeder Buchstabe in der Thora hat seine Wurzel oben. Jeder, der einen Buchstaben wegnimmt oder einen hinzufügt, verwirrt nicht nur den Schlüssel, der es ermöglicht, das Göttliche zu begreifen, sondern verunstaltet auch den heiligen Namen Gottes und verdirbt die (göttlichen) Welten als solche.

Die Thora-Maid des Gleichnisses stellt also figürlich die göttliche Weisheit dar. Die Worte: »Wer einfältig ist, der komme hierher . . .« (Spr 9,8), mit denen sich die Thora im Gleichnis an den Menschen wendet, kommen tatsächlich aus dem Mund der Weisheit. Dieser Zusammenhang zwischen Thora und Weisheit ergibt sich aus den Worten des Alten: »Alles, was der Heilige, gelobt sei Er, macht, legte er hinein in die heilige Thora, und alles findet sich in ihr . . . wie groß sind doch die Weisheiten, die in einem jeden Wort der Thora versiegelt sind.« Die Identifizierung von Thora und Weisheit, wie sie von der Kabbala vorgenommen wird, findet sich bereits im Midrasch: »Die Thora ist eine Kurzfassung der Weisheit, von oben«[25], heißt es dort. Die Thora ist eine irdische Widerspiegelung der göttlichen Weisheit. Desgleichen: »Die Weisheit baute ihr göttlichen Weisheit. Desgleichen: »Die Weisheit baute ihr Haus« – damit ist die Thora gemeint; »sie behaute ihre sieben Säulen« (Spr 9,1) – damit sind die sieben Bücher der Thora gemeint.[26] Die Thora ist auch die Weisheit, mit der Gott die Welt erschuf: »Der Heilige, gelobt sei Er, blickte in die Thora und erschuf die Welt.«[27] Aber es ist nicht nur so, daß »Gott die Thora betrachtete und ihr gemäß die Welt schuf«, so daß sie »in Übereinstimmung mit den Buchstabenverbindungen in der Thora«[28] geformt wurde, sondern sogar »bei jedem Werk, das er in der Welt machte, blickte er erst in die Thora, bevor er es machte.« So finden sich in der Thora »alle offenkundigen und verborgenen Dinge, alles was oben und alles, was unten ist . . .«[29]

In der Weiterführung des Gedankens, in dem die Kabbalisten die Thora mit der göttlichen Weisheit selbst identifizierten, setzten sie sie schließlich mit Gott gleich. Diese Vorstellung, die der Kabbalist Menachem Recanati[30] Anfang des

14. Jh. in Italien aufbrachte, geht auf den Sohar (Sohar Abschn. B, S. 90b) zurück. Es ist eine Ansicht, die auf den ersten Blick sehr radikal und gewagt erscheint, aber nur eine Weiterentwicklung des bereits erwähnten Gedankens ist, demzufolge der vor Augen liegende Thoratext lediglich ein schwacher Schatten der wahren himmlischen Thora sei. Letztere enthält zwar das Geheimnis der Gottheit, wird aber besonders durch zwei *Sephirot* symbolisiert und dementsprechend unterteilt: Die verborgene und im Sohar als die »schriftlich« bezeichnete Thora wird der *Sephirah Tipheret* zugerechnet, während die »mündlich überlieferte Thora« als die uns zugängliche Seite, der *Sephirah Malkut* zugeordnet wird.[31] »Die mündlich überlieferte Thora ist wie ein Zelt oder Aufbewahrungsbehälter der schriftlichen Thora. Daher werden durch die mündlich überlieferte Thora alle in der schriftlichen Thora enthaltenen Geheimnisse und verborgenen Dinge und Tiefen klargemacht.«[32] Beide spiegeln, wenn auch in verschiedenen Graden, die *Sephirah Chokhmah* (Weisheit) wider: ». . . denn das Geheimnis der oberen Stufe ist das Geheimnis der Weisheit, die das Haupt aller Häupter ist . . . und in dem Maße, wie sie sich ausbreitet, wirst du sie in der Mitte (*Sephirah Tipheret*) finden, wo sie Thora genannt wird . . .; und wenn sie sich noch weiter ausbreitet, wirst du sie unten finden, wo sie ›Und dies ist die Thora‹« (Dtn 4,44) oder ›mündlich überlieferte Thora‹ genannt wird. Dies ist die erste Stufe, die Weisheit genannt wird – nämlich deren Widerspiegelung als untere Weisheit in der *Sephirah Malkut*.[33]

In dieser Eigenschaft steht die *Sephirah Malkut* oben an der Spitze der *Beriah* (Schöpfung) und beherrscht sie. Deshalb wird die *Malkut* Königreich genannt, denn in dieser Eigenschaft herrscht sie über alle Geschöpfe der Welt. Sie ist das große Licht, das alle Geschöpfe brauchen. Andererseits stellt sie auch den Endpunkt der göttlichen Welt dar und kann daher vom Menschen am ehesten erreicht werden. Aus diesem Grund wird sie in der Kabbala durch mehr Namen und Sinnbilder bezeichnet als irgendeine andere *Sephirah*.

Die meisten der ihr zugeschriebenen Funktionen spiegeln das Wesen und den Archetyp der Weiblichkeit und die »Ewige Mutter« wider: »In jener (oberen) Weiblichkeit vereinigen sich alle unteren, von ihr saugen sie, und in sie kehren sie zurück. Sie wird die Mutter Aller genannt.«[34] Weiterhin identifiziert der Sohar diese *Sephirah* mit der Weisheit Gottes gegenüber unserer Welt: »Es heißt (Spr 7,4): ›Sprich zur Weisheit: Du bist meine Schwester.‹ Es gibt Weisheit und Weisheit, aber dieser weibliche Aspekt wird die kleine Weisheit genannt im Vergleich zu jener (nämlich der oberen Weisheit, Sephirah Chokhmah).« Die Versinnbildlichung der Chokhmah/Thora durch das Weibliche ist dem Judentum keineswegs fremd. Sie kommt aus der hebräischen Sprache selbst, in der die Worte Weisheit, Verständnis, und Thora feminin sind. Folglich stellt sich das Verhältnis zu diesen Begriffen wie zu etwas Weiblichem dar. (vgl. Spr 1,2ff.).

Die Weisen betonten in ihren Auslegungen, daß die Tendenz bestehe, die Thora mit dem Weiblichen zu vergleichen: »Wie gut ist doch eine gute Frau, wenn sie mit der Thora verglichen wird.« (Yeabamot 63,3) »Nicht zufällig ist das Wort Thora feminin.« (Kidduschin 2,2) »Eine tüchtige Frau, wer findet sie?« (Spr 31,10) – dies bezieht sich auf die Thora. (Schocher Tov Mischle, 31) »Der Vers: Ja, wenn du nach dem Verständnis rufst . . .« (Spr 2,3), sollte so verstanden werden. »Ja, Mutter sollst du das Verständnis nennen . . .«[35] Diese Auslegung wurde von den Kabbalisten oft benützt, um die *Sephirah Binah* (Verständnis), die dritte *Sephirah* nach *Keter* (Krone) und *Chokhmah* (Weisheit), durch die »obere Mutter« zu versinnbildlichen, die die göttliche Fülle an die sieben unter ihr befindlichen *Sephirot* weitergibt und sie versorgend erhält.

In der jüdischen Tradition begegnen wir ferner dem Begriff *Schechinah* (göttlicher Geist) ebenfalls als Femininum. Er besagt, daß die Gottheit bei den Geschöpfen wohnt[36]. Dies bedeutet letztlich eine Personifizierung Gottes in den unteren Welten. Zahlreiche Abhandlungen, die die fortschreitende Entwicklung dieses Gedankens in der jüdischen Geschichte erkennen lassen, benutzen ihn als Ausdruck für die Weisheit Gottes, aber auch für seine die Welt beherrschende Kraft, für die Würde der Schöpfung, für die Thora und für die Bezeichnung des weiblichen Aspektes der Gottheit.[37] Wie auch in anderen Fällen stütze sich die Kabbala auf die ältere jüdische Tradition, als sie die *Schechinah* mit der Weisheit, mit der Thora und mit der »Großen Mutter« als Archetyp identifzierte. In diesen und auch in anderen Fällen erhielten die zugrundeliegenden Gedanken dabei einen theosophischen Akzent mit einem der Kabbala eigenen Siegel: Die jeweiligen *Sephirot* wurden einfach mit ihren Funktionen und ihrem Symbolwert identifiziert. So wurde, die *Sephirah Binah* (Verständnis) zur oberen und die Sephirah Malkut zur unteren Schechinah gemacht.

Um besser zu begreifen, was die Kabbalisten zum Ausdruck bringen wollen, müssen wir versuchen zu verstehen, was sie zu dieser Art Symbolsprache veranlaßte. Wie wir eingangs sahen, befindet sich unsere gegenwärtige Welt in einem schadhaften, unheilen Zustand. Die uns zur Erkenntnis dieser Welt zur Verfügung stehenden Mittel, nämlich der menschliche Verstand und die menschliche Sprache, sind diesem Zustand der Welt angepaßt. Da sie von ihrer Natur her begrenzt sind, können sie die göttliche Erfahrung nicht erfassen.[38]

Die Kabbalisten sagen, nur Gleiches könne Gleiches erkennen, so daß die Gottheit nur intuitiv der in Gott wurzelnden Gottseele zugänglich sei. Da diese Welt sich nur wie eine Reflexion der wahren Wirklichkeit begreifen lasse, sei der einzige Weg zur Beschreibung der göttlichen Welt die Symbolik. Zwar seien auch die Symbole wie in Kleidern eingehüllt, wie es eben die begrenzte menschliche Sprache erfordert, aber sie seien geformt von dem, was sie darstellen. Daher können sie auf übersinnliche, über den Verstand hinausgehende Weise das Wesen und die Bedeutung des Symbolisierten vermitteln.

Wenn der Sohar gewisse *Sephirot* als männlich darstellt, will er damit deren Eigenschaften des Gebens an die unteren *Sephirot* und Welten und ihren Einfluß auf sie zum Ausdruck bringen. Wenn er den weiblichen Aspekt gewisser *Sephirot* herausstellt, will er mit Hilfe der uns geläufigen Begriffe die Eigenschaften des Empfangens und Aufnehmens der von den oberen *Sephirot* gespendeten Fülle ausdrücken. Die göttliche Paarung, nämlich die Verbindung zwischen den *Sephirot Malkut* (Königreich) und *Tipheret* (Herrlichkeit), bedeutet also die Herstellung einer Harmonie im göttlichen Lebensstrom, die ähnlich wie die irdische Paarung den Erhalt der Welt ermöglicht.

Aus dem kabbalistischen Verständnis der Gottheit als etwas Dynamischem – dem steten Strom der göttlichen Fülle aus dem *En-Soph*, dem Unendlichen, in die *Sephirot*, von dieser in die geschaffene (irdische) Welt und von dort wieder zurück in die Welt der Gottheit – ergibt sich, daß jede *Sephirah* von der ihr übergeordneten *Sephirot* Fülle empfängt, sie an die unteren *Sephirot* weitergibt, und umgekehrt.

Daher sind fast jeder *Sephirah* beide Aspekte eigen, der männliche des Gebens und der weibliche des Empfangens. Lediglich der dritten *Sephirah* (*Binah*, Verständnis) und der zehnten *Sephirah* (*Malkut*, Königreich) werden ausschließlich der weibliche Aspekt zugeschrieben. Die erste bringt den Aspekt der göttlichen Intelligenz zum Ausdruck und heißt die »obere Mutter«. An ihr hängen die sieben unteren Sephirot (wie Kinder an der Mutter). Die *Sephirah Malkut* bringt das weibliche Wesen der Gottheit gegenüber der geschaffenen Welt zum Ausdruck und heißt daher »untere Mutter« oder »Mutter der Welt«. Die *Sephirah Malkut* ist der verbindende Punkt zwischen den Welten *Aziluth* und *Beriah*[39], eine Art Tor, durch das der Strom der göttlichen Fülle in die unteren Welten und der menschlichen Darbringungen in die oberen Welten geht: »Siehe, dies ist das Geheimnis von *Binah*. Sie ist ein Tor der oberen Sephirot, von der die sieben unteren Sephirot die Segensfülle bekommen. Ebenso ist die *Sephirah Malkut* ein Tor für alle zehn Sephirot, von der alles, was sich in der Welt befindet, Große und Kleine, Segensfülle, Versorgung und Bestand erhalten. Sie ist ein Behälter aller Segnungen, die von Binah ausgehen, und so ist die eine das Modell für die andere . . . *jene ist die obere Schechinah und diese ist die untere Schechinah, jene ist die obere Mutter und diese ist die untere Mutter*, diese ist das Tor für die oberen Sephirot, und diese ist das Tor für die unteren Sephirot. Durch die erste erhalten alle anderen Sephirot Gottes Segnungen, und durch letztere erhält alles, was existiert und geschaffen ist, Gottes Segnungen.«[40]

Die *Sephirah Malkut* spiegelt nicht nur die *Sephirah Binah* wider, sondern auch alle anderen *Sephirot*. Im Vergleich zur oberen Weisheit wird die *Sephirah Malkut* die untere oder kleine Weisheit genannt.

Die *Sephirah Malkut* wird auch mit dem Mond[41] verglichen, da sie, wie dieser aus der Sonne, das Licht aus der *Sephirah Tipheret* empfängt und an die unteren Welten weitergibt. Dieses Gleichnis erklärt auch, weshalb es von der Schönen Maid heißt, daß sie »morgens herauskommt und tagsüber verschwindet«.

Die Methode, mit der der Sohar die in den Schriftversen verborgenen Dinge entschlüsselt und die göttliche Erfahrung mit ihnen identifiziert, besteht im Grunde in einer Darlegung der Worte des Alten in dem Gleichnis von der Schönen Maid. Dieser Darlegungsweise zufolge führt die Ent-deckung des Fingerzeigs zur Ent-deckung des Geheimnisses selbst: ». . . Alles ist in der Thora enthalten, und *sie selbst enthüllt das Verschlossene und bekleidet sich sofort mit einem anderen Gewand . . .*«

In dem Vers: »Ein verschlossener Garten ist meine Schwester (und) Braut . . . (Hld 4,12), wird die *Sephirah Malkut* auch mit einem Garten verglichen, in dem viele Pflanzungen – die anderen *Sephirot* – gedeihen; ebenso wird sie mit einer Braut verglichen, da alles, was sich unter ihr (*Malkut*) befindet, in ihr enthalten und aus ihr entnommen wird[42], aber alles was sich über ihr befindet, in sie einströmt und von ihr reflektiert wird. Sie ist »ein verschlossener Garten, in den jeder Strom hineinfließt, ihn durchfließt und wieder aus ihm herausfließt . . .« und »alles ist in ihm enthalten . . .« (Sohar Abschn. A, S. 32b).[43]

Die Worte: »Sprich zur Weisheit, meine Schwester bist du«, und »Meine Schwester, meine Taube, meine Vollkommmene« (Hld 5,2) begründen, weshalb Abraham seine Frau Sarah als seine Schwester ausgab.[44] Er tat dies, weil die *Schechinah* in ihr mächtig war (Sohar Abschn. B, S. 111b-112a). Sarah als Mutter der unteren Welt symbolisiert die Schechinah als Mutter der oberen Welt.

Die Symbole, soweit sie bisher betrachtet wurden, bringen vorwiegend den weiblichen Aspekt der *Sephirah Malkut* und der von ihr versinnbildlichten Weisheit zum Ausdruck. Um ein einigermaßen abgerundetes Bild von dem Reichtum ihrer vielen Bedeutungen zu bekommen, wollen wir knapp zusammengefaßt noch weitere mit dem Thema zusammenhängende Bilder und deren Funktionen skizzieren:

1. Gegenüber den Geschöpfen ist *Malkut* die »Mutter der Welt« und versinnbildlicht damit die Erzmütter Rachel und Sarah. Sie ist das ›obere Weibliche‹, in dessen ›Rat sich alles Weibliche findet, das es in der Welt gibt‹[45], und sie ist die ›Matrone‹ und die *Shechinah*: »Weil sie die bei den Unteren wohnende *Shechinah* ist, gibt sie ihnen von ihrer Fülle und Kraft und Macht und versorgt all deren Bedürfnisse«[46].

2. Gegenüber den *Sephirot*, die sich über ihr befinden, wird ihr weiblicher Aspekt durch die Begriffe Schwester, Tochter, Braut und Freundin dargestellt: »Er (Gott) nannte die Gemeinde Israel ›meine Schwester‹, wie geschrieben steht (Hld 5,2): »Tue mir auf, meine Schwester, meine Freundin . . .«[47]

3. Der passive Aspekt des Weiblichen kommt in den Symbolen zum Ausdruck, die auf Empfangen und Aufnehmen hindeuten: *Malkut* wird auch als Meer, als Becken und als Brunnen dargestellt, wie z. B. in folgendem Gedanken: ». . . und so ist sie ein Brunnen lebendigen Wassers, in dem alle Fülle und Würde *(Aziluth)* von oben einfließt«[48]; ferner wird sie auch als Haus, Tabernakel oder Schatzkammer bezeichnet: »In der Vorstellung von ihr als Schatzkammer oder Haus sind alle Arten von Fülle und *Aziluth* und göttlichen Erlebnissen eingeschlossen«[49]. Auch Obsthain, Garten und Erde sind Symbole für sie.

4. Ihr aktiver Aspekt kommt zum Ausdruck als die Kraft des Gebärens und Lebenspendens. Er wird symbolhaft dargestellt als Bach, Fluß und Segen: »Aller Segen in dieser Welt kommt von dort; (denn nur) er ist ein (wahrhaftiger) Segen, gründend in dem Wort: ». . . und sei ein Segen« (Gen 12,2); denn dort sind die Grundlagen aller Segnungen von oben und von dort nehmen sie ihren Ausgang in alle Welt und werden dann Segen genannt«[50].

5. Als Haupt über allen Geschöpfen enthält *Malkut* alles Geschaffene und alles, was noch in Zukunft geschaffen werden soll. Aus diesem Grund wird sie auch »*Even Schetiah*«, Gründungsstein, genannt. Auf ihm ist die Welt gegründet . . . denn er ist der Anfang aller Dinge, allen Weltaufbaues nach seinem (Gottes) Rat und seiner Weise[51], die »Vollendung, die alles von allem enthält«. Kraft dieser Stellung leitet *Malkut* die unterhalb von *Aziluth* befindliche (irdische) Welt, so daß aus ihrer Herr-

schaft nichts nach irgendeiner Seite ausbrechen kann.[52] Sie ist der erlösende Engel, die Gemeinde Israel und die die Welt leitende Gerechtigkeit: ».. . denn alle Angelegenheiten dieser Welt richten sich nach nichts anderem als nach dieser Gerechtigkeit«[53].

6. Da *Malkut* dem Menschen am nächsten steht, ist sie für ihn am ehesten zu begreifen. Daher ist sie für ihn das Eingangstor zum Verständnis der göttlichen Weisheit und wird demzufolge »Eingang des Zeltes« (vgl. Ex 33,9 u. a.) und »Unterer Eingang« genannt: »Dies ist der Eingang hinein zum Königstor«[54]. »Ihm gemäß gehen alle ein oder aus, um dem Namen des Höchsten anzuhangen«[55]. Jeder, der durch das Königstor eintritt, muß dies in Furcht und Angst tun, weshalb *Malkut* auch ›Furcht‹ und ›Anfang der Weisheit‹ genannt wird, gemäß dem Wort: »Der Anfang aller Weisheit ist die Furcht Gottes, und dies ist das Königreich der Himmel«[56].

7. Von *Malkut* aus kommt die Gottseele in die Welt und zu *Malkut* kehrt sie zurück nach ihrer Trennung vom Körper. Daher wird sie auch »Land der Lebendigen«[57], »Buch des Lebens« und »ewiges Leben nach dem Tod« genannt; denn dort erfreuen sich die Seelen der Gerechten am Licht der kommenden Welt (d. h. an der *Sephirah Binah*)[58].

8. *Malkut* ist das untere Ende der Welt *Aziluth* und wird daher auch die »offenbare Stufe« und die »offenbare Welt« im Vergleich zu den über ihr befindlichen *Sephirot* genannt. Sie ist das *End-H* im Tetragrammaton IHVH: »Der Abschluß des Gedankens ist (ausgedrückt) in End-H des Heiligen Namens«[59]. Sie ist auch das »Untere Licht«, die »Unteren Wasser« (vgl. Gen 1,7), sowie der Sitz für die oberen *Sephiroth*, weshalb sie auch ›Gottes Thron‹ genannt wird. Sie ist der Schirm zwischen der Welt *Azilut* und der Welt der Separationen und wird daher auch »Vorhang« genannt oder »Schleier« wie im Gleichnis von der »Schönen Maid«.

9. Wie wir sahen, reflektiert die *Sephirah Malkut* die Kräfte aller oberen *Sephirot* und wirkt deren Werk in den unteren Bereichen: ».. . denn in dieser Eigenschaft, in der sie die Kräfte von den oberen Rängen empfängt, erscheint sie in vielerlei Aspekten: zu beleben und zu töten, hinauf- und hinabzuführen, zu

schlagen und zu heilen – all dies gemäß der von den oberen Rängen auf sie zukommenden Kraft. So, wie sie diese Kraft empfängt, so bringt sie sie in allen Geschöpfen zur Wirkung«[60]. Demzufolge ist sie der »Untere Punkt«, die »Kleine Weisheit«, der »Abschluß des (göttlichen) Gedankens« von *Chokhmah*; die »Untere Mutter«, die »Untere *Schechinah*«, die »Untere Gnade« im Vergleich zur *Sephirah Chesed* (Gnade), der »Untere Gerichtshof«, die »Untere Machtausübende« das »Kleine Gericht« im Vergleich zur *Sephirah Gevurah* (Macht), der das »harte Gericht« zusteht; sie ist der (Regen)Bogen und die *Schoschannah* (Rosette), weil sie Facetten aller *Sephirot* enthält.

10. *Malkut* dient als eine Art Spiegel, der das göttliche Licht reflektiert. Sie wird daher der »Spiegel«, der nicht von sich aus leuchtet, sowie »Mond«, »kleines Licht« (Gen 1,16) und einfach »Spiegel« genannt: »Sie wird Mond genannt, weil sie selbst keinerlei Licht hat, nicht von sich aus leuchtet und nichts hat, außer dem, was sie von der Sonne, dem Leben der Welten, empfängt« (d. h. von den *Sephirot Yesod* oder *Tipheret*).[61]

11. Im Zuge der Verdeutlichung der göttlichen Offenbarung aus dem Nichts zum Sein hat sie auch den Symbolcharakter des »Wortes« und der »Stimme des Himmels«: Die unhörbare Stimme der *Sephirah Binah* verdeutlicht sich zu der in der *Sephirah Tipheret* vernehmbaren Stimme und dann weiter zu der Stimme des Himmels und dem Wort in der *Sephirah Malkut*.

12. In gleicher Weise, wie *Malkut* den unteren Welten nahe ist und sie beherrscht, ist sie auch dem Bösen nahe und beherrscht dessen Kräfte. Aus diesem Grund ist sie auch eingesetzt als Wächter über den Weg des Baumes des Lebens und steht daher symbolhaft für die »Flamme des sich wendenden Schwertes« (Gen 3,24). Da in ihr alles enthalten ist, was in der unteren Welt existiert, findet sich das Böse in seiner potentiellen Möglichkeit nicht nur außerhalb von ihr, sondern in ihr selbst, so daß sie auch mit dem Baum der Erkenntnis des Guten und des Bösen identifiziert wird: »Dieser Grundeigenschaft gemäß wird sie in der Genesis Baum der Erkenntnis genannt, an welchem der erste Mensch sündigte und scheiterte. Da sie alle Facetten enthält, . . . bewirkt sie in den Unteren gemäß der ihr von den

oberen Rängen zukommenden Kraft Leben oder Tod, Gutes oder Böses«[62].

Die vorstehend gebrachten Symbole stellen nur einen kleinen Teil der schier unendlich vielen Seiten und Facetten der *Sephirah Malkut* dar. In diesen Symbolen, sowie in dem Gleichnis von der »Schönen Maid« und den verborgenen Dingen der Thora überhaupt stecken jedoch noch zwei weitere Gedanken, die von einem ganz außergewöhnlichen Blickwinkel das bisher gezeichnete Bild beleuchten und uns zu einem noch tieferen Verständnis des Sohar im allgemeinen und unseres Themas im besonderen führen: Der erste bezieht sich auf das Geheimnis beziehungsweise die Grundidee des Gewandes, und der zweite auf die magische Lehre des Sohar.

Das Geheimnis des Gewandes

Die Verhüllung der Schönen Maid, der Thora, soll, wie gezeigt wurde, den Gedanken zum Ausdruck bringen, daß sich die Thora mit dem Gewand bekleidet, das der Ebene unserer Wirklichkeit entspricht. Wir begegnen aber dem Begriff des Gewandes in dem Gleichnis noch in anderen Zusammenhängen: der Alte, der in den Augen der Weisen zunächst im einfachen Gewand des Menschen vom Lande erscheint, entpuppt sich im Verlauf der Geschichte als Weiser und Thorakundiger. Moses jedoch bekleidet sich mit dem Gewand der *Schechinah*, als er den Berg hinaufgeht, um vor Gottes Angesicht zu treten.

Der Gebrauch dieser zwei verschiedenen Bilder ist nicht zufällig, sondern spiegelt einen dem Sohar eigenen und wichtigen Grundgedanken wider, nämlich den des Geheimnisses des Gewandes.[63] Dieses stellt einen Grundsatz vor, eine Art Naturgesetz, demzufolge jedes Erlebnis mit einem Gewand bekleidet sein muß. Das Gewand muß aber derjenigen Ebene entnommen sein, in der sich das Erlebnis ereignet, so daß sich das Gewand von Ebene zu Ebene verändert. Es ist eine Art gemeinsamer Nenner für die verschiedenen Erscheinungen, auch wenn sie auf den ersten Blick in keinerlei Zusammenhang zu stehen scheinen. So wie sich die Seele mit dem Körper bekleidet, braucht die Thora das Gewand der Erzählung, weil die Welt sie sonst nicht ertragen könnte. Wer aber meint, daß dieses Gewand die Thora selbst sei, der ist hohl und aufgeblasen und wird keinen Anteil an der künftigen Welt haben. Daher sagte David: »Öffne meine Augen, damit ich die wunderbaren Dinge aus deiner Thora erkenne« (Ps 119,18), nämlich das unter dem Gewand Verborgene (Sohar Abschn. C, S. 152a). Der Bekleidungsgrundsatz trifft auch auf die Welt der Gottheit selbst zu. So werden die *Sephirot* auch als Gewänder bezeichnet; denn jede *Sephirah* stellt das Gewand einer über ihr befindlichen *Sephirah* dar: »Das erste Licht, das der Heilige, gelobt sei Er, erschuf, leuchtete so lange, bis die Welten es nicht mehr ertragen konnten. Was machte da der Heilige, gelobt sei Er? Er machte ein Licht für sein Licht und bekleidete es damit. In gleicher Weise machte er es auch für die anderen Lichter, bis alle Welten in ihnen bestehen konnten und es ertragen konnten« (Sohar Abschn. C, S. 204b).

Die Gewänder sind einerseits ein Hinweis auf die Einheit der *Sephirot*, andererseits weisen sie auf deren Verschiedenheit hin. In sinnender Betrachtung des Gewandes einer *Sephirah* kann der Mensch das Geheimnis der Gottheit zu begreifen versuchen, ähnlich wie sich das Geheimnis der Thora durch die Betrachtung ihrer Gewänder begreifen läßt.

Auch der extreme Umschwung, der sich im Stand des ersten Menschen vollzog, als er sich mit Sünde bekleidete, wird im Sohar symbolisch anhand der Grundidee vom Gewand dargestellt. Vor der Sünde waren der Körper und die Gottseele des Menschen geistig. Dieser geistige Rang des ersten Menschen wird in dem Lichtgewand sichtbar, das aus dem Licht der *Sephirot* gewebt war, mit dem ihn der Heilige, gelobt sei Er, unmittelbar bei seiner Erschaffung bekleidete. So ausgestattet war der Mensch würdig, seinem Schöpfer nahe zu sein und die obere Weisheit zu verstehen. Die Versündigung kommt im Wechsel dieses Gewandes zum Ausdruck: Der Mensch entledigte sich seiner geistigen Lichtkleider und zog Haut und Knochen als sein jetziges Gewand an. Als weitere Folge verlor der Mensch seinen Halt an der mystischen Weisheit des Baumes des Lebens und tauschte diese gegen die magische Weisheit des Baumes der Erkenntnis des Guten und Bösen ein.

Das weltliche Gewand wird einerseits wie ein Gefängnis für das geistige Erlebnis und wie ein verstandesmäßiger Vorhang vor dem göttlichen Urgrund empfunden, andererseits aber ermöglicht erst dieses Gewand das Bestehen der materiellen Welt und seines Wirkens in ihr. (vgl. Sohar Abschn. B, S. 229b). Diesem Bekleidungsgrundsatz zu Folge kann die Gottseele nicht zurückkehren und wieder dem ursprünglichen Licht nahe sein, von dem sie ausgegangen war, ehe sie nicht umkehrt und sich mit einem Lichtgewand bekleidet (Sohar Abschn. A, S. 65b-66a). Das Lichtgewand für die Seele wird aus den Geboten gewebt, die sie in dieser Welt erfüllt.

Der mystische und magische Aspekt

Der Zweck des Daseins des Menschen nach dem Fall ist die Ausbesserung des Schadens, den er durch die erste Sünde verursachte. Diese Ausbesserung erfolgt durch die metaphysische Vereinigung des Baumes der Erkenntnis mit dem Baum des Lebens. Die *Sephirah Malkut* fungiert dabei in ihrer Stellung als Mutter der Welt. Sie bringt die (göttliche) Fülle auf alle Geschöpfe herab und dient für die Weisheit des Menschen als Tor zu den aufwärts führenden Stufen, über die der Mensch das göttliche Geheimnis erlangen kann.

Während die Vereinigung zwischen den oberen *Sephirot Chokhmah* und *Binah* eine ewigdauernde Vereinigung ist, die die göttliche Welt aufrecht erhält und auf die der Mensch keinerlei Einfluß ausüben kann, kommt die Paarung zwischen den unteren *Sephirot Malkut* und *Tipheret* durch die Werke des Menschen zustande.[64] Das bedeutet, daß der Mensch durch seine Werke hier unten die göttlichen Kräfte oben erwecken und damit auf die Welten Einfluß nehmen kann. Diese nur dem Menschen eigene Befähigung liegt laut der Lehre der Kabbalisten in dem göttlichen Ursprung der Gottseele begründet und in dem vorgeprägten Verhältnis zwischen ihr und den *Sephirot*. Der Grundsatz lautet hier: Nur Gleiches kann Gleiches erkennen und Einfluß darauf nehmen. Die erwähnte Vorprägung des Verhältnisses zwischen dem Menschen und den oberen Welten ermöglicht eine wechselseitige Beeinflussung.[65]

Dieser Gedanke läßt eine magisch-theurgische Weltauffassung erkennen, die im Sohar aus drei grundlegenden Annahmen entwickelt wird: Die erste postuliert ein Verhältnis der Modellhaftigkeit und Ähnlichkeit zwischen den unteren Welten und der Welt der göttlichen *Sephirot*. Die zweite besagt, daß jedes Erlebnis unten seine Wurzel im oberen Bereich hat. Die dritte handelt von dem magisch-sympathischen Grundsatz, demzufolge jede Art von ihresgleichen angezogen wird.[66] Laut dem Sohar erklärt der Grundsatz von dem Verhältnis der Modellhaftigkeit und der Ähnlichkeit zwischen den Welten die verborgene Verbindung und Anziehungskraft, die zwischen ihnen besteht. Aus dieser magischen Auffassung ist auch verständlich, weshalb der Mensch sich zum Guten und Bösen hinneigt. Seine Gottseele zieht ihn nach oben, sein Gewand der Welt nach unten, in den Bereich des Widerwirkers.

Der zweite Grundsatz der magischen Aufassung, wonach nur Ähnliches auf Ähnliches Einfluß nehmen kann, erklärt, weshalb jedes Werk hier unten ein Werk oben auslöst (Sohar Abschn.C, S. 9b,38b). Ein vollkommener Mann wird Thorakundiger und Hausherr genannt, weil er durch sein Thorastudium und die Entdeckung ihrer Geheimnisse sich mit der *Sephirah Malkut*, dem oberen Haus, verbindet und nach Wunsch in den oberen und den unteren Welten wirken kann – wie ein Hausherr, der sein Haus nach seinen Wünschen einrichtet.[67] Der Mensch, der der Thora verbunden ist, und das in ihr Verborgene entdeckt, befindet sich in einer ähnlichen Situation wie der erste Mensch vor dem Sündenfall. Er hält am metaphysischen Baum des Lebens fest, ist damit Gott nahe, erlangt *Ebenbildlichkeit* und *Teilhaberschaft* mit Gott bei der Schaffung der Welt (Gen 1,26).

Hier mehr als irgendwo sonst sind also die Aspekte des Mystischen, des Theurgischen und des Magischen in eins verwoben. Wer sich mit der Thora beschäftigt, hängt der *Schechinah* kraft der in die Welt eingesenkten Gesetzmäßigkeit an und befindet sich damit auf der Stufe des Mystischen. Damit vereint er *Tipheret* mit *Malkut*, was eine theurgische Handlung ist. Im Zusammenhang damit wird die Fülle in die unteren Welten herabgebracht und der (sich mit der Thora beschäftigende) Mensch kann damit seinen Willen ausüben, was einer magischen Handlung gleichkommt. Eine Folgeerscheinung der Vereinigung dieser drei Aspekte ist die Bekleidung dieses Menschen mit dem Licht der *Sephirot*, das das Licht des Lebens ist. Dies wiederum schützt ihn vor den Kräften des Todes, trägt also ausgesprochen den Charakter des magischen Schutzes.

Ebenso wie der Gerechte durch sein Thorastudium hier unten die obere Thora erweckt und Malkut mit Tipheret vereint, erweckt (stärkt) der Mensch mit jedem Gebot, das er erfüllt, das Gute und vereint die oberen *Sephirot* zu einer Einheit. Jedes Gebot hat seine Wurzel in den oberen Welten und mit dessen Erfüllung erweckt er sich und vervollständigt sich mehr und mehr nach oben. Das Gebot jedoch, das den größten Einfluß auf die Vereinigung von *Malkut* mit *Tipheret* ausübt, ist das Gebot der ehelichen Vereinigung von Mann und Frau in Heiligkeit und Reinheit. Laut dem Sohar wird Adam (der Mensch) nur dann Adam (Mensch) genannt, wenn Mann und Frau vollständig vereint sind. Die Gottseelen oben enthalten sowohl den männlichen als auch den weiblichen Aspekt. Wenn sie in diese Welt kommen, paart sie der Heilige, gelobt sei Er, hier unten ein zweites Mal: »Selig der Mensch, der in seinen Werken würdig befunden wird und den Weg der Wahrheit geht, so daß sich Seele mit Seele vereinen kann, so wie es vordem war (nämlich oben), denn wenn er in seinen Werken für würdig befunden wird, ist er ein vollkommener Mensch, wie es sein sollte« (Sohar, Abschn. A., S. 85b). Die Paarung von Mann und Frau in Heiligkeit hier unten beeinflußt kraft des erwähnten magischen Gesetzes die heilige Verbindung zwischen Männlichem und Weiblichem oben: »Wer sich mit dem Gebot ›Seid fruchtbar und mehret euch‹ beschäftigt, trägt dazu bei, daß jener Fluß ständig fließt und all seine Tage nicht aufhören, das Meer (die Schechinah) sich von allen Seiten auffüllt, neue Gottseelen in neuer Form aus jenem Baum hervorkommen und viele Kräfte oben mit jenen Gottseelen erstarken« (Sohar Abschn. A, S. 12a)[68].

Die einzigartige Fähigkeit des Menschen, auf die oberen und die unteren Welten Einfluß nehmen zu können, hat weitgehende Auswirkungen zum Guten wie zum Bösen. In diesem Sinn muß die Besorgnis des Alten verstanden werden, die Thora nicht richtig auszulegen. Eine Beschäftigung mit der Thora in rechter Weise kann Welten aufrichten, aber umgekehrt kann eine Irreleitung zerstörend wirken (vgl. Sohar Abschn. A, S. 5a). Die Seite des Widerwirkers, die sich wegen der ersten Sünde ausgebreitet hat, wird mit jeder neuen Freveltat verstärkt (Sohar Abschn. B, S. 266B). Wenn dagegen die Taten der Frevler abnehmen und die in Heiligkeit geübten Werke zunehmen, wird alles an die rechte Stelle zurückkehren. In *Malkut* wird das Gute gestärkt werden und die Kräfte des Bösen dazu bringen, an ihren Platz zurückzukehren. Nach dem Gesetz von Ursache und Wirkung führt der Mensch zwangsläufig die Folgen seines Tuns auf sich zurück. Hierauf bezieht sich im Gleichnis die Warnung des Alten: »Ich bitte euch, wenn die Stunde der heiligen Gottseele gekommen ist, aus dieser Welt zu scheiden, dann sollte sie ›nicht wie ein Sklave davongehen‹, also nicht schuldbehaftet, sondern wie eine Tochter der Freiheit und Reinheit, damit sich ihr Herr ihrer freuen und rühmen kann.«

Die Erklärung der Andeutungen im Gleichnis von der »Schönen Maid, die ihr Angesicht mit Schleiern verhüllt«, gibt einen kleinen Einblick in die vielseitige und vielschichtige Lehre des Sohar und ermöglicht, die Querverbindungen und Verknüpfungen der verschiedenen Gedankenbilder in seinem Aufbau zu sehen. Die Geheimnisse dieser irdischen und himmlischen Welt sind unter den Gewändern der Thora verborgen. Der vollkommene Mensch wird einen Weg suchen, das »Angesicht der Schönen Maid« zu enthüllen, d. h. die Geheimnisse der oberen Welt enthüllen, die unter den Gewändern der Thora verborgen sind. Auf diese Weise erhebt sich die Gottseele und kommt dem oberen Licht nahe, so daß sie die Fülle von *Aziluth* von oben zu uns nach unten zieht und von neuem das Tor in das verlorene Paradies öffnen kann.

Aus dem Hebräischen von Asher Eder.

Die Mütterlichkeit Gottes –
Sophia in der mittelalterlichen Mystik

von Barbara Newman

Im Laufe der vergangenen fünf Jahrzehnte haben Christen und Christinnen ein neues Bewußtsein von der unendlichen Vielfalt Gottes erlangt – des Gottes, der Namen und Vorstellungen überschreitet, der gerade deshalb auf vielfache Art und Weise, wie sie sich von der Fülle der Schöpfung herleitet, benannt und vorgestellt werden kann. Ich möchte hier gerne die Vielfalt der Verwendungsmöglichkeiten untersuchen, die vier mittelalterliche Theologen und Theologinnen für die biblische Gestalt der Frau Weisheit gefunden haben, die ein machtvolles weibliches Bild für Gottes Handeln in der Schöpfung, Erlösung und Heilsgemeinschaft ist.

Die Überlieferung, die die göttliche Weisheit umgibt, war von Anfang an mannigfaltig. Sie bietet eine Vielfalt an Bildern, die in verschiedene Denk- und Frömmigkeitsformen eingeordnet werden können. Als Beispiele für diese Vielfalt will ich zunächst zwei Gestalten des 12. Jhs. betrachten, Bernhard von Clairvaux und Hildegard von Bingen, und im Anschluß einen Mystiker und eine Mystikerin aus dem 14. Jh., Heinrich Seuse und Juliana von Norwich. Alle vier beschritten aus der Erfahrung gewonnene Wege, um den weiblichen Aspekt Gottes zum Ausdruck zu bringen. Ein vergleichender Annäherungsversuch an diese Autoren und Autorinnen kann sowohl die Kontinuität als auch die Mannigfaltigkeit des weisheitlichen Denkens veranschaulichen sowie die weibliche Namensgebung im mittelalterlichen Christentum aufzeigen.

Bernhard von Clairvaux

Bernhard von Clairvaux, der grimmige und zärtliche Eiferer, der sich selbst als »die Chimäre seines Zeitalters« bezeichnete, hielt Europa mit seiner Predigttätigkeit in Atem. Keines seiner Werke wurde mehr geliebt und häufiger nachgeahmt, als seine sechsundachtzig Predigten über das Hohelied der Liebe. Als der Abt 1153 starb, war er gerade mit der Auslegung der ersten beiden Kapitel des biblischen Textes fertig geworden. Obwohl Bernhard die Weisheit in diesen Predigten selten personifiziert, vergleicht er die Weitergabe von Weisheit oft mit der Tätigkeit einer stillenden Mutter. Beispielsweise bewegt ihn der Anruf der Braut im Hohenlied »Deine Brüste sind besser als Wein« (Hld 1,2) dazu, die Milch der Gnade, die aus den Brüsten des Bräutigams und der Braut strömt, in diesem Sinne auszulegen. Jesus ist der Bräutigam, aber er ist ebenso eine Mutter mit Brüsten: Aus der einen strömt die Milch der Langmut und aus der anderen die der Vergebung für die Sünder[1]. An anderer Stelle sind die »Brüste« Jesu seinen Wunden gegenübergestellt. Christi Blut ist für die Reifen, aber seine Milch für die kleinen Kinder bestimmt. So gibt Bernhard einem jungen Novizen den Rat, »nicht so sehr an den Wunden als an den Brüsten des Gekreuzigten zu saugen. Er wird deine Mutter sein, und du wirst sein Sohn sein«[2].

Die Mutter Kirche, die Braut Jesu, bietet in Form ihrer Predigt ebenfalls Milch an, die sich manchmal voll freudiger Ermutigung und manchmal voller Mitleid ergießt. Ihre Brüste sind besser als Wein, »weil die vielen, die von ihnen trinken, seien es auch noch so viele, ihren Inhalt nicht ausschöpfen können; sie strömen unaufhörlich, da sie sich aus den innerlichen Quellen der Liebe speisen«[3]. Bernhard macht deutlich, daß es sich hierbei nicht um eine abstrakte Allegorie handelt, denn die Gestalt der Mutter Kirche mit ihren nährenden Brüsten solle in jedem Prediger und geistlichen Leiter konkret erfahrbar werden. Dementsprechend trägt er zum Beispiel den Äbten auf, wenn er sie vor allzu strenger Disziplin warnt, sie sollten »Mütter, nicht Meister« sein: »Laßt eure Brüste von Milch, nicht von Zorn anschwellen«[4]. Noch häufiger wendet er das Bild auf sich selbst an, wobei er dem Beispiel des hl. Paulus folgt (Gal 4,19). Bernhard schreibt über einen Mönch, der ihm entrissen wurde, um Abt einer anderen Gemeinschaft zu werden: »Ich bin die Mutter und er ist der Sohn ... Eine Mutter kann das Kind ihres Mutterschoßes nicht vergessen ..., und der ständige Kummer, den ich seinetwegen empfinde, zeigt, daß ich eine Mutter bin.« Er behauptet dann, daß der Schüler es nur deshalb in seinem neuen Amt schwer habe, weil »er zu früh entwöhnt wurde«. Er müsse daher an die Brust zurückkehren[5].

Wie Caroline Bynum gezeigt hat, ist Bernhards Verwendung des Bildes der Mutter für den zisterziensischen Sprachgebrauch typisch. Es spiegelt sich darin ein tiefes Bedürfnis wider, die klösterliche Autorität, mit Hilfe der Eigenschaften der Zuneigung und Pflege zu bereichern, die innerhalb der Kultur des 12. Jh. als weiblich betracht wurden[6]. Äbte wie Bernhard, die mit einem autoritären oder patriarchalischen Führungsstil unzufrieden waren, fanden in der weichherzigen »Mutter Jesus« und Mutter Kirche die Vorbilder, die sie zur Neugestaltung der Rolle des Abtes benötigten.

Umgekehrt übernahmen die Ordensangehörigen, die danach strebten, »an den Brüsten« Jesu oder eines klösterlichen Vorgesetzten zu »saugen«, eine Rolle kindlicher, geradezu kindischer Abhängigkeit und Vertrauens. Es ist interessant, daß eine solche Bildsprache gerade zu einer Zeit geläufig wurde, als neue klösterliche Verordnungen dazu übergingen, die Praxis der Kinderschenkung an ein Kloster zu mißbilligen und einen wachsenden Anteil ihrer Mitglieder als erwachsene Bekehrte aufzunehmen. Viele dieser erwachsenen Bekehrten mögen ein waches Gespür für ihre eigene geistliche Unreife gehabt haben, was zur Folge hatte, daß dieses Bild auf sie anziehend und beruhigend wirkte.

Verglichen mit der biblischen Sophia ist Bernhards Gestalt Jesu als Mutter eine sanftere Erscheinung. Sie ist in der Tat eine Sophia für geistliche Kleinkinder, und wie so viele bildhafte Vorstellungen von Christus, die für Kinder bestimmt sind, mag sie etwas sentimental anmuten. Die Weisheit veranstaltet ein Gastmahl mit Brot und Wein, während »Mutter Jesus« Milch anbietet; die Weisheit ist in ihrer Eigenschaft als Lehre-

rin kraftvoll und scharfzüngig, während »Mutter Jesus« zärt-
lich und tröstend wirkt. Aber das ist nicht die einzige Art und
Weise, wie Bernhard den weiblichen Aspekt Gottes darbietet.
Wenn er ein ehrfurchtgebietenderes Bild der Gottheit in weib-
licher Gestalt darstellen wollte, bediente er sich der Figur der
Caritas oder der Liebe, in Übereinstimmung mit der Aussage
des heiligen Johannes, daß »Gott die Liebe ist« (1 Joh 4,8). In
Bernhards gewandter Rhetorik wird diese Gestalt öfters zum
Sprachrohr des Abtes selbst, wenn er mit himmlischer Autori-
tät zu sprechen beabsichtigt. Die Liebe übernimmt auch viele
Attribute der Sophia, besonders ihre Rolle als Mittlerin zwi-
schen Gott und den Menschen.

In einem der frühen Briefe Bernhards, den er an einen aus
seinem Orden ausgetretenen Kanoniker schrieb, bedient er sich
der Gestalt der Caritas, um den Abtrünnigen mit Vorwürfen zu
überhäufen: »Unsere gute Mutter, die Caritas, liebt alle ihre
Kinder und verhält sich gegenüber jedem so, wie es es braucht:
Sie pflegt das Schwache, rügt das »Ruhelose«, ermahnt das
Fortgeschrittene. Aber wenn sie rügt, ist sie sanft; wenn sie tröstet, ist sie aufrichtig. Sie wütet liebevoll; ihre Liebkosungen
sind ohne Arglist. Sie versteht es zornig zu sein, ohne die Ge-
duld zu verlieren, und sich zu entrüsten, ohne stolz zu sein.
Und diese Mutter hast Du verwundet, indem Du Dich von ihr
losgerissen hast, als sie Dich mit der Milch ihrer Brüste
nährte«[7]. Indem er auf einen biblischen Text über die Weisheit
zurückgreift (Jes Sir 15,2), fährt Bernhard mit der Aussage fort,
daß die Caritas den Ruchlosen, wenn er heimkehre, mit offenen Armen empfangen werde: »Sie wird wie eine geehrte Mutter auf Dich zugehen . . ., und sich darüber freuen, daß ihr ver-
lorener Sohn, der tot war, (wieder)gefunden wurde und wieder
ins Leben getreten ist«. Dies ist die Rolle Gottvaters im Gleichnis Christi vom verlorenen Sohn, die Bernhard zu diesem
Zweck weiblich umgestaltete. Die in diesem Brief sorgfältig
ausgearbeitete Personifikation zeigt, wie die Gestalt der Caritas, die in der Bibel zur Sophia gehört, für Bernhard die ganze
Vielfalt der Gefühle ausdrücken konnte.

Bernhard bedient sich der Gestalt der Caritas so oft und entfaltet das Bild so ausführlich, daß diese Art der Rede sich nicht

als ein lediglich rhetorisches Ornament abtun läßt. Als Bild und Sprachrohr Gottes hat die Caritas in Bernhards Werk viele Funktionen der Weisheit übernommen: Sie ist eine gebieterische Erscheinung, die freundlich oder rauh sein kann, gerade so, wie es die Situation erfordert. Es ist leicht zu erkennen, wie Bernhard, der das Wachsen in der Liebe ins Zentrum des christlichen Lebens stellte, aus der kühnen Feststellung, daß »Gott Liebe ist«, seine höchst komplexe Verkörperung des Weiblich-Göttlichen gestaltet. Obwohl er die Weisheit nicht unterschätzte, mag bei seiner Neigung, die Züge der Sophia auf die Mutter Kirche, »Mutter Jesus« sowie auf die Caritas zu übertragen, sein tiefes Mißtrauen gegenüber jeglicher Gelehrsamkeit eine Rolle gespielt haben. Dieses Kennzeichen der erbaulichen Werke Bernhards beeinflußte wahrscheinlich Hildegard von Bingen, die in ihren Visionen die Caritas und die Weisheit als fast austauschbare Gestalten verwendet[8].

Hildegard von Bingen

Obwohl Hildegard die Hingabe an die »Mutter Jesus« fremd war, schrieb sie sehr viel über die Kirche als Mutter. Wie Bernhard konnte sie Priestern und Äbten auftragen, ihren geistlichen Kindern die »Brüste mütterlichen Mitleids« zu zeigen, und zuweilen charakterisierte sie das Predigen als die Ausgießung der Milch der Lehre. Ein Prediger solle seine Gemeinde dadurch »nähren«, daß er sich heftig über Häretiker auslasse[9]! Aber als sich die Äbtissin mit der Interpretation desselben Hoheliedverses befaßte, der Bernhard zu seiner Meditation über die Brüste Jesu angeregt hatte, kam sie zu einem anderen Ergebnis als er. Wo Bernhard Kleinkinder erblickte, die an Christus wie an der Brust ihrer Mutter saugen, stellt sich Hildegard die Heiligen vor, die sich der »seligen Schau« (visio beatifica) erfreuen: »Die Gläubigen . . . dürsten nach der Gerechtigkeit Gottes und saugen aus seinen Brüsten Heiligkeit, und sie werden niemals satt davon, sondern erfreuen sich auf immer der Anschauung Gottes«[10]. Obwohl Hildegard ebenso wie Bernhard Vorsteherin eines Klosters war, zeigte sie weniger Interesse für die Erziehung geistlicher Neulinge. Tatsächlich weckt das Bild der »Mutter« in ihren Schriften selten die ergänzende Vorstellung eines Säuglings oder eines Kleinkindes. Wenn wir uns daran erinnern, daß Bernhard die Vorstellung der Mutterrolle vor allem einführte, um Eigenschaften bereitzustellen, die im Konzept der Vaterrolle – seiner natürlichen Rolle als Abt – fehlten, so wird deutlich, daß Hildegard ein solches Bedürfnis nicht verspürte. Nach ihrer Erziehung durch eine geistliche Mutter, Jutta, erzog sie nun ihrerseits geistliche Töchter. Sie hatte keinen Grund, die bildliche Rolle eines Vaters zu übernehmen, die ihr in keiner Weise zugesagt hätte, da ihre Nonnen in Gestalt Gottes, des Papstes, des Erzbischofs von Mainz, des Abtes von Sankt Disibod sowie der Konventpriester bereits über genügend Vaterfiguren verfügten. Nach Hildegards Auffassung war die Mutterrolle auch nicht auf die Phase der frühen Kindheit oder ihr Äquivalent, das Noviziat, beschränkt, da die Beziehung zwischen Mutter und Tochter beständiger war und ist als die zwischen Mutter und Sohn.

Hildegards Bilder des Weiblich-Göttlichen betonen im Gegensatz zu denjenigen Bernhards nicht so sehr die mütterliche Liebe Gottes als vielmehr das Schöpfungs- und Erlösungshandeln Gottes. Sowohl ihre Visionen als auch ihr Drama, Ordo virtutum, räumen den weiblichen Gestalten, die sie Virtutes (Kräfte) nennt, einen breiten Raum ein. Diese verkörpern nicht nur sittliche Eigenschaften, sondern wirkmächtige göttliche Energien, die im Kosmos und in den menschlichen Seelen für das Gute arbeiten. Die wichtigsten davon, Weisheit und Caritas, sind praktisch identische Gestalten, die an die Stelle der biblischen Sophia als Schöpferin, Gemahlin Gottes und Weltenlenkerin treten. Ihre Symbolik ist bisweilen erotisch und läßt eher an eine »Heilige Hochzeit« innerhalb der Gottheit, als an eine mystische Vereinigung (unio mystica) denken. So nennt Hildegard die Weisheit »eine höchst liebevolle Herrin« in der Umarmung Gottes, und die Caritas sagt von sich selbst: »Ich hüte das königliche Ehebett, und alles, was Gott gehört, gehört auch mir.«[11] Es wäre traditionsgemäß, die Weisheit mit Christus und die Caritas mit dem Heiligen Geist gleichzusetzen und so diese Symbolik trinitarisch zu deuten; aber eine solche Leseart wird von Hildegard weder bejaht noch verneint.

In einer berühmten Vision erscheint ihr die Liebe oder die Caritas als ein prächtiges, geflügeltes Wesen, das mit einer glänzenden Tunika bekleidet ist, ein Lamm in Händen hält und eine darniederliegende Schlange zertritt. Die Form des Bildes erinnert stark an einen vertrauten ikonographischen Trinitätstypos. Die Gestalt verkündet darauf: »Ich bin die höchste und feurige Kraft, die jeden Lebensfunken entzündet, und ich atmete nichts Sterbliches aus – dennoch erlaube ich, daß es ist. Als ich die wirbelnde Sphäre mit meinen oberen Flügeln umkreiste (das heißt mit Weisheit), ordnete ich sie richtig. Ich bin auch das feurige Leben des Wesens Gottes. Ich flamme über der Schönheit der Felder; ich glänze in den Gewässern; ich brenne in der Sonne, im Mond und in den Sternen . . . Ich bin auch die Vernunft. Mir gehört das Windbrausen des widerhallenden Wortes, durch das die ganze Schöpfung ins Sein trat, und ich belebte alle Dinge mit meinem Atem, so daß keines von ihnen in seiner Art sterblich ist; denn ich bin das Leben.«[12]

Die Vision fährt mit der Erklärung fort, daß die Liebe auf dieselbe Art und Weise, wie sie im Kosmos tätig ist, auch im Mikrokosmos wirkt: Die Felder, Gewässer sowie Sonne und Mond verkörpern Leib, Seele und Vernunft im menschlichen Dasein. Schließlich verfügt diejenige, die sich als Vernunft und Liebe zu erkennen gibt, in Christus und der Kirche über ein drittes Tätigkeitsfeld. Sie ist nicht nur für die Schöpfung verantwortlich, sondern auch für die Inkarnation des Wortes.

Wie einige ihrer Zeitgenossen glaubte Hildegard, daß Gott die Welt in erster Linie um der Fleischwerdung willen formte: Es war sein Wunsch, Fleisch zu werden und die Existenz seiner Geschöpfe zu teilen. Diese Auffassung wird theologisch als die absolute Prädestination Christi bezeichnet. Die Lehre besagt, daß das Wort auch dann Fleisch angenommen hätte, wenn Adam nie gesündigt hätte[13]. Hildegard sprach von dieser göttlichen Absicht als dem »ewigen Ratschluß« und versinnbildlichte ihn häufig durch die weiblichen Gestalten der Liebe und der Weisheit. Etwa fünf Jahre nach dem Tod des heiligen Bernhard beschrieb sie in einem Brief an den Zisterzienserabt von Ebrach die folgende Vision: »Ich sah eine Gestalt, die einem lieblichen Mädchen glich; ihr Antlitz erstrahlte von solch leuchtendem Glanz, daß ich es nicht gänzlich anzuschauen vermochte. Weißer als Schnee und leuchtender als die Sterne war ihr Mantel; ihre Schuhe waren von reinstem Gold. In ihrer Rechten hielt sie Sonne und Mond und umarmte sie zärtlich. Und auf ihrer Brust war eine kleine Tafel aus Elfenbein, auf der eine menschliche Gestalt von saphirblauer Farbe erschien. Und die ganze Schöpfung nannte dieses Mädchen »Herrin«. Und das Mädchen sprach zu der Gestalt, die auf seiner Brust erschien: Bei Dir ist der Anfang am Tage Deiner Macht, im Glanze der Heiligen. Aus dem Schoß habe ich Dich geboren, vor dem Morgenstern« (Ps 109,3)[14]. Eine göttliche Stimme sagt dann zu Hildegard, daß »dieses Mädchen, das du siehst, die Liebe ist, die ihren Wohnsitz in der Ewigkeit hat. Als Gott die Welt erschaffen wollte, neigte er sich in zärtlichster Liebe herab. Alles Notwendige sah er voraus, wie ein Vater seinem Sohne das Erbe bereitet. »Der saphirfarbene Mensch stellt Christus in seiner ewigen, himmlischen Gestalt dar, und das göttliche Mädchen Liebe ist die ewige Mutter, die ihm das Universum als Heimstätte bereitet hat. Es ist bemerkenswert, daß Hildegard in dieser Vision den Schöpfer sowohl mit männlichen als auch weiblichen Symbolen benennt: Der Vater hat von Ewigkeit her den Sohn gezeugt, aber das Mädchen/die Mutter Caritas hat ihn auch geboren »vom Mutterleibe an, vor dem Morgenstern«. Dadurch wird sie zum himmlischen Urbild der Jungfrau Maria.

Bezeichnenderweise bringt Hildegard die Weisheitstheologie in erster Linie mit der lichtvollen und freudigen Seite des christlichen Glaubens in Verbindung. Das bedeutet nicht, daß sie das Leiden Christi oder die Macht der Sünde herunterspielt. Im Gegenteil, sie spricht sehr oft vom Leiden Jesu, der Verderbtheit der menschlichen Natur und von der bleibenden Wirksamkeit Satans. Aber diese leidvollen Geheimnisse werden selten mittels weiblicher Symbole wachgerufen. Für Hildegard ist es immer der historische, männliche Christus, der leidet, nicht die alternative weibliche Gestalt der Liebe oder der Weisheit. Dieser Zug ihres Denkens ist etwas widersinnig, denn im Verlauf ihres ausdrücklichen Nachdenkens über die Bedeutung des Geschlechts bemerkte sie, daß »das Männliche die Göttlichkeit des Gottessohnes bezeichnet und das Weibliche seine Menschennatur«[15]. In diesem Zusammenhang bedeutet »Menschennatur« jedoch nur, daß Christus von einer menschlichen Mutter geboren wurde, und verweist nicht auf sein Leiden und Sterben. Diese Weigerung, das Wesen der Frau mit der Fähigkeit zu leiden gleichzusetzen, unterscheidet Hildegard deutlich von vielen späteren Autoren und Autorinnen, die das Weibliche als ein Sinnbild für das Leiden Jesu gebrauchten.

Heinrich Seuse

Im 14. Jh. begegnen wir einer von Grund auf veränderten Christologie und Weisheitstradition, wenngleich die weibliche Bildsprache für das Göttliche erhalten blieb und sogar zunahm. Heinrich Seuse, der etwa von 1295 bis 1366 lebte, war vielleicht der am meisten »weiblich fühlende« geistliche Autor in seiner Zeit. In einem fast beispiellosen Akt lehnte er den Familiennamen seines Vaters, eines weltlichen Ritters, ab und nahm den Namen seiner Mutter an, um seiner Bewunderung für ihre Frömmigkeit Ausdruck zu verleihen.[16] Als Dominikaner widmete Seuse die meiste Zeit seines Amtes der geistlichen Führung von Nonnen und Beginen und hatte viele Schülerinnen, mit denen er in brieflichem Kontakt stand. Eine davon, Elsbet Stagel, schrieb eine vorläufige Biographie, die Seuse anscheinend selbst für die Publikation erweitert und abgeändert hat. Dieser Text trägt in seiner jetzigen Gestalt den Titel »Das Leben des Dieners« und gilt bisweilen als Seuses Autobiographie. Wir sollten ihn aber wahrscheinlich als ein hagiographisches Werk betrachten, das sowohl Seuses reife Lehre und seine Selbststilisierung als Heiligkeitsvorbild als auch den bewundernden Blick seiner geistlichen Tochter widerspiegelt. Diese Vita beabsichtigt, Seuses innere Entwicklung in mehreren Phasen zu schildern: Wir hören vom überschwenglichen »geistlichen Frühling«, der seiner Bekehrung im Alter von achtzehn Jahren folgte, dann von einer intensiven asketischen und selbstquälerischen Periode, die etwa zwanzig Jahre andauerte, und schließlich von der geistlichen Reife, die er durch das geduldige Erleiden von Verfolgung und Verleumdung erlangte. Für unsere Zwecke mag die erste Phase am interessantesten sein. Während seines Noviziats – so wird uns berichtet – habe er bis zu dem Zeitpunkt, als er »sich« plötzlich in die Ewige Weisheit »verliebte«, keine besondere fromme Inbrunst gezeigt. Dieses glückliche Ereignis fand statt, als er im Speisesaal der Brüder saß und dem Lektor zuhörte, der aus Jesus Sirach und dem Buch der Weisheit Salomos vorlas. Und, so berichtet die Vita, »es zog sein junges Herz zu ihr«, wie sie »ihn oftmals anzog und liebevoll bezauberte« mit Hilfe dieser Bücher. Die Weisheit wirbt als eine himmlische Braut um ihn persönlich und verkündet ihre Überlegenheit über alle anderen Herrinnnen: »Gerade so wie der schöne Rosenbaum blüht und der edle Weihrauch rein duftet und einen Duft verströmt gleich dem unvermischten Balsam, so bin ich eine blühende, süßriechende reine Geliebte ohne Verdruß und Bitterkeit. Aber alle anderen Liebhaberinnen haben süße Worte und bittere Belohnungen.«[17]

In diesem Liebesfrühling beginnt Seuse, sich als »Diener der Ewigen Weisheit« zu bezeichnen, gleich einem höfischen Liebhaber, der einer Herrin seine Huldigung darbrachte. In der Ewigen Weisheit hat er »die Kaiserin seines Herzens und die Spenderin aller Gnade« geheiratet. In dieser Zeit schaut er sie so, wie sie in den biblischen Weisheitsbüchern erscheint: »Sie zeigte sich ihm, hoch auf einem Wolkenthron schwebend. Sie leuchtete gleich dem Morgenstern und brannte wie die glühende Sonne. Ihre Krone war Ewigkeit, ihr Gewand war Glückseligkeit, ihre Worte Süßigkeit, ihre Umarmung Befriedigung allen Verlangens. Sie war fern und nah, hoch und nieder: Sie war gegenwärtig und doch verborgen ... Sie überragte die Höhen der höchsten Himmel und berührte die Tiefen des Abgrundes. Sie erstreckte sich machtvoll von einem Ende der Erde zum andern und ordnete alles auf liebliche Weise. Als er nun dachte, er habe ein schönes Mädchen vor sich, fand er einen edlen Jüngling. Zuweilen erschien sie auch als eine weise

Lehrerin, und manchmal blickte sie ihn als eine schöne Liebhaberin an.«[18] Seuse scheint hinsichtlich des Geschlechts dieses Wesens verwirrt zu sein, denn er fragt sich selbst: »Ist die Geliebte Gott oder Mensch, Frau oder Mann?« Manchmal behandelt er sie als göttlich und weiblich und macht der Weisheit den Hof, so wie ein Ritter seiner Herrin, oder er ruht in ihrer Gegenwart wie ein Säugling im Schoß seiner Mutter. Einmal vergleicht er sie mit einer schönen Herrin, die bei einem Turnier Preise verleiht[19]. Bei anderen Gelegenheiten ist die Ewige Weisheit mehr oder weniger deutlich mit Jesus identisch. Am Silvesterabend, wenn Liebhaber traditionsgemäß ihren Damen ein Ständchen darbringen, singt Seuse zu Ehren der Jungfrau und des Kindes, und am Maitag verehrt er das Kreuz als seinen »geistlichen Maibaum«[20]. Als er zum Studium nach Köln geht, beauftragt er einen Künstler, ihm ein Bild der Ewigen Weisheit anzufertigen, die »Himmel und Erde in ihrer Gewalt hat und in ihrer schönen Lieblichkeit ... alle irdischen Geschöpfe an Schönheit übertrifft«[21]. Dieses Andachtsbild ist nicht erhalten geblieben, aber die älteste Handschrift von Seuses »Exemplar« enthält eine Zeichnung, die danach angefertigt sein kann. Diese Illustration zeigt Seuse in seinem Ordenshabit und mit Tonsur, wie er seinen Umhang aufreißt, um seine Seele in Form eines nackten Kindes, das von der mütterlichen Gestalt der Weisheit umarmt wird, zu zeigen[22].

Mit zunehmender Reife tilgte Seuse jedoch allmählich die weibliche Bildsprache für die Weisheit. Die Wende ereignete sich, als Christus seinem Diener sagte, daß er, wollte er zu seiner unverhüllten Göttlichkeit gelangen, den Pfad seiner leidenden Menschheit betreten müsse[23]. Man könnte sagen, daß in Seuses Spiritualität, umgekehrt wie bei Hildegard das Weibliche die Gottheit Christi versinnbildlichte und das Männliche seine Menschheit. Ab diesem Zeitpunkt begann Seuse dem gekreuzigten Christus in einem Leben voll erschreckender asketischer Leistungen nachzufolgen, die Selbstverstümmelung, Fasten und das Ertragen unzähliger Verfolgungen einschlossen. Obwohl er den Titel »Diener der Ewigen Weisheit« beibehielt, war er nun eher Gefolgsmann eines Herrn als Freier einer Herrin. Die Ewige Weisheit als Femininum war seine Muse, der Gegenstand einer hochstrebenden und sentimentalen Liebe gewesen; die Ewige Weisheit als Maskulinum war Jesus, das Objekt einer heldenmütigen und aufopfernden Liebe.

Diesen Gesinnungswandel könnte man geradezu als Seuses zweite Bekehrung bezeichnen. Er wird auch eingehend im ersten Kapitel seines höchst populären Werkes, des »Büchleins der Ewigen Weisheit« (um 1328) beschrieben, das die Form eines Dialogs zwischen der Ewigen Weisheit und dem Diener annimmt. Das Buch beginnt mit einem Vers aus der Weisheit Salomos: »Sie habe ich geliebt und gesucht seit meiner Jugend.« Aber diese frühere Braut offenbart sich sehr bald als Jesus, und für den Rest des Buches spricht ihn die Weisheit vom Kreuz herab an, indem sie über die Passion und die Würde des Leidens spricht. An einer Stelle bringt Seuse seine totale Selbsthingabe dadurch zum Ausdruck, daß er die weibliche Rolle übernimmt und sich als »Christi niedere Magd« bezeichnet, wobei ihm die Ewige Weisheit als »meine Tochter« antwortet[24]. Im Falle Seuses steht also die Umkehrung des Genus der Weisheit in Zusammenhang mit dem Übergang von einer Theologie der Herrlichkeit zu einer Kreuzestheologie. Möglicherweise deshalb, weil das Bild des auferstandenen und aufgefahrenen Herrn in Seuses geistlichem Blickfeld fehlte, ist die erhabene Gestalt der Sophia anfangs an seine Stelle getreten. Mit zunehmender Reife des Asketen trat der göttliche Christus hinter dem menschlichen, leidenden Christus zurück, der – für Seuse wie für Hildegard – entschieden männlich war.

Juliana von Norwich

Bei Juliana von Norwich, der berühmten englischen Mystikerin und Einsiedlerin, können wir Heinrich Seuses Entwicklung in umgekehrter Richtung verfolgen. Wir wissen fast nichts über Julianas Leben vor ihrer visionären Erfahrung: Sie kann eine Laiin, eine Nonne oder vielleicht bereits eine Rekluse gewesen sein. Jedenfalls berichtet sie uns in ihren »Offenbarungen der göttlichen Liebe«, daß sie als Kind oder junge Frau Gott um drei Gunsterweise gebeten habe: eine Schau der Passion, eine Krankheit auf Leben und Tod und die »drei Wunden« der Zerknirschung, des Mitleids und der Sehnsucht nach Gott. Ihre Spiritualität war zu dieser Zeit ganz und gar typisch. Alle drei Gunsterweise wurden ihr innerhalb einer denkwürdigen Woche im Mai 1373 zuteil, als Juliana im Alter von dreißig Jahren im Verlauf einer Krankheit tatsächlich dem Tode nahe war. Aber einige Tage nach dem Empfang der Sterbesakramente war sie auf wunderbare Weise geheilt, und sie erfuhr sechzehn »Offenbarungen«, körperliche und geistige Visionen der Liebe Gottes. Was vielleicht im Blick auf Juliana am seltsamsten und bemerkenswertesten erscheint, ist der Umstand, daß sie nach dem Empfang dieser Visionen den Rest ihres Lebens damit zubrachte, über sie nachzudenken, und keine weiteren Ekstasen mehr begehrte. Im Anschluß an ihre Erfahrung schrieb sie das nieder, was man als die Kurzfassung ihrer »Offenbarungen« bezeichnet. Nach zwanzig weiteren Jahren voller Erleuchtung und Einsicht überarbeitete sie ihr Buch und schuf die ausführliche Fassung, auf der ihr Ruhm weitgehend beruht[25]. Man kann den Verlauf ihrer geistlichen Reise dadurch ermessen, daß man die Unterschiede zwischen diesen beiden Fassungen beobachtet. Juliana bewegte sich von einer Frömmigkeit, die der Seuses in seiner letzten Phase glich – eindringlich konzentriert auf die Passion und das stellvertretende Leiden – hin zu einer ausgeglicheneren und optimistischen Theologie, die gekennzeichnet war durch ein trinitarisches Gottesverständnis, durch eine neue Betonung der Güte, der Natur und durch ein Verständnis der Inkarnation als Erneuerung der Natur. Als Bindeglied zwischen Julianas früherer, auf die Passion konzentrierter Spiritualität und ihren späteren Anliegen dient die Mutterschaft des allweisen Gottes, eines ihrer am sorgfältigsten entfalteten Themen[26]. In ihrer Theologie finden wir Bernhards Hingabe an die »Mutter Jesus«, Hildegards Verständnis der Weisheit als Schöpferin und Erlöserin und Seuses Bindung an die Passion vereinigt und in eine neue trinitarische Synthese integriert.

Juliana leitet ihre Lehre über die Mutterschaft Gottes mit ihrem geheimnisvollen Gleichnis von einem Herrn und einem Knecht ein, das ihr angesichts ihrer Verwirrung über die Einsicht, daß Gott die Menschheit wegen der Sünde nicht tadelt, als Antwort geoffenbart wird. Im Gleichnis ist der Knecht, der sich bei der Erfüllung des Willens seines Herrn grämt, zugleich Christus und Adam, die Ewige Weisheit und die leidende Menschennatur. Juliana lehrt: Zu dem Zeitpunkt, als die Menschheit vom Leben dem Tod anheimfiel, »fiel Gottes Sohn mit Adam in das Tal des Mädchenschoßes«[27]. Diese mystische Gleichsetzung des göttlichen leidenden Knechtes mit unserer gefallenen Natur wird in der Lehre von Christus als unserer Mutter weiter entfaltet. Juliana bearbeitet die traditionelle Lehre der »Appropriationen« (Zueignungen), welche die göttlichen Eigenschaften Macht, Weisheit und Liebe jeweils Vater, Sohn und Heiligem Geist zuordnet. Nach ihrer Auffassung ist der Sohn auch die Mutter: »Ich sah und verstand, daß die erhabene Macht der Dreifaltigkeit unser Vater ist, und daß die tiefe Weisheit der Dreifaltigkeit unsere Mutter ist, und daß die große Liebe der Dreifaltigkeit unser Herr ist ... So wahr Gott unser Vater ist, so wahr ist Gott unsere Mutter.«[28]

Die Mutterschaft der Weisheit hat drei Aspekte. Erstens: Christus, das Wort und die Weisheit Gottes, ist »wesenhaft« unsere Mutter, weil alle Geschöpfe von Ewigkeit her im göttlichen Willen existieren. Diese Lehre gleicht Hildegards Sichtweise der Weisheit oder der Liebe als der lebendigen Quelle, in der sich alle Lebewesen ewig widerspiegeln. Zweitens: Christus wird durch die Inkarnation, in der er menschliches Fleisch und Blut annimmt, auf sinnlich erfahrbare Weise unsere Mutter. Drittens: Er ist unsere »Mutter der Barmherzigkeit« in der Erlösung, indem er für uns leidet und uns mit liebevoller Sorge pflegt. Wie Seuse erkennt Juliana, daß die Ewige Weisheit und der gekreuzigte Christus ein und derselbe sind. Aber im Gegensatz zu dem deutschen Mystiker verarbeitet sie die Unterscheidung zwischen dem leidenden und dem verherrlichten Christus nicht zu einer Unterscheidung des Geschlechts. Sei es in seiner Passion, sei es in seiner himmlischen Seligkeit, Gottes Sohn ist dennoch unsere Mutter. Das Amt der Mutterschaft beinhaltet, daß Jesus uns eine geistliche Geburt zuteil werden läßt, uns mit dem Sakrament nährt, uns tröstet, unsere Seelen reinigt und uns auch straft, wenn wir dessen bedürfen. Juliana vergleicht die Mutterschaft Jesu treffend mit der irdischen mütterlichen Sorge: »Wir wissen, daß all unsere Mütter uns für Schmerz und Tod gebären ... Aber unsere wahre Mutter Jesus allein gebiert uns für Freude und endloses Leben, er sei gesegnet ... Die Mutter kann ihr Kind mit ihrer Milch stillen. Mutter Jesus gibt sich uns selbst zur Nahrung. Und das tut er voll Zartheit und Güte durch das allerheiligste Sakrament.«[29]

Verglichen mit Bernhards Bild der »Mutter Jesus« ist das Julianas umfassender und umschließt ein breiteres Gefühlsspektrum. Z. B. beobachtet sie, daß eine Mutter gegenüber einem heranwachsenden Kind zwar ihre Handlungsweise ändert, nicht aber ihre Liebe; sie kann ihr Kind zu seinem eigenen Wohl züchtigen und es straucheln lassen, so daß es aus seinen Fehlern lernen kann. Das ist ein Verhalten, das Bernhard mit väterlichem, nicht mit mütterlichem Verhalten in Verbindung gebracht hätte. Und während Bernhard die »Mutter Jesus« besonders beschwor, um die Anfänger zu trösten, stellt Juliana fest, daß Jesus von Ewigkeit zu Ewigkeit unsere Mutter ist. Seine Mutterschaft gleicht der Marias, ist aber dauerhafter: »Unsere Dame ist unsere Mutter, in die wir alle eingeschlossen sind und von der wir in Christus geboren sind ..., und unser Erlöser ist unsere wahre Mutter, in der wir ohne Ende geboren sind und aus der wir niemals herauskommen werden.«[30] Die göttliche Mutterschaft wird so zu einer Art und Weise, unsere widersinnige Situation als Geschöpfe darzustellen. Wir sind ewig von Gott geboren, verbleiben jedoch ewig unzertrennlich im Mutterleib. »Die Seligkeit unserer Mutterschaft in Christus« ist ein »neuer Anfang, der dauern wird, neu beginnend ohne Ende.«[31]

Die Vielfalt der Bilder

Es wäre irreführend, auf der Grundlage von vier Schriftstellern und Schriftstellerinnen auf die Weisheitstheologie als ganzes zu schließen, aber einige Vergleiche können aufschlußreich sein. Wenn wir Bernhard und Seuse auf die eine Seite stellen, Hildegard und Juliana auf die andere, so erkennen wir, daß für die zwei männlichen Schriftsteller Bilder des Weiblich-Göttlichen mit den frühesten Phasen der geistlichen Entwicklung verbunden sind. Bernhard spricht von der »Mutter Jesus«, die Kinderseelen stillt, und Seuse vom jungen Liebhaber und seiner Herrin. Für die geistliche Reife sind männliche Bilder angemessener: Christus als Bräutigam der Seele (für Bernhard) oder als die gekreuzigte Ewige Weisheit (für Seuse). Dagegen wird die weibliche Metaphorik für die beiden Frauen mit zunehmender Reife wichtiger. Hildegard beginnt erst im Alter von dreiundvierzig Jahren zu schreiben, und weibliche Personen sind in all ihren Werken wichtig. Aber die göttlichen Gestalten der Liebe und Weisheit spielen in ihrem letzten Buch, das sie im Alter von fünfundsechzig Jahren begann, eine noch größere Rolle. Juliana sagte in ihrem kurzen Text nichts über die Mutterschaft der Weisheit, sondern entwickelte diese Lehre im längeren, als sie bereits über fünfzig Jahre alt war. Bezeichnenderweise übergeht der lange Text der Offenbarungen auch eine frühe Textstelle, wo sie sich mit der Begründung, daß sie »eine Frau, unwissend, schwach und zerbrechlich«[32] sei, diffamiert hatte. Es wäre verfrüht, diese Unterschiede zwischen Mystikerinnen und Mystikern ohne eine eingehende Untersuchung weiterer Autoren zu erklären. Aber ich vermute, daß sich die Genera-Bilder in der beschriebenen Art und Weise bei diesen Verfassern und Verfasserinnen wandeln, weil mit dem Wachsen im mystischen Leben der Sinn für Gottes Andersartigkeit teilweise zurücktritt und durch einen wachsenden Sinn für Identifikation, der durch eine gleich-geschlechtliche Bildersprache ausgedrückt wird, ersetzt wird.

Noch in einer anderen Annäherungsweise können wir den Verfasser und die Verfasserin des 12. Jh. mit denen des 14. Jh. vergleichen: Hier finden wir die erwartete »Verdunklung« der spätmittelalterlichen Frömmigkeit. Die Passion ist für Seuse und Juliana bei weitem zentraler als für Bernhard und Hildegard, und beide Mystiker des 14. Jhs. verehren die gekreuzigte Weisheit. Aber in diesem Fall ist Seuse typisch und Juliana außergewöhnlich: Sie steht unter den Schriftstellern und Schriftstellerinnen ihrer Zeit allein mit ihrem außerordentlichen Optimismus, der in ihrem ganzen Werk neben einer untentwegten und geradezu schauerlichen Vision des Kreuzes steht. Dieses wiedererlangte Gleichgewicht läßt sich zu einem großen Teil durch ihr neuerwachtes Interesse an den traditionellen Weisheitsthemen der Schöpfung, der ewigen Existenz der Geschöpfe in Gott und der Solidarität des geschaffenen mit dem ungeschaffenen Sein aufgrund der Inkarnation erklären. Diese Interessen verbinden Juliana mit Hildegard, deren Werk sie jedoch nicht gekannt haben kann.

Schließlich können wir zwischen dem ersten und der letzten dieser vier mystischen Schriftsteller und Schriftstellerinnen eine Parallele beobachten. Bernhard und Juliana teilen die Hingabe an die »Mutter Jesus« und gehören, obwohl sie dieses Motiv sehr verschieden deuten, einer gemeinsamen Tradition an, deren Geschichte sich durch die mittelalterliche religiöse Literatur verfolgen läßt. Für Hildegard wie für Seuse ist diese Frömmigkeitsform unwichtig. Ihre weiblichen Gestalten sind in ihrem Charakter erotischer und königlicher, da sie sich unmittelbarer auf die biblischen Bücher stützen, die der ganzen Sophia-Tradition zugrunde liegen. Seuse fand die alttestamentliche Sophia zur Zeit seiner Bekehrung unwiderstehlich; Hildegard stellte sie mitten ins Zentrum ihrer visionären Welt.

Schließlich liefert uns dieser kurze Überblick über die mittelalterliche Weisheitstheologie und die weibliche Bildsprache eine Fallstudie über Gemeinsamkeiten und Abweichungen. Alle diese vier Mystiker und Mystikerinnen begegnen dem Weiblich-Göttlichen, aber sie lokalisieren es an unterschiedlichen Verbindungsstellen im Kontext ihrer verschiedenen theologischen Systeme und entgegengesetzten geistlichen Wege. Obgleich alle Ordensangehörige waren, differierten sie in bezug auf Geschlecht, Orden, Nationalität und geschichtliche Epoche; es kann nicht überraschen, daß sie sich auch hinsichtlich ihrer Spiritualität unterschieden. Worte wie »Frau«, »Mutter«, »Menschheit«, »Weisheit« hatten für sie alle verschiedene Begriffsinhalte. Noch mehr gilt dies für heutige Gläubige. Die Erkenntnis der Vielfalt und des Reichtums der mittelalterlichen Weisheitsmystik kann uns aber tatsächlich davor bewahren, in unserem eigenen theologischen und liturgischen Umfeld zu unflexibel zu sein.

Für viele christliche Feministinnen ist die wiederentdeckte Weisheit der Bibel eine Botin der Erneuerung und Hoffnung. Die alttestamentliche Person der Weisheit läßt vermuten, daß die Verehrung einer göttinnenhaften Gestalt dem Judentum weniger fremd ist, als die patriarchale Theologie uns glauben machen will[33], und die verschleierte Anwesenheit der Weisheit im NT führt uns zu einem neuen Verständnis der frühchristlichen Bewegung und Jesu selbst[34]. Aber erst seit der Reformation wurde die frühere Identität von Jesus und Sophia vergessen. Offensichtlich war es für die mittelalterlichen Mystiker und Mystikerinnen nicht schwierig, sich die göttliche Weisheit als Sohn Gottes und zugleich als Himmelsherrin vorzustellen. Die Weisheit kann eine hochgepriesene Königin oder eine leidende Dienerin sein, eine Lehrerin oder eine Mutter, ein Bräutigam oder eine Braut. Dies hängt von den Kräften ab, die in jeder einmaligen Begegnung zwischen dem Göttlichen und dem/der Frommen wirken. Weil die mittelalterlichen geistlichen Autoren und Autorinnen weit weniger selbstsicher in der Zuordnung des Geschlechts waren, als wir es sind, waren sie nicht so sehr versucht, von Gott (oder sich selbst) ein einseitiges Bild zu privilegieren und alle anderen Aspekte auszuschließen. Folglich war es unwahrscheinlicher, daß sie aus Gott aus Mangel an Denkvermögen einen Götzen machten.

Wie wir gesehen haben, unterscheidet sich die Weisheitsmystik des 14. Jhs. in signifikanter Weise von der des 12. Jhs., und eine moderne Weisheitsspiritualität wird sich sicherlich von beiden unterscheiden. Das Christentum weist eine ständige Spannung auf zwischen Immanenz und Transzendenz, zwischen der Andersartigkeit Gottes und dem göttlichen Abbild in Menschengestalt. Für feministische Christinnen liegt der Akzent klar auf der Immanenz und dem göttlichen Abbild. Frauen unter patriarchaler Herrschaft sind daran gewöhnt worden, sich selbst als anders anzusehen, insbesondere gegenüber einem Gott, der ausschließlich männliche Züge trägt, mit dem Ergebnis, daß viele Feministinnen sich heute dem Christentum völlig entfremdet fühlen. Für die Frauen, die in der Kirche bleiben, mag die Zurückforderung unseres vollen Menschseins und unserer Spiritualität hauptsächlich in der entschiedenen Identifikation mit einer Gottheit bestehen, die einen weiblichen Namen trägt: Sophia[35].

Weibliche Weisheit als Modell

Weibliche Weisheit ist besonders geeignet als Modell für heutige Frauen, denn die Bibel stellt sie sowohl als nährende Mutter wie auch als starke, maßgebliche Persönlichkeit dar: Als Künstlerin, Führerin, Lehrerin.

Seit der religiöse Feminismus in enge Verbindung zur Ökologiebewegung getreten ist, kann die Weisheit sowohl Männern wie Frauen als Symbol für Gottes bleibende Gegenwart in der Umwelt, für ihre göttliche Fruchtbarkeit und Schönheit dienen. Mittelalterliche Theologen und Theologinnen gebrauchten die Wendung »fleischgewordene Weisheit«, um Gottes Solidarität mit der Schöpfung vor, während und nach dem irdischen Leben Jesu auszudrücken. Ihre Einsicht könnte ein aktuelles spirituelles Anliegen verdeutlichen: Die Verschmutzung und Zerstörung der geschaffenen Welt ist ein Kränkung ihres Schöpfers. Das mittelalterliche Bild der »gekreuzigten Weisheit« kann sogar eine neue Bedeutung für heutige Christinnen gewinnen, weil es den Todeskampf ausdrückt, in den menschliche Habgier und patriarchale Gewalt Frauen und ebenso die Erde gestürzt haben.

Freilich kann eine neue Spiritualität nicht einfach dazu dienen, politische Programme zu bestimmen. Auf diese Art würde Religion oberflächlich, selbstgerecht und kurzlebig. Vielmehr tun sich von den meisten alten Disziplinen her neue Wege auf, Gott zu nennen und aufzuspüren: In Gebet, Meditation, Schriftbetrachtung; im entschlossenen Eintreten für Gerechtigkeit; in liturgischer Verehrung in Freude und Trauer; und in Offenbarungen, die Gott schicken mag. Unter diesen Bedingungen ist die gegenwärtige Wiederentdeckung (revision) der

Weisheit nicht nur eine Erscheinung säkularer feministischer Anliegen; aber sie wird sehr wohl von diesen berührt. Das ist ein Fazit der unerschöpflichen, immer neuen Begegnung von menschlichem Geist und der Weisheit Gottes, die die Schrift »Geist der Erkenntnis, heilig und einzigartig, mannigfaltig und klug« nennt.

»Der einzige Weg zur Erkenntnis Gottes« – Die Sophia-Theologie Gottfried Arnolds und Jakob Böhmes

von Ruth Albrecht

»Unverwelcklich blühet ihr rosen=bette fort und fort/ und die lilien ihrer anmuth stehen sommer und winter frisch und zierlich.«[1] Diese Zeilen widmet ein protestantischer Theologe zu Beginn des 18. Jahrhunderts nicht seiner Geliebten oder seiner Frau, sondern einem göttlichen Wesen, der himmlischen Sophia. Die Liebeslieder dieses Autors besingen eine weibliche Gestalt, die mit allen Reizen erotischer Schönheit ausgestattet scheint, sich jedoch dem Zugriff entzieht. Der Verfasser dieser anmutigen Beschreibung, Gottfried Arnold (1666-1714), preist in der Sophia seine himmlische Geliebte.

Arnolds Biographie ist von Extremen gekennzeichnet. Einige seiner schriftlichen Äußerungen über die himmlische Sophia ließen eine ausschließliche sexual-asketische geistige Bindung an diese weibliche göttliche Gestalt vermuten. Kurz nach der Veröffentlichung des Werkes, in dem die zitierten Zeilen stehen, heiratete Arnold jedoch. Dieser Schritt verwirrte manche Zeitgenossen und moderne Kommentatoren. Ähnliche Extreme lassen sich in Arnolds Äußerungen über die Kirche beobachten: Nachdem er öffentlich die Kirche als Pest-Haus und Hure gebrandmarkt hatte[2], nahm er einige Jahre später ein Amt als lutherischer Pastor an.

Arnolds Leben bewegt sich, auch in seinen Extremen, im Rahmen des Pietismus. Seine viel beachteten kirchengeschichtlichen Arbeiten zeugen davon, wie kirchenkritischer Gegenwartsbezug und historisches Forschungsinteresse sich gegenseitig befruchten können.

Der Pietismus ist eine Kirchenreformbewegung des 17. und 18. Jh., die sich gegen die erstarrte Orthodoxie lutherischer und reformierter Prägung absetzte. Die Kritik des Pietismus richtete sich nicht in erster Linie gegen reformatorische Lehrpositionen, sie suchte vielmehr nach neuen Ausdrucksformen des christlichen Lebens. Das Zusammentreffen in kleinen Gruppen, gemeinsame Bibellektüre und Gebet, sowie die Betonung der Wiedergeburt prägten die pietistischen Gruppierungen. Im Rahmen des Pietismus fand gleichzeitig eine Wiederentdeckung der Mystik statt, wobei auch konfessionelle Grenzen überschritten wurden. Die Auseinandersetzung pietistischer Autorinnen und Autoren mit Traditionen der Sophiologie markiert ein Ausbrechen aus dem reformatorischen Lehrgefüge.

Arnold ist nicht der einzige Schriftsteller der frühen Neuzeit, der ein Werk über die Sophia hinterließ. Johann Georg Gichtel (1638-1710), ein Lutheraner aus Regensburg, der später als einsiedlerischer Asket in Amsterdam lebte, widmete sein gesamtes literarisches Werk der Verehrung der himmlischen Sophia.[3] Jane Lead/e (1623-1704), eine englische Visionärin, beschrieb in ihrem Tagebuch die göttliche Weisheit als Mutter.[4] Im englischen Schülerkreis der J. Lead betätigten sich Anne Bathurst[5] und John Pordage[6] als Sophiatheologen. In Deutschland beteiligte sich das Ehepaar Johanna Eleonora (1644-1724) und Johann Wilhelm Petersen (1649-1727) an der Ausbreitung der Sophia-Verehrung.[7] Die Gemeinsamkeit dieser hier genannten Personen beruht darauf, daß sich ihre Sophia-Lehren der Begegnung mit dem Werk Jakob Böhmes (1575-1624) verdanken.

Über Arnolds Zeit hinaus wirkte die Sophia-Idee weiter bei Heinrich Jung-Stilling (1740-1817), Novalis (1772-1801)[8], Michael Hahn (1758-1819) und Johann Jakob Wirtz (1778-1858).[9]

Im folgenden soll das Hauptaugenmerk auf Gottfried Arnold gerichtet werden, da er der einzige ist, der seine Sophia-Theologie in systematischer Form in einer eigenen Schrift vorlegte.

Die Sophia-Schrift Arnolds

Das Werk mit dem Titel »Das Geheimnis der Göttlichen Sophia oder Weißheit ...« enthält neben einem historisch erläuternden Teil zwei weitere Teile mit Liedern und Gedichten.

In einer Vorrede erläutert Arnold den Zweck seiner Schrift und faßt die wesentlichen Punkte seiner Sophia-Theologie konzentriert zusammen. Diese Vorrede ist höchst aufschlußreich, weil der Autor hier selbst die Hauptgedanken seines Werkes anspricht und interpretiert. Im folgenden sollen zunächst die wichtigsten Elemente dieser Vorrede nachgezeichnet werden.

Der Autor bemüht sich darum, sein Werk als eigenständige Leistung erscheinen zu lassen: »So hatte ich auch in menschlichen büchern noch wenig oder nichts von dieser wichtigen sache gelesen das einem nachsuchenden gemüthe gäntzlich hätte ein gnügen thun können« (3). Arnold benennt zwei Quellen seines Wissens über die Sophia: Zum einen die biblischen Schriften und die Kirchenväter, die er in einem Atemzug erwähnt, und zum anderen die eigene Erfahrung. In personhafter Weise spricht Arnold von der Unterstützung, die er durch die Sophia erfahren hat, sie habe ihn »bey der hand« geleitet (20). Arnold selber hält die Erfahrung, die er als »das zeugniß des H. Geistes in dem hertzen« (23) umschreibt, für das wichtigere Indiz im Hinblick auf das Wirken der Sophia. Die Zeugnisse der Bibel und der »Altväter«, wie er mit Vorliebe die Kirchenväter nennt, habe er nur zusammengetragen, weil dieser Art von Autorität mehr vertraut werde (23).

Der Quedlinburger Privatgelehrte wehrt sich gegen den möglichen Vorwurf, er lehre »etwas neues oder ungewöhnliches«, (18) er verkünde »neue Götter« (12). Er betont vielmehr, daß die Göttliche Weisheit »ein Geist mit dem Vater und Sohn ist/ und ewiglich bleibet/ kein anderes aber oder abgesondertes wesen ausser und ohne der Gottheit seyn oder von iemanden in ewigkeit genennet werden kan. Es ist die offenbahrende verklärende ankündigende kraft der gantzen hochheil. Dreyeinigkeit« (15). Der aus dem Luthertum stammende Theologe geht so weit zu sagen, daß die Sophia der Weg zur Gotteserkenntnis sei, sie ist »der unumgängliche einige weg zur erkänntniß GOttes/ sein selbst und aller dinge«.[10] Diese Aussage bedeutet, daß kein Christ und keine Christin ohne die Sophia auskommen kann.

Auch in dieser Vorrede klingt bereits die erotisch-sinnliche

Bildwelt an, die oft mit den Sophia-Spekulationen verbunden ist. Arnold spricht besonders Jünglinge und Jungfrauen an, die »etwas zu lieben haben« wollen (28). Die Sophia wird in diesem Zusammenhang das allerschönste Liebe-Wesen Gottes genannt. Die Aufforderung des Autors lautet: »Bittet um den Geist der liebe/ der euch in diese unvergleichliche schönheit verliebt und brünstig mache. . . . Umfasset sie getrost/ wo ihr sie findet in eurem inwendigen/ ihr werdet bald andere dinge erfahren/ die ihr nicht glauben würdet/ wo sie euch gleich iemand ietzo sagen wolte« (28). Die geistige Liebesbindung an die Sophia zieht Konsequenzen nach sich, sie entfaltet einen Hang zur Ausschließlichkeit. Die Sophia »soll euch so viel mit lieben/ mit umfassen/ mit ihren süssen ausgüssen zu thun geben/ daß ihr frembder buhlschafft bald vergessen werdet« (29). Arnold äußert sich hier zwar nicht direkt negativ über die Ehe, die Liebe zur Sophia wird jedoch gegenüber jeder anderen »buhlschafft« abgegrenzt und höher bewertet.

Mit diesen Informationen führt Arnold seine Leser und Leserinnen an sein Werk heran, in dem er die in der Vorrede angesprochenen Themen breit entfaltet.

Trotz der Betonung des Erfahrungsaspektes in der Vorrede, macht Arnolds Schrift den Eindruck eines sorgfältig konzipierten Literaturstückes, das sich um geistige Vermittlung bemüht. Arnold entwirft einen Einweihungsweg, wie seine Leserinnen und Leser zur Sophia gelangen können. Die einzelnen Kapitel bauen aufeinander auf und entfalten nach und nach seine Sophiologie. Manche Kapitel wirken wie ein Flickenteppich aus Zitaten; der mit großer Quellenkenntnis beschlagene Kirchengeschichtler reiht ein Zitat ans andere, oft ohne diese im einzelnen auszuwerten und zu interpretieren. Dieses Verfahren erschwert die Lektüre phasenweise, da Arnolds eigener Gedankengang nur noch schwer herauszulesen ist.

In seiner Grundlegung geht es Arnold darum, die Weisheit als »ein geistliches selbs=ständiges Göttliches und himmlisches wesen« (30) zu erweisen. Die Weisheit ist »pure Gottheit« (31) sie ist »ein einiges unzertheiltes wesen mit GOtt/ jedoch ohne einige vermengung und unordnung« (26). Die Weisheit geht aus Gott aus und verbleibt doch gleichzeitig in

diesem (25). Arnold benutzt auch die Bilder »strahl und aus-
fluß der ewigen Gottheit« (25) für die Sophia. Nachdem der
Autor herausgearbeitet hat, daß die göttliche Weisheit engste
Gemeinsamkeiten mit der Trinität aufweist (24), stellt sich ihm
die Frage, ob sie nun eine eigene Person außerhalb der Dreifaltigkeit sei (32). Er beantwortet diese Frage mit dem Hinweis
darauf, daß Christus als die Weisheit Gottes verstanden worden sei (33). Auf diese Weise umgeht Arnold die Erweiterung
der Trinität um eine weibliche Gestalt. Er unterstreicht ferner,
daß der Geist Christi und der Geist der Weisheit nicht vonein-
ander zu unterscheiden seien (35). Den Unterschied zwischen
beiden kann nur eine Seele wahrnehmen, die einen »weiteren
grad ihrer reinigung« erreicht hat, »nachdem sie eine geraume
zeit in der vereinigung/ und dem umbgang mit dem HErrn JEsu
treu gewesen« (35).

Arnold sieht das Problem, daß seine Konzeption der ewigen
und göttlichen Sophia zu einer Identifizierung der Weisheit
mit der Trinität führen kann. Indem er auf die enge Bindung
von Sophia und Christus verweist, versucht er sowohl eine Erweiterung der Dreifaltigkeit zu vermeiden als auch an der
Göttlichkeit der Sophia festzuhalten. Die Stellung der Sophia
zur männlichen Dreieinigkeit bleibt im letzten ungeklärt. Arnold unterstreicht das gemeinsame Wirken von Vater, Sohn
und Heiligem Geist zusammen mit der Sophia zur geistlichen
Wiedergeburt des Menschen. Die Betonung dieser Gemeinsamkeit jedoch ergibt keine klare Lösung für das skizzierte
Problem.

Die Weiblichkeit der Sophia

Sobald Arnold bildliche Sprachelemente zur Beschreibung der
göttlichen Weisheit heranzieht, nimmt er diese aus dem Bereich weiblicher Tätigkeiten. Die weibliche Gestalt der Weisheit gehört zu den grundlegenden Elementen von Arnolds Sophia-Theologie. Die Konnotationen von Arnolds Frauenbil-
dern sollen im folgenden dargestellt und interpretiert werden.

Zunächst bezieht sich der Autor auf die in der Bibel verwendeten Bilder »eines weibes/ einer jungfrau/ braut/ mutter/ pflegerin/ lehrmeisterin« (40)[11]. Die Weiblichkeit der Weisheit darf nach Ansicht Arnolds nicht nach menschlichen Vorstellungen erfaßt werden, »denn in der Gottheit ist kein geschlecht« (41). Die menschlichen Geschlechtsunterschiede von Mann und Frau existieren erst seit dem Fall, deshalb gelten diese Kategorien für die göttliche Weisheit nicht, da diese nach Arnolds Auffassung der Schöpfungsgeschichte vor der Trennung in Mann und Frau als vollkommenes Wesen vorhanden war. Die Weisheit ist keine Frau wie alle anderen, die erst aus der Rippe Adams erschaffen wurden, sie ist vielmehr »in himmlischen reinen verstand eine vollkömmliche reine jungfrau« (42).

Arnolds Verständnis der himmlischen Weiblichkeit Sophias kann nicht ohne seinen Entwurf der ursprünglichen Schöpfung erfaßt werden. Allerdings deutet er in seiner Sophia-Schrift diese Schöpfungsspekulationen nur relativ kurz an, er entfaltet sie nicht in allen Zügen. Der paradiesische Adam war vermählt mit der himmlischen Sophia, so daß beide gemeinsam ein androgynes Wesen bildeten. Weil Adam sich aber nach einer fleischlichen Frau sehnte, wurde »die himmlische Sophia von ihm geschieden, . . . daß er also die weibliche eigenschafft verlohr/ und die männliche allein behielt« (43). Dieser Verlust der Sophia war der Sündenfall. Adam sollte sich mit der himmlischen Jungfrau auf geistliche Weise fortpflanzen, diese Fähigkeit ging durch den Fall verloren. Erst in Christus wurden Männliches und Weibliches, Sophia und Mensch, wieder vereint; seit der Geburt Christi als Mensch kann sich die göttliche Weisheit wieder den Menschen zuwenden und sich mit ihnen erneut vermählen. Arnold beschreibt die Erlösungsbedeutung Christi: »Zu dem ende ward nun Messias in dem weiblichen geschlechte in Maria zwar ein mensch und mann/ und führete das männliche theil wieder in den leib des jungfräulichen weibes ein/ ob er gleich selbst in sich das jungfräuliche bild trug. Wodurch denn der grund geleget ward/ daß die männliche und weibliche krafft wiederum ein einig bild und wesen werden könten/ und die neue creatur als eine männliche jungfrau nach der wiedergeburt vor GOtt vollkommen darstehen könte« (43). Das Stichwort »männliche Jungfrau«

umschreibt Arnolds endzeitliche Erlösungsvision: Die Menschen werden wieder das, was der erste Mensch vor dem Fall durch das Zusammensein mit der Sophia war: Eine Vereinigung von Mann und Frau, die keine Geschlechtsunterschiede mehr kennt. Jede Frau und jeder Mann, die sich durch die göttliche Weisheit auf den Weg zur geistlichen Wiedergeburt einlassen, gehen erste Schritte zum Ideal der männlichen Jungfrau.

Nachdem die Sophia durch Christus wieder Zugang zu den Menschen gefunden hat, erscheint sie denen, die sie suchen. Ihr stehen dabei unterschiedliche Offenbarungsweisen zur Verfügung, von denen Arnold folgende aufzählt: Einigen erscheint die göttliche Weisheit »als ein liecht=strahlendes auge«, anderen »als eine süsse mutter«, wieder anderen »als eine mit durchsichtigen golde durch und durch auffs köstlichste geschmückte königs=tochter mit einem gläntzenden und hell=blinckenden angesichte« (74). Die Beschreibung der sich in verschiedenen Gestalten offenbarenden Sophia macht einen lebendigen Eindruck, so daß die Vermutung naheliegt, Arnold gebe hier eigene Erfahrungen wieder.

Die Annäherung des Menschen, des »Seelen-Geistes« (61), an die himmlische Sophia geht in verschiedenen Stufen vor sich. Zuerst zeigt sie sich als Mutter, damit der Mensch geistlich neu geboren werden kann (98). Ist dieses Werk abgeschlossen und macht der Mensch weitere Fortschritte durch Prüfungen und Läuterungen, dann erst offenbart sich die göttliche Weisheit in ihrer Gestalt als liebende Braut. Die Sophia küßt den Seelengeist und eröffnet das Liebes-Spiel. »Man darff sich so dann getrost an ihre brust legen/ und saugen biß zur sättigung/ und alle ihre reinen kräffte stehen offen/ sie im paradisischen liebesspiel in sich zu ziehen« (113). Allerdings findet das »letzte Hochzeits=fest«, die »öffentliche vollziehung solcher vermählung« nicht im irdischen Leben statt, sie bleibt der endzeitlichen Vollendung vorbehalten (112).

Arnold reflektiert auch, was die Vermählung mit der Sophia für Frauen bedeutet; allerdings hat er dabei nur Jungfrauen und Witwen im Blick. Diese finden durch die Sophia »ihren paradisischen schatz und bräutigam wieder«, mit dem »sie vereiniget und in ihrer liebe gesättiget« (115) werden. Diese flüchtigen Andeutungen des Verfassers, der hauptsächlich männliche Leser anspricht, können aufgrund von Arnolds Schöpfungs- und Erlösungskonzept so gedeutet werden, daß die Sophia in der Begegnung mit Frauen ihre männlichen Züge hervorbringt. So wie die Sophia ein vollkommenes Wesen ist, so führt sie auch die nach ihr suchenden Frauen und Männer zur Vollkommenheit. Wenn der Autor an dieser Stelle nur Witwen und Jungfrauen benennt, kann daraus geschlossen werden, daß er verheiratete Frauen von der Vermählung mit der Sophia ausschließt. Diese Vermutung bestätigt sich in Arnolds Ausführungen über den ausschließlichen Anspruch der Sophia auf den ihr zugewandten Menschen.

Diese Wiederherstellung der im Paradies verlorenen ursprünglichen Vollkommenheit durch die edle Sophia hat zur Folge, daß jegliche irdische Ehebindung als »gar gefährlicher und thörichter abfall« (80) gewertet wird. Gegenüber der Sophia erscheint die Ehe dem pietistischen Autor als »unreine liebe« (79). Arnold fordert zwar nicht dazu auf, Ehen wegen der Sophia aufzulösen, er macht jedoch deutlich, daß beides nicht zu vereinbaren ist. Wer Arnolds Äußerung, daß jede andere Liebe, außer die zur Sophia, »eckel und koth« (80) sei, ernst nimmt, wird gewiß nicht auf den Gedanken kommen, daß der Verfasser dieser scharfen Zeilen selber bald darauf heiratete und auch Kinder zeugte.

In Teil 2 und 3 seiner Sophia-Schrift setzt Arnold die Entfaltung erotisch-sinnlicher Metaphorik in Gedichten und Liedern fort. Die Wahl dieser Gattungen gibt ihm größere Freiheiten, seine Weiblichkeits-Bilder auszumalen. Arnold verläßt den von ihm selbst gelegten Grund der breiten Bibel- und Kirchenvätertradition zugunsten der Konzentration auf eine einzige Quelle, die er nach allen Seiten ausschöpft: Das Hohelied der Liebe. Er erläutert seine enge Anbindung der Sophia-Konzeption an die Hohelied-Motive: Zusammen mit anderen, die er nicht namentlich nennt, ist er der Überzeugung, daß man »unter dem namen der Braut die himmlische ewige weißheit GOttes oder Sophiam, und unter dem Bräutigam den seelen=geist/ oder den gantzen inneren menschen«[12] verstehen kann. Mithilfe dieser Interpretation wird das biblische Hohelied zu einem einzigen Loblied auf die göttliche Sophia.

Arnold umschreibt einzelne Verse des Hohenliedes mit Nachdichtungen. Seinem eigenen Text stellt er dabei die Übersetzung des Hohelied-Verses als Motto voran. Ausgehend von Kap. 4,10 beschreibt er in einem Lied mit sieben Strophen ein inniges Liebesverhältnis zu einer weiblichen Gestalt, die sich gleichzeitig als Mutter und als Geliebte zeigt. Aufgrund von Arnolds Hohelied-Deutung kann die besungene weibliche Gestalt als die göttliche Weisheit gedeutet werden. Der erste Vers dieses Liedes beginnt:

> »Hier schmieg ich mich/ o weißheits=quell/
> An deiner liebe brüste/
> Die mir gantz unbetrübt und hell
> Einflössen Himmels=lüste« (2/47).

In Vers 6 wird die weibliche Gestalt angesprochen als »o jungfrau schwester/ liebe braut« (2/48).

Das Hohelied erwies sich für den pietistischen Autor Arnold als Material-Fundgrube für seine Sophiologie. Die alttestamentlichen Liebeslieder inspirierten ihn zu eigenen poetischen Umschreibungen seiner Erfahrungen, die an der Grenze zum nicht mehr Aussagbaren liegen.

Arnolds Sophia-Schrift weist die tiefe Verankerung der Weisheitstheologie in der Geschichte der Kirche nach. Arnold machte seinen Zeitgenossen zum Vorwurf, daß sie diese alte Tradition vernachlässigt haben. Durch die breite Entfaltung der biblischen und altkirchlichen Belege versucht der radikale Pietist die Sophiologie als wesentlichen Bestandteil der christlichen Schöpfungs- und Erlösungslehre zu etablieren. Für Arnolds grundlegenden Systematisierungsentwurf gibt es im nachreformatorischen Protestantismus keine Vorläufer, seine sophiologischen Ideen jedoch verdankt der Quedlinburger Gelehrte vor allem zwei Theologen, die er auffälligerweise beide in diesem Werk nicht erwähnt. Bei diesen beiden Personen handelt es sich um die bereits erwähnten Männer J. G. Gichtel und J. Böhme. Gichtel kann vor allem als Zwischenglied betrachtet werden, der die Lehren Böhmes verbreitete, selber jedoch keine eigene Lehrtradition entwickelte. Aus Arnolds Gesamtwerk geht hervor, daß er mit den Lehren Böhmes vertraut war.

Jakob Böhmes Sophia-Lehre

Jakob Böhme, der lutherische Laien-Theologe, entwickelte seine Sophiologie erst nach und nach zu ihrem vollen Gehalt. Sein Erstlingswerk, die 1612 niedergeschriebene »Aurora oder Morgenröthe im Aufgang«, enthält noch keine sophiologischen Aussagen. Als die »Aurora« durch Abschriften bekannt wurde, erteilte der Rat der Stadt Görlitz dem Schuster ein Schreibverbot. Von 1619 an jedoch übertrat Böhme dieses Verbot und verfaßte in wenigen Jahren sein umfangreiches Werk.[13]

In den Jahren des verordneten Schweigens vertiefte Böhme seine Erfassung und Darstellung der kosmologischen Zusammenhänge. Die Gestalt der himmlischen Jungfrau bildete von nun an ein Bindeglied zwischen seiner Schöpfungs- und seiner Erlösungsvision. In dem 1619 verfaßten Werk » Von den drey Principien . . .« beschreibt Böhme die »ewige Weisheit GOttes, die Jungfrau der Zucht« (2/276), als Vermittlerin der göttlichen Liebe zum Menschen hin. Vor dem Fall war die Weisheit bei Adam im Paradies; bei der Menschwerdung Christi ging sie in Maria ein (2/281), sie ist es, die auf die Umkehr des sündigen Menschen wartet, um sich dann mit diesem zu vermählen (2/208). So wie die Weisheit zu Beginn der Menschheitsgeschichte mit Adam zusammen ein vollkommenes Wesen bildete, so wird sie die Menschheit wieder zu dieser Vollkommenheit erlösen. Der paradiesische Adam »war kein Mann und auch kein Weib, gleichwie wir in der Auferstehung seyn werden« (2/107)

Nur sehr zurückhaltend deutet der Autor ein eigenes Erlebnis der geistlichen Vermählung mit der Weisheit an. In bildlichen Umschreibungen wie »Ungewitter« klingen Erfahrungen der Verzweiflung und Verfolgung an, aus denen die göttliche Weisheit den Görlitzer Laientheologen befreite: »wir suchten das Hertze GOttes, uns darin zu verbergen vor dem Ungewitter des Teufels. Als wir aber dahin gelangten, entgegnete uns die holdselige Jungfrau aus dem Paradeis, und entbot uns ihre Liebe, Sie wolte uns freundlich seyn, und sich mit uns vermäehlen zu einem Gespielen, und den Weg weisen zum Paradeis, da wir solten sicher seyn vorm Ungewitter ... Davon haben wir eine solche Lust bekommen, zu schreiben von der holdseligen Jungfrauen, die uns den Weg weisete ins Paradeis; da musten wir gehen durch dieser Welt und auch der Höllen Reich, und uns geschah kein Leid; und demselben nach schreiben wird.« (2/165) Böhme suchte Gott – und fand die Jungfrau, diese trat ihm aus dem Herzen Gottes entgegen. Das Herz Gottes bildet in anderen Texten Böhmes eine Umschreibung für Christus, den Sohn Gottes (2/29). Wenn diese Interpretation auch hier zutrifft, dann besteht eine sehr enge Bindung zwischen Christus und der göttlichen Weisheit, die Jungfrau befindet sich im Herzen Gottes, in dem Sohn Jesus Christus. Die Gestalt der Jungfrau wendet sich, aus dem Innersten des Göttlichen kommend, dem Menschen zu. Die Jungfrau stellt die Zuwendung Gottes zum Menschen dar. Wie die Vermählung mit der göttlichen Weisheit »zu einem Gespielen« aussah, führt der Verfasser nicht aus; er kommt jedoch noch ein zweites Mal in demselben Werk »Von den drey Principien« auf diese einschneidende Erfahrung zu sprechen. Die Vermählung mit der Weisheit muß für Böhme eine Errettung aus großer Not bedeutet haben, denn er schreibt: »Die Jungfrau hat mir Treue zugesaget, mich nicht zu verlassen in keiner Noth; Sie will mir zu Hülfe kommen in der Jungfrauen Sohne, ich soll mich nur wieder an Ihn halten, Er wird mich wol wieder zu Ihr ins Paradeis bringen; dahin will ichs wagen, und gehen durch Dornen und Disteln, (durch allerhand Spott und Schande so mir begegnen wird) wie ich kan, bis ich wieder finde mein Vaterland, daraus meine Seele gewandert ist, da meine liebste Jungfrau wohnet: Ich versehe mich mit ihrer treuen Zusage, als Sie mir erschien, Sie wolte all mein Trauren in grosse Freude verkehren. Als ich lag am Berge gegen Mitternacht, und alle Bäume über mich fielen, und alle Sturm=Winde über mich gingen, und der Antichrist seinen Rachen gegen mir aufsperrete mich zu verschlingen, kam Sie mir zu Trost, und vermählete sich mit mir« (2/182).

In diesem zweiten Hinweis auf die Vermählung stellt Böhme das enge Zusammenwirken Christi, des Sohnes der Jungfrau, mit der Weisheit heraus, beide wechseln sich in ihrer Begleitung des umkehrwilligen Menschen ab. Die Weisheit und Christus führen den Menschen gemeinsam zum Ziel, das in der Rückkehr in das Paradies besteht, das Vaterland, in dem die göttliche Jungfrau wohnt und wartet.

Nachdem Böhme seine grundlegenden Einsichten in die Heilsbedeutung der göttlichen Weisheit durch eigene Erfahrungen gewonnen hatte, führte er in seinen folgenden Schriften die Bedeutung der himmlischen Jungfrau weiter aus. Die weibliche Gestalt, die ihm als Braut und Lebensretterin erschienen war, gehört nach Böhmes Überzeugung ganz in den Bereich des Göttlichen: »Die Jungfrau ist ewig, ungeschaffen und geboren: Sie ist GOttes Weisheit und ein Ebenbild der Gottheit ... und wird in der Majestät in den Wundern GOttes erkant, denn Sie ists, die da darstellet ins Licht das Verborgene der Tieffe der Gottheit« (3/201 f.). Für Böhmes Auffassung der göttlichen Weisheit ist es wesentlich, daß diese nichts von sich aus hervorbringt, gebiert oder erschafft; sie verhält sich gegenüber der göttlichen Trinität vielmehr wie ein Spiegel, der aufnimmt und das Aufgenommene wiedergibt. Gott ist jedoch auf die spezifische Funktion der Weisheit angewiesen, da durch ihre Mithilfe die Wunder der Schöpfung entstehen. 1620 schreibt Böhme über die Weisheit: »Sie ist keine Gebärerin gewesen, sondern die Offenbarung GOttes, eine Jungfrau, ... und ist die Offenbarung der H. Dreyfaltigkeit gewesen. Nicht daß sie aus ihrem Vermögen und Gebären GOtt offenbarete, sondern das Göttliche Centrum, als GOttes Hertz oder Wesen, offenbaret sich in ihr: Sie ist als ein Spigel der Gottheit, dann ein ieder Spigel hält stille, und gebieret kleine Bildniß; sondern er fähet die Bildniß. Also ist diese Jungfrau der Weisheit ein Spigel der Gottheit, darinn der Geist GOttes sich selber siehet, ... und in ihr hat der Geist GOttes die Formungen der Creaturen erblicket; denn sie ist das Ausgesprochene, was GOtt der Vater aus seinem Centro der Lichtflammenden Göttlichen Eigenschaft aus seines Hertzens Centro, aus dem Worte der Gottheit, mit dem H. Geiste ausspricht« (4/7 f.).

Wie die drei Personen der Trinität existiert die weibliche Gestalt der Weisheit von Ewigkeit an, sie wirkt von Ewigkeit gemeinsam mit der göttlichen Trinität. Die Weisheit bildet einen nicht herauslösbaren Bestandteil des göttlichen Wirkens. Jakob Böhme weist der göttlichen Jungfrau eine wesentliche Rolle in der Schöpfungs- und Heilsgeschichte zu. Obwohl Böhme die Weisheit mit weiblichen Metaphern beschreibt und das Verhältnis zu ihr als Liebesbeziehung erfaßt, zieht er daraus nicht die gleichen Konsequenzen wie seine Schüler Gichtel und zeitweise auch Arnold. Böhmes Sophia-Konzept erfordert keine asketische Enthaltsamkeit, vielmehr können Frau und Mann sich in der Ehe bei der Zurückgewinnung der himmlischen Jungfrau unterstützen (4/61). In diesem positiven Eheverständnis sind jedoch Züge enthalten, die Frauen abwerten. Böhmes Frauenbild ist davon geprägt, daß die Erschaffung der Frau erst als Folge das Falles notwendig wurde: »GOtt hatte Adam in die züchtige Jungfrau seiner Weisheit geschaffen, aber er kriegte eine böse wiederwärtige irdische Frau dafür, mit welcher er in thierischer Gestalt leben muste, in eitel Kummer, Angst und Noth« (4/56). Dem Idealbild der himmlischen Jungfrau kann keine irdische Frau standhalten. Im gleichen Textabschnitt spricht Böhme jedoch auch davon, daß ein Mann seine Frau lieben soll, da sie »sein Rosengarten« ist. Unverheirateten Frauen und Männern stellen sich Christus und die göttliche Jungfrau als Ergänzung zur Verfügung: Den Männern erscheint Christus als Braut, den Frauen als Bräutigam. »Aber den ledigen Jungfrauen und Mannen ohne Frauen wird gesagt, sowol den Witwen, daß sie den Bund Christi zum Gemahl haben, vor deme sollen sie züchtig und demühtig seyn: denn Christus ist des Mannes Braut, seine züchtige Jungfrau, die Adam verlor, und ist auch der ledigen Jungfrauen und Witwen ihr Bräutigam; denn seine Mannheit ist ihre Mannheit, daß sie also vor GOtt als eine männliche Jungfrau erscheinen.« Das Ideal der männlichen Jungfrau gilt nach Böhme für alle Menschen, für Frauen wie Männer gleichermaßen. Die himmlische Weisheit und Christus stellen die Verkörperung dieses Ideals dar.

Der Gestalt Marias, der Mutter Jesu, kommt in Böhmes Nachdenken über die himmlische Weisheit eine besondere Bedeutung zu.[14] Denn erst durch die Menschwerdung Christi in Maria war es der Weisheit wieder möglich, die Menschen zu erreichen. Maria darf in Böhmes Augen zwar als irdische, nicht jedoch als himmlische Jungfrau gesehen werden. Der Görlitzer Theologe betont in seinem Werk »Vom dreyfachen Leben des Menschen«, daß Maria die leibliche Tochter Joachims und Annas sei (3/123). Marias herausgehobene Rolle liegt nicht in ihrer eigenen Person begründet, sondern darin, daß in dem Menschen Maria die himmlische Jungfrau zur Wirkung kam. In Maria »eröffnete sich die ewige Jungfrau. Nicht ist Sie von aussen in sie eingefahren; nein, Mensch, es ist ein anders: alhie ward GOtt und Mensch wieder eines; was Adam verlore, das that sich wieder auf« (3/123). Böhme beschreibt das Aufeinandertreffen von Maria und der himmlischen Weisheit auf folgende Weise: »Der Seelen Mariä ward die Himmels=Jungfrau die Weisheit GOttes angezogen, welche Adam verloren hatte«.[15] »Kein Weib von Adam her hatte die Himmels Jungfrau angezogen, als eben diese Maria ... Also hat GOtt der Seelen Mariä GOttes Jungfrau angezogen; nicht ... daß sie wäre vergöttet worden; nein, sie muste sterben wie alle Menschen« (3/166).

Das literarisch schönste Zeugnis der Sophiologie Böhmes findet sich in der Schrift »Der Weg zu Christo«, die als einzige zu Lebzeiten des Autors 1624 im Druck erschien. Böhme konzipiert hier einen Dialog zwischen der Seele und der Jungfrau Sophia, den er »Ein Gebetlein, oder Gespräche«[16] nennt. Der Leser soll durch dies Zwiegespräch zur Nachahmung verlockt werden, »ob ihn lüsterte uns nachzufahren, und auch an den Reihen zu treten, da man mit Sophia spielet« (4/30). Die edle Jungfrau Sophia als Braut und die menschliche Seele als Bräutigam berichten sich gegenseitig von ihrer Leidensgeschichte, die in Adam begann, und werben nun umeinander. Die Jungfrau Sophia schildert ihrem Bräutigam, daß sie ohne ihn nicht fröhlich sein konnte. Sie spricht zur Seele: »O mein Bräutigam, wie ist mir so wol in deiner Ehe, küsse mich doch mit deiner Begierde, in deiner Stärcke und Macht, so will ich dir alle meine Schöne zeigen, und dich mit meiner süssen Liebe im hellen Lichte, in deinem Feuer-Leben erfreuen« (4/32). Der Seelen-Bräutigam erinnert an seine Schuld, die er in Adam an der Sophia begangen hat, und freut sich über die wiederentdeckte Liebe: »O süsse Liebe, du hast mir Wasser des ewigen Lebens aus GOttes Brünnlein mit gebracht, und mich in meinem grossen Durste erquicket: In dir sehe ich GOttes Barmherzigkeit« (4/33). Im Bild der Perle kommt ein Vorbehalt zum Ausdruck: Sophia und Seele sprechen sich zwar als Braut und Bräutigam, als Gemahl und Gemahlin an, die endgültige Form der Vereinigung bleibt jedoch dem Paradies vorbehalten. Die Sophia spricht: »Ich will mein Perlein in mir behalten ... und ... dem Paradeis vorbehalten, biß du diese Irdigkeit von dir ablegest, alsdann will ich dirs zum Eigenthum geben; aber mein Antlitz, und süsse Strahlen des Perleins, will ich dir die Zeit dieses irdischen Lebens gerne darbieten« (4/23 f.). Böhme beschließt diesen Dialog mit einer direkten Anrede an seine Leser: »Lieber Leser, halt dieses für kein ungewiß Gedichte, es ist der wahre Grund, und hält innen die gantze H. Schrift: dann das Buch des Lebens JEsu Christi ist darinnen klar vor Augen gemahlet, wie es ist vom Autore selber erkant worden, dann es ist sein Proceß gewesen« (4/36). Mit diesen Worten knüpft Böhme in seinem letzten Lebensjahr an die Hinweise an, die er in seinen ersten Schriften auf eigene Sophia-Begegnungen gab. Sein »Proceß«, d. h. seine Erfahrungen, und sein beharrliches Nachdenken darüber ließen Böhme zum Anreger der Sophia-Theologie im Protestantismus werden. Die Gestalt der Weisheit eröffnete dem schlesischen Handwerker und Mystiker einen umfassenen Zugang zur Welt und zur Theologie. Böhme beschränkte sein theologisches Interesse nicht auf die Verehrung der göttlichen Weisheit, wenn diese auch zu den Grundelementen seines Denkens gehört.

Sophia für Frauen?

Die beiden hier ausführlich vorgestellten Autoren entfalten ihre Sophia-Theologie aus einer ungebrochen männlichen Perspektive und Wahrnehmung. Nur ganz am Rand denken sie kurz darüber nach, wie Frauen und die göttliche Weisheit zueinander finden könnten. Diese Randbemerkungen tragen jedoch in keiner Weise zu einer Veränderung der Metaphorik bei; Arnold und Böhme verehren als Männer die weibliche Gestalt der Weisheit Gottes. Das von ihnen entwickelte Modell läßt sich nicht ohne weiteres auf Frauen als Verehrerinnen der Sophia übertragen. Die theologische Arbeit der beiden Sophiologen der frühen Neuzeit läßt jedoch Strukturelemente erkennen, die auf die Entwicklung einer feministischen Theologie und Sophiologie übertragbar sind.

Wie oben gezeigt wurde, sehen Arnold und Böhme den Ausgangspunkt ihrer Sophia-Theologie in eigenen Erfahrungen, ihre Sophiologie gibt sich als Erfahrungstheologie zu erkennen. Dieser Ausgangspunkt wird von den Theologen benannt, sie entfalten ihr sophiologisches System allerdings nicht als reinen Erfahrungsbericht, sie wenden vielmehr all ihre theologische Intelligenz auf, um die Gestalt der Sophia theoretisch zu deuten und intellektuell zu erfassen.

Jakob Böhme und Gottfried Arnold entstammen beide dem nachreformatorischen Luthertum. Weder im 17. noch im 18. Jahrhundert sah der Kanon lutherischer Lehre eine Sophiologie, die Beschäftigung mit einer weiblichen göttlichen Gestalt, vor. Böhme und seine späteren Schüler setzten sich unerschrocken über dogmatische Grenzen hinweg, sie formulierten ohne Furcht ihre gewonnenen Einsichten und verbreiteten diese. Weder die Sophiologie Böhmes noch die Arnolds kann für Frauen des 20. Jahrhunderts den ›einzigen Weg zur Erkenntnis Gottes‹ bilden. Vielleicht können diese beiden Autoren Lehrmeister dafür sein, Gott eine größere Fülle von Arten der Zuneigung zu den Menschen zuzutrauen.

Die Weisheit Gottes – Die Schau der Sophia bei Wladimir Solowjew[1]

von Fairy von Lilienfeld

»Sophia« – der griechische Name der »Weisheit«, und mit Großbuchstaben geschrieben in der Theologie »die Göttliche Weisheit«, ist eine Bezeichnung, die durch das grammatische Geschlecht auch die wesenhafte Weiblichkeit des Gemeinten zu bezeichnen scheint.[2] Jedenfalls bewegt das Thema der göttlichen Sophia darum heute feministische Theologie, die das Weibliche, Frauliche oder gar Die Frau in Person in Gott oder bei Gott oder als Gott sucht.[3] So ist die »weibliche« Figur der »Sophia« in der christlichen Mystik[4] und in christlicher theologischer Spekulation[5] heute plötzlich »modern« geworden, wobei manchmal eiliger, mehr journalistisch popularisierender Bericht vor existentiellem Nachvollzug mystischer Erfahrung oder tiefschürfendem Denken das Rennen in den Medien macht, das heute für Karriere und kommerziellen Erfolg so wichtig ist.

Fast hundert Jahre vor unserer »Sophia-Welle« von heute begann eine solche in der russischen Religionsphilosophie, die damals in Rußland ein großes publizistisches aber auch existentielles Echo fand.[6] Ausgelöst wurde sie durch den großen Philosophen und Theologen Wladimir Solowjew (1853–1900). Auf ihn wollen wir uns in diesem Aufsatz beziehen.

Von W. Solowjews philosophisch begründeter Schau[7] der Sophia wurde eine ganze nächste Generation von Philosophen und Theologen beeinflußt.[8] Sie entwickelten das Denken über die »Sophia« weiter und versuchten, es zu vertiefen. Andere wandten sich leidenschaftlich gegen die »Sophiologie« dieser Denker.[9] Ein Argument der Gegner war übrigens, daß die Spekulation über die Sophia aus westlichem Denken und westlicher Mystik unangebrachterweise in die genuin orthodoxe Theologie der griechischen Kirchenväter und der von ihnen geprägten VII. ökumenischen Konzilien überführt worden sei oder gar aus häretischen gnostischen Schriften oder aus kabbalistischer Esoterik stamme. Und so wurde dieses Nachdenken über Gottes Sophia von ihnen der Häresie verdächtigt und wird es noch heute.

Dem muß man – schon in bezug auf Solowjew, aber auch für die ihm folgenden »Sophiologen« gültig – mehreres entgegenhalten: Schon Solowjew – und nach ihm vor allem Sergij Bulgakow – gingen aus von denen als inspiriert verstandenen Texten der Bibel. Dort tritt bekanntlich Gottes Weisheit nicht nur als göttliche Eigenschaft auf, sondern als Person, als *Frau Weisheit*. Es handelt sich vor allem um die Perikope Sprüche Salomonis Kap. 8, Weisheit Salomonis Kap. 8[10] und Jesus Sirach 24, die die »Göttliche Weisheit«, die »Weisheit Gottes«, als *Person* auftreten lassen oder gar in der *Ich-Form* sprechen lassen. Diese Texte erscheinen in den Lese-Ordnungen des Kirchenjahres in der östlichen ebenso wie in der westlichen Kirche[11] und werden in den Hymnen der Kirchen aufgenommen.[12] Die biblische Offenbarung spricht also von der Göttlichen Weisheit als Person, und zwar als weibliche Person. Davon gehen Solowjew und seine Nachfolger aus, die betont Offenbarungstheologen sein wollen[13], wenn sie sich um eine eingehende Exegese dieser und anderer Texte bemühen. Ihrer Ansicht und der kirchlichen Tradition nach stehen sie in engem Zusammenhang mit vor allem den Texten, die von der Schöpfungsgeschichte und der Inkarnation Gottes in Jesus Christus handeln.

Dem orthodoxen Christen ist die »Sophia« Gottes besonders aus der Göttlichen Liturgie[14] unmittelbar präsent: In entscheidenden Augenblicken ruft der Diakon: »Sophia!«, zu deutsch also »Weisheit!«, oder gar: »Sophia! Orthoi!« – »Weisheit! (Stehet) aufrecht!«. Dieser Ruf kündet die Lesung des gottinspirierten Wortes der Propheten und Apostel an, er macht klar, daß durch den Heiligen Geist Jesus Christus selbst aus dem Evangelium vollmächtig spricht und im und unter den Gestalten des Brotes und des Weins uns selbst seinen heiligen Leib und sein teures Blut im Sakrament der Eucharistie darreicht. Der Ruf »Sophia! (Stehet) aufrecht!« kündet also die mystische Präsenz des menschgewordenen Sohnes Gottes Jesu Christi Selbst in diesem Gottesdienst an.

Wie in vielen kirchlichen Hymnen so scheint hier deutlich zu sein, daß mit dem Ruf »Sophia« Christus gemeint ist. Er ist nach Johannes 1,1 ff. das ewige Wort des Vaters, auf griechisch der »Logos«. »Logos« – auf deutsch außer »Wort« auch »Sinn«, »Vernunft«, »Einsicht« – und »Sophia« – »Weisheit« sind, auf Christus bezogen, also Synonyma und sind von den Kirchenvätern oft im gleichen Sinn benutzt worden. Den gleichen Sinn von Sophia finden wir auch in vielen byzantinischen Hymnen wieder. Dies war dem großen Gegner der »Sophiologie« Georgij Florovskij wohl bewußt, und er unterstrich dies stets aufs neue: Es ist Christus, der die Weisheit Gottes ist. Logos und Sophia sind Synonyma, auf Christus bezogene und miteinander austauschbare Begriffe: Man könne daher in den alttestamentlichen Texten, die von der personalen Weisheit reden, auch vom Logos reden[15]. Spekulationen darüber, ob »Logos« und »Sophia« aufgrund ihres verschiedenen grammatischen Geschlechts auch verschiedene Seinsgegebenheiten im Sein Gottes bezeichnen könnten, seien müßig und zudem häretisch.[16] Florovskij verwies dazu auch auf eine byzantinische Ikone des 14. Jahrhunderts, die sich im Benaki-Museum zu Athen befindet und die den lehrenden/segnenden Christus darstellt.[17] Sie trägt die ausdrückliche Inschrift: »Jesus Christus – die Weisheit Gottes«.

Aber Solowjew – und nach ihm Sergij Bulgakow – war sich zu sehr bewußt, daß die alttestamentliche Weisheitsliteratur betont von *Frau Weisheit* spricht, wenn sie die Weisheit als Person auftreten läßt. Für sie läßt es sich nicht leugnen, daß es gerade von dieser *Frau Weisheit* heißt: »Sie ist herrlichen Adels; denn ihr Wesen ist bei Gott, und der Herr aller Dinge hat sie lieb.«[18] Und *Frau Weisheit* spricht selbst: »Der Herr hat mich gehabt im Anfang seines Weges . . . Ich war seine Gespielin[19] und spielte vor ihm allezeit und spielte auf seinem Erdboden . . .«[20]. Ohne Zweifel, die alttestamentliche Persongestalt der Göttlichen Weisheit ist eine Frau, und diese ist Geliebte, Gefährtin und/oder Werkmeisterin Gottes. Sie wurde darum auch immer wieder einfach als Frau in der kirchlichen Kunst dargestellt, ohne zu reflektieren, wie diese sich eigentlich zu Gott verhalte.[21]

Solowjew verweist, wenn er von der Sophia Gottes spricht, ausdrücklich auf die kirchliche Tradition: In Ost und West, in der römisch-katholischen Kirche und in der orthodoxen Kirche werden die berühmten personal-weiblich gefaßten alttestamentlichen Texte auch in Marienfesten gelesen.[22] Er betont dabei, daß diese Texte in der Bulle Pius des IX. »Ineffabilis Deus« vom 8. Dezember 1854 zum Erweis der Unbefleckten Empfängnis Mariens herangezogen werden. Doch wird Solowjew nie explizit behaupten, daß Maria einfach die Göttliche Weisheit in Person sei, da diese nach den alttestamentlichen *Frau-Weisheit*-Texten offenbar göttlicher Art ist.

Solowjew weist ausdrücklich darauf hin, daß es eine gewisse Unklarheit in der kirchlichen Tradition bezüglich der »Heiligen Sophia« gibt. Der »religiösen Seele des russischen Volkes« wurde eine eigene »Dimension« der Weisheit Gottes, die »den Griechen (welche die Sophia mit dem Logos identifizierten) unbekannt«[23] war, deutlich. Dies zeigte sich zum einen, als »es (das russische Volk) seine ältesten Kirchen der heiligen Sophia . . . weihte«.[24] Zum anderen haben die Russen eine Ikone der »Sophia – der Göttlichen Weisheit«, die diese Weisheit klar von der Ikone Jesu Christi sowie der Mutter Gottes unterschied: »Sie stellte sie dar mit den Zügen eines besonderen göttlichen Wesens«[25].

Es handelt sich hier um eine in Rußland weitverbreitete Ikone, die in anderen orthodoxen Landeskirchen unbekannt ist: Ein geflügelter Engel sitzt auf einem – häufig siebenfüßigen[26] – Thron. Er ist mit Herrschaftszeichen ausgestattet; seine Füße ruhen auf einem Schemel. Die ganze Figur, deren Engelgestalt einen weiblichen Eindruck macht[27], ist von einem deutlich kosmisch-astrisch gekennzeichneten Kreis umgeben. Zur Rechten und zur Linken der Göttlichen Weisheit, die meist ein »feuriges« rotes Gesicht hat, um dem Bilde der Heiligen Schrift zu entsprechen,[28] stehen die Gottesmutter Maria und Johannes der Täufer als Fürbittende. Die gleiche Darstellungsart findet sich schon sehr früh auf den sogenannten »Deesis« (Fürbitte)-Ikonen.

Auf der russischen Sophia-Ikone ist also deutlich die Göttliche Weisheit an die Stelle des thronenden Christus getreten und wird ihm praktisch gleichgesetzt. Man könnte also wieder an die altkirchenväterliche Deutung »ChristusistLogos=Sophia« denken. Doch kann man sich im Falle der russischen Ikone nicht mit dieser Deutung zufrieden geben, denn Christus Selbst ist ja ebenfalls auf der Ikone zu sehen und hält die Göttliche Weisheit dem Beschauer vor.

Die Person oder das personale Wesen der Göttlichen Weisheit begegnete also Solowjew und seinen Nachfolgern ganz selbstverständlich in ihrer eigenen orthodoxen Kirchlichkeit, allerdings ohne irgendwie dogmatisch-theologisch reflektiert zu sein. Diese Arbeit der theologischen Reflexion nahmen die russischen »Sophiologen« und unter ihnen als erster Wladimir Solowjew auf sich, und zwar in fundamental-theologischer, d. h. sich in den Strom philosophischen Nachdenkens stellender Arbeitsweise.

Jedenfalls haben die Gegner der russischen »Sophiologie« unrecht, wenn sie die Beschäftigung mit »Frau Weisheit« für ein Thema halten, das der orthodoxen Tradition fremd ist.

Es ist ein eigentümliches Phänomen, daß die russische »Sophiologie« den »westlichen«[29] Theologen in derselben Zeit als fremdartige und auch nicht hilfreiche, womöglich gnostizierende philosophische Erscheinung erschien und erst heute von feministisch und/oder »New Age«-gesonnenen Theologen meist sehr undifferenziert aufgenommen wird. Damals war man im Westen geneigt, die »Sophiologie« als etwas Exotisches, spezifisch Russisches anzusehen und zur Seite zu legen. Denn im Westen war ja die Heilige Sophia, – einst z. B. in Alkuins Kirchendichtungen präsent, – aus dem liturgisch-doxologischen Bewußtsein[30] in das Mystisch-Esoterische verdrängt worden. Sie war mit aller Mystik zumindest in den typisch nach-aufklärerischen Verdacht der Verstandeswidrigkeit, im besten Falle des rein literarisch zu betrachtenden Legendären geraten.

Die »Sophia Gottes« ist dem orthodoxen Christen also vertraut aus Schriftlesungen und Hymnen der Liturgie und dem russischen Christen zusätzlich aus der Ikonographie. Die Beschäftigung mit ihr ist nicht schon als solche ein Ausweichen auf ein gnostisches Geheimwissen, wie es die Gegner der »Sophiologie« ihren Vertretern vorwarfen, sondern ein an das Licht reflektierten Nachdenkens gebrachter Schatz der Heiligen Schrift und der Tradition der Kirche. Es sollte kein neues, anderes Verständnis des christlichen Glaubens oder gar ein neuer Glaube überhaupt gelehrt werden. Es ging um ein neues, vertieftes Verständnis des immer einen wahren Glaubens, dessen verborgene Schätze ans Licht gehoben werden sollten.

Die russischen Sophiologen haben ihre Ausdeutung der »Sophia« und die Bedeutung, die sie ihr zumaßen, im Zusammenhang ihres philosophischen Systems entfaltet. D. h. ähnlich wie Solowjew, von den schon von ihm akzentuierten Ansätzen herkommend, aber dann doch in der letzten Konsequenz verschieden ausgeführt.[31]

Solowjew hat dieses Thema als erster angeschlagen. Er tat es zu einer Zeit, als er die vorfindlich verfaßte Russische Orthodoxe Kirche aufs schärfste kritisierte – ebenso wie den ganzen Zustand des russischen Zarenimperiums mit seiner Staatskonfession Orthodoxie. Und er tat dies von einem geschichtsphilosophischen und -theologischen Standpunkt aus und als einer, der an diesen Zuständen von Kirche und Gesellschaft in seinem Vaterlande schmerzhaft litt. Gleichzeitig war dies die Zeit seines besonders angestrengten ökumenischen Ringens[32] zwischen 1885 und 1889. Solowjew litt tief an der Zerspaltenheit der Christenheit angesichts ihrer weltumfassenden göttlichen Berufung, die Menschheit zur freien sittlichen Hingabe an das Wirken und Fordern und erlösende Befreien des dreieinigen Gottes zu führen, und damit zu einem in freier hingebender Liebe an den Nächsten verwirklichten sozialen Lebensgestaltung, letztendlich zum Reich Gottes. Dies läßt sich für ihn nur in der Einen universalen Kirche realisieren.[33]

Am Ende seiner Schrift »Die Geschichte und Zukunft der Theokratie« entwirft Solowjew folgendes Bild: »Dann wird sich die höchste, freie Einheit der Kirche, die nicht *allein*[34] auf die Überlieferung und Gewohnheiten und ebenfalls nicht (nur)[35] auf die Überzeugung des abstrakten Intellekts, sondern auf der sittlichen geistigen Tat gegründet ist, offenbaren. Die ökumenische Kirche wird uns dann nicht als toter Götze und nicht als beseelter, aber des Bewußtseins beraubter Leib, sondern als seiner selbst bewußtes, sittlich freies, selber für seine Verwirklichung wirkendes Wesen erscheinen – als die Wahre Freundin Gottes, als die durch volle und vollkommene Einigung mit der Gottheit vereinigte Schöpfung, die die Gottheit voll und ganz in sich aufgenommen hat, – mit einem Worte, als jene *Sophia, die Allweisheit Gottes,* der unsere Vorfahren, einem wundervollen prophetischen Gefühl folgend, Altäre und Tempel bauten, ohne noch zu wissen, wer sie ist.«[36] (1885–87)

In seiner großen grundlegenden Schrift »Rußland und die Universale Kirche« (1889) führt Solowjew diesen Gedanken in schöpfungs- und geschichtstheologischer Konsequenz aus.

Diese oben beschriebene geistig-sittliche Solidarität der Menschheit, in einer weiblichen Gestalt verkörpert zu sehen, geschieht nämlich nach der zweiten späteren Schrift auf Grund göttlicher Offenbarung an den Apostel Johannes, den Seher der Apokalypse: Sie ist »das Weib mit der Sonne bekleidet von Sternen gekrönt und mit dem Drachen unter ihren Füssen« aus dem 12. Kapitel der Offenbarung des Johannes.[37] Solowjew verweist auf die orthodoxen und katholischen Kirchenlehrer, die diesen Text »einmal auf die Heilige Jungfrau und dann auf die Kirche beziehen«[38]. Und er verweist »auf das enge Band, die vollkommene Analogie zwischen dem individuellen und dem sozialen Menschsein Christi, zwischen »Seinem natürlichen und seinem mystischen[39] Leibe«, die sich »nicht bezweifeln« ließen.[40] »Im Sakrament der Kommunion wird der personhafte Leib des Herrn auf eine geheimnisvolle Weise, aber doch wirklich zum einenden Prinzip Seines Gesamtleibes – der Gemeinschaft der Gläubigen.«[41]

Solowjew folgert: »So hat die Kirche, die vergöttlichte menschliche Gesellschaft, im Grunde die gleiche Substanz wie die fleischgewordene Person Christi, Sein individuelles Menschsein, – und da diese nun keinen anderen Ursprung und kein anderes Wesen hat, als die menschliche Natur der Heiligen Jungfrau, der Mutter Gottes, so folgt, daß der ganze Organismus der gottmenschlichen Inkarnation«, d. i. die Universale

Kirche, »auch . . . eine und dieselbe Substanz⁴² zur Grundlage hat«.

Hier sind wir bei den Zentralgedanken Solowjews, um die sein Denken in vielfältigen Variationen lange kreist: Bei der Frage nach dem Wesen und der Bestimmung des Menschen, die sich für ihn nur am Erscheinen Jesu Christi ablesen läßt, der nach dem Glaubensbekenntnis der Kirche ganz Gott und ganz Mensch war, und den Solowjew daher, kirchenväterlicher Tradition folgend, den Gott-Menschen⁴³ nennt.

Doch geht es Solowjew hierbei auch um die philosophischen Grundfragen wie die der Existenz des Einen und des Vielen, der Identität und Verschiedenheit, des Guten und des Bösen, des Rationalen und des Irrationalen.

Solowjews Anthropologie wird entfaltet aus einem philosophisch reflektierten Nachdenken über die Offenbarung der Hl. Schrift von der Erschaffung des Menschen auf dem Hintergrund der Schöpfungsgeschichte, wie sie im 1. und 2. Kapitel des Buches Genesis enthalten ist, aber natürlich auch im Rückgriff auf die Schöpfungsaussagen der Weisheitsbücher und der Psalmen. Halten wir aus der Deutung der Schöpfungsgeschichte durch Solowjew zunächst nur fest⁴⁴, daß der in Sich dreifaltige völlig selbstgenügsame Gott aus freier Liebe die Welt als nicht-göttliches Sein und Objekt seiner Liebe schafft. Und zwar erschafft er die niedere materielle, chaotische Welt, »die Erde«, und die höhere geistige Welt »den Himmel«, »Himmel und Erde« des Schöpfungsberichts also⁴⁵ als eine Welt.

Einer zu sein, und dabei alles in der Einheit, ist Gottes ureigenstes Wesen. Die Nicht-Göttlichkeit der Welt konkurriert als echtes »Anderes« zu Gott darin, daß die Welt selbst – außer Gott – »Alles-in-Trennung« sein könnte (potentiell). Hier ist der Platz der Anarchie, der Spaltung und Widersprüchlichkeit. Daß die chaotischen Tendenzen und auch zerspaltenden Akte des Chaos nicht in totaler Selbstvernichtung der Welt außerhalb Gottes enden, ist Akt Seiner Allmacht, Seiner Wahrheit, »die Seine vollkommene Wahrheit von der chaotischen Vielheit *unterscheidet*« (Hervorhebung durch Solowjew) und ein Akt Seiner Güte.⁴⁶

»Die Vereinigung von Himmel und Erde«⁴⁷ (die als *eine*

Schöpfung gesetzt wurden, aber infolge der anarchistischen Tendenz der Welt auseinanderfallen, einander widerstreben können[48]) ist zunächst nur »im Prinzip«[49] gegeben, sie »muß de facto realisiert werden durch den kosmogonischen und historischen Prozeß, der zur vollkommenen Offenbarwerdung dieser Einheit in der Königsherrschaft Gottes (malkut)[50] führt.« Und diese reale Vereinigung ist für Solowjew »Erkenntnis« im vollen und eigentlichen Sinne des biblischen Wortes »jad'a«, das nach dem hebräischen Wörterbuch sowohl »erkennen« als »(eine Frau) lieben, ihr beiwohnen« heißt. Nach Solowjew werden im »Erkennen« biblischen Verständnisses »das Göttliche und das Außergöttliche« (und in letzterem) »das Höhere und Niedere wahrhaft Eins. Sie vereinen sich in der Wirklichkeit und genießen diese Einigung. Denn wahrhaft erkennen kann man sich nur durch eine reale Vereinigung, da die vollkommene Erkenntnis *realisiert* und die vollkommene Erkenntnis *idealisiert* (Hervorhebungen von Solowjew)[51] werden muß, um vollkommen zu werden.[52]

Und als Werkzeug dieser vollkommenen Einigung, Vereinigung der Welt mit Gott ihrem Schöpfer wurde der Mensch von Gott geschaffen. »Die Erde«, die »am Anfang leer, finster und wüst war, um dann stufenweise in Licht gehüllt, gestaltet und differenziert zu werden«, ». . . die in der Welt der Pflanzen zum ersten Male aus sich heraustritt, dem Einfluß des Himmels zu begegnen . . . die Erde, nachdem sie ihre lebendige Seele ausgegossen hat in unzähligen Arten des pflanzlichen und tierischen Lebens, konzentriert sich« schließlich unter dem schöpferischen Akt Gottes »und kehrt zu sich zurück und kleidet sich in die Form, in der sie Gott von Angesicht zu Angesicht zu begegnen und den Hauch geistigen Lebens zu empfangen vermag.[53] Hier *erkennt* die Erde den Himmel und wird von ihm *erkannt*.« (Hervorhebung von Solowjew).[54]

Man versteht Solowjews Gedankengänge schlecht, wenn man nicht seinen erkenntnistheoretischen Ansatz von der All-Einheit erfaßt.[55] Nicht Teil-Erkenntnisse oder -Einsichten begründen wahre Erkenntnis, – auch nicht in ihrer Summe, – sondern das Ganze muß als wirklich Ganzes erkannt werden, »als Einheit des Alls«, die auch »die Einheit der Gegensätze umfaßt«, und zwar in seiner objektiven Realität. Erst dies kann *Erkennen* der ewigen, der Göttlichen Weisheit genannt werden. »Die ewige Weisheit ... findet endlich ein Subjekt, in welchem und durch welches sie sich völlig realisieren kann. Sie findet es und freut sich. *Meine Freude,* sagt sie, meine allereigentlichste Freude *ist bei den Menschenkindern.*«[56]

Der Mensch vertritt also die Erde; im Prozeß der erkennenden vollständigen Einigung von »Himmel und Erde«, des Göttlichen und des Außergöttlichen; in ihm *kann* die Erde mit dem Himmel eins werden. Und dafür ist er von Gott sozusagen als Primat unter den Geschöpfen erschaffen worden nach dem »Bilde Gottes«[57].

Wie für die griechischen Kirchenväter ist auch für W. Solowjew die Gottebenbildlichkeit des Menschen in seinem »nous«, in der logischen, der Logos-Struktur seines Verstandes beschlossen. Sie liegt darin, daß er ein *vernünftiges* Wesen ist. In seiner Vernunft kann der Mensch »das intelligible Licht« betrachten und »alles Existierende in einer *idealen* Einheit umfassen. Als vernünftiges Wesen ist er somit potentiell ein universelles Wesen und auch darin Gott, der Alles in Allem ist, ähnlich.«[58]

Doch hier ist es Solowjew sehr wichtig, daß der Mensch laut Gen 2,7 durch Gott »aus Staub von der Erde« (hebräisch: »aphar min ha-adamah«) geschaffen wurde. Er ist also, oblgeich er das Bild Gottes trägt, aus Erde, aus jener »niederen« außergöttlichen, anarchischen, sich spaltenden unabgeschlossenen Substanz gemacht, die die Tendenz hat sich selbst zu vernichten.

Und nun nimmt Solowjew eine ganz eigentümliche Exegese des Wortes »aphar«, »Staub«, vor: »Wenn unter ›Erde‹ im allgemeinen die ›Seele‹ der niederen Welt zu verstehen ist, so bedeutet ›Staub der Erde‹ den Zustand der Erniedrigung und Vernichtung der Seele, wenn sie, unter Abweisung aller Eingebungen der Hölle und unter einem in vollkommener Demut geschehenen Verzicht auf allen Widerstand und allen Kampf gegen das himmlische Wort fähig wird, dessen Wahrheit zu verstehen, sich mit seinem Wirken zu vereinigen und in sich den Grund zum Reiche Gottes zu legen. Dieser Zustand der

Demut, diese unbedingte Empfänglichkeit (receptivité) der irdischen Natur wird objektiv Gestalt in der Erschaffung des Menschen (humus-humilis-homo); die fühlende und vorstellende Seele der physischen Welt wird zur vernünftigen Seele der Menschheit.«[59]

Und der Mensch, der durch seine Vernunft »in der Idee« Bild Gottes ist, »muß« nun »Gott tatsächlich ähnlich werden durch die tätige Verwirklichung seiner Einheit in der Fülle der Schöpfung«[60]. Erhebt sich in der menschlichen Vernunft, in ihrem Bild-Gottes-Sein die Erde, die der Mensch ja als ihr bestes Teil vor Gott vertritt, zum Himmel, »so muß gleichfalls« durch den Menschen, »durch sein Handeln, der Himmel herabsteigen und die Erde erfüllen; durch ihn muß die ganze außergöttliche Welt zu einem einzigen lebendigen Körper werden, zur vollständigen Inkarnation der göttlichen Weisheit«.[61]

»Seele ist für ihn nicht nur im Menschen oder in Tieren, sondern auch in allen verschiedenen Bereichen – Stufen, wie er sagt – des Welt-Seins. Sie ist die Potenz dieses Seins. Diese Seele hat dabei immer zwei Pole, einen »niederen« und einen »höheren«. Als »Weltseele« ist sie das Prinzip der Einheit des Kosmos.[62] Sie antwortet dem schöpferischen Akt Gottes zunächst auf der untersten Stufe der physikalisch-chemischen unbelebten Welt mit der Schwerkraft, die das Weltall entgegen allen nichtenden Tendenzen des Chaos zu einem Kosmos gestaltet, einem Kosmos mechanischen Zusammenhaltens, mechanischer Einheit. Auf der Stufe des biologischen Seins der Pflanzen- und Tierwelt erscheint »das Leben«, das sich in »organischen Formen objektiv kundtut«. Aber »lebendige Seele« in Pflanzen- und Tierwelt ist in all ihrer Individualität – und auch mit der ihr in der Tierwelt gegebenen Bewegungsfreiheit – Teil dieses lebendigen Eins-Seins als »lebendige Seele«; als organische Einheit ist sie Teil des ganzen Kosmos, der ihn auf der Stufe der »Lebendigkeit« repräsentiert.

Der Mensch ist dann, wie beschrieben, als vernünftiges Wesen, das dies alles begreifen kann, »die Form« – oder sagen wir mit Aristoteles die »Entelechie« des Lebens »der Erde«, in der diese »Gott von Angesicht zu Angesicht zu begegnen und den Hauch des geistigen Lebens von ihm direkt zu empfangen vermag«.[63] Solowjew sagt: »Der Grund für das Sein (raison d'être) des Menschen ist die innere und vollendete Vereinigung der irdischen Potenz und des göttlichen Aktes (die Vereinigung in der Gesamtheit der außergewöhnlichen Welt in Freiheit.«

Und nun kommt die entscheidende anthropologische Wendung: Das »menschliche Individuum, das *subjektiv* die Vereinigung des göttlichen Wortes und der irdischen Natur ist, muß beginnen, diese Vereinigung *objektiv* oder für sich zu *verwirklichen*, indem es sich äußerlich spaltet. Um sich wirklich in seiner Einheit erkennen zu können, muß sich der Mensch als erkennendes aktives Subjekt (Mann ›homme proprement dit‹) von sich als erkanntem Objekt (Frau) unterscheiden. Der Gegensatz und die Einheit von göttlichem Wort und irdischer Natur stellen sich so für den Menschen selbst dar als die Unterscheidung und die Vereinigung der Geschlechter.«[64]

Hier schließt sich Solowjew, ohne es ausdrücklich zu sagen, wesentlichen Gedanken der antiken Philosophie und der von ihr beeinflußten mittelalterlichen scholastischen Anthropologie an: Der Mann ist auch bei Solowjew – wie z. B. bei Aristoteles – »der Mensch im eigentlichen Sinne«. Nur um sein Mensch-Sein in actu zu verwirklichen und zu erkennen, muß er »sich spalten« oder – was dasselbe bedeutet – seine *materielle Seite* in der Persönlichkeit der Frau objektivieren. So kommt Solowjew zu der Gleichung: Mann = Vernunft und Bewußtsein, aktives Subjekt, Frau = Herz und Instinkt, passives Objekt. Die Frau entbehrt also der höchsten Werte der Vernunft; in ihr kommt die materielle Seite des Mensch-Seins mehr zur Geltung. Sie ist damit »nur die Ergänzung des Mannes«.

Allerdings ist das noch nicht alles: »Das Wesen (essence) oder die Natur des Menschen wird durch den individuellen Menschen (die beiden Geschlechter) vollkommen dargestellt; der soziale Zustand kann dem nichts hinzufügen.«[65] Aber dieser Zustand, die »Menschenwelt« oder Gesellschaft »ist unbedingt notwendig für die Erweiterung und Entwicklung der menschlichen Existenz, für die tatsächliche Verwirklichung all dessen, was im menschlichen Individuum in potentia enthalten ist.« Nur durch die Gesellschaft kann der Mensch sein Endziel – die Herstellung der allumfassenden Ganzheit (intégra-

tion universelle) der gesamten außergöttlichen Existenz erreichen. Aber die natürliche Menschheit (Mann, Frau und Gesellschaft) enthält in sich nur die Möglichkeit einer solchen Inte-
gration. Sie ist nur »eine Vorausdarstellung (prefiguration) der
wahrhaft gottmenschlichen Einheit, ein Keim, der noch trei-
ben, blühen und Frucht bringen muß«.[66]

Da es also nur ein einziges menschliches Wesen gibt, das der
Mann in seiner Vollständigkeit in potentia darstellt, so ist die
Inkarnation Gottes in diesem Wesen, dieser menschlichen Natur »wesenhaft« eine. Sie ist in Jesus Christus, dem Manne –
geschehen. Er ist das »eine einzige gott-menschliche Wesen«,
die »zentrale, vollkommen personhafte Äußerung« der »inkarnierten Sophia«.[67] Und dennoch: Trotz der Betonung dieses
Gedankens durch Solowjew ist offenbar die Fülle dieser Inkarnation nur gegeben in der dreifachen Art der Vereinigung: Zu
ihr gehört als »weibliche Ergänzung« der Inkarnation die Heilige Jungfrau. »Die Heilige Jungfrau ist mit Gott vereinigt in
einer rein empfangenden und passiven Vereinigung«, wie sie
der Rolle der Frau nach Solowjew gemäß ist.

Solowjew ist hier die neutestamentliche paulinische Parallele von »erstem und zweitem Adam«[68] sehr wichtig. Erinnern
wir uns an das, was Solowjew über »aphar«, den Staub, bei der
Menschwerdung des Menschen durch Gottes Schöpferhan-
deln gesagt hatte. Wie »aphar« als »Zustand der Demut«, des
Verzichtes auf alles Selbst-sein-Wollen, auf allen »Widerstand
und allen Kampf« unter dem Schöpferakt Gottes zum Geschaf-
fenwerden, dem Objekt-Gottes-Sein des Menschen, des ersten
Adam, geführt hat, so hat die vollkommen demütige Selbst-
preisgabe der Heiligen Jungfrau sie zur Mutter des Gott-
Menschen Christi, des zweiten Adam, gemacht. »Sie ist mit
Gott vereinigt . . . indem sie sich . . . in vollkommener Demut
selbst preisgab.«

Die Heilige Jungfrau »vernichtet sich selbst« im Akt der
Hingabe an Gott. Solowjew unterstreicht: »Es liegt hier also
keine *Wechselseitigkeit* oder eigentliches Mitwirken vor.«[69]

Doch muß die Fülle der Vereinigung des menschlichen Wesens mit Gott auch universal menschheitlich geschehen, um
dem dreifachen Aspekt des Menschseins gerecht zu werden.

Hier geht es um »die Menge der Menschen, geeint in der Form einer einzigartigen, auf Liebe und Wahrheit gegründeten Gesellschaft«, der Kirche.[70] Die Kirche ist »nicht *unmittelbar* (Hervorhebung durch Solowjew) mit Gott vereint«, sondern durch die »Fortsetzung der Fleischwerdung Christi«[71] im Sakrament (ostkirchlich: »Geheimnis«) der Kommunion.

»Die in der Heiligen Jungfrau, in Christus, in der Kirche mit Gott vereinte Menschheit ist die Verwirklichung der wesenhaften Weisheit im außergöttlichen Medium der geschaffenen Welt, die am Ende des Weltprozesses realisierte Inkarnation Gottes im Mensch-Sein.« »In Wahrheit ist es eine und dieselbe substantielle Form[72] (von der Bibel als semen mulieris, scilicet Sophiae[73] bezeichnet), die sich hervorbringt in drei aufeinanderfolgenden und unvergänglichen in der Wirklichkeit unterschiedenen, aber in ihrem Wesen untrennbaren Äußerungen, indem sie sie Maria nennt in ihrem Personsein als Frau[74], Jesus in ihrem Personsein als Mann und ihren eigentlichen Namen beibehält für ihr ganz umfassendes Sichtbarwerden in der vollständigen Kirche der Zukunft, der Braut und Gemahlin des göttlichen Wortes (la Fiancée et l'Epouse du Verbe Divin).«[75]

Dies ist Solowjews Schau der Universalgeschichte und ihres Sinns.[76] Denn obgleich das »Wesen« (essence) oder die Natur des Menschen durch den »individuellen Menschen (die beiden Geschlechter) vollkommen dargestellt« wird und »der soziale Zustand dem nichts hinzufügen« kann,[77] so ist diese Vielheit der menschlichen Individuen als Gesellschaft unbedingt notwendig. Darum hängt hier die ganze Deutung des Verlaufs der Weltgeschichte, seine ganze Soziallehre und Ekklesiologie.

Die vollendete »Kirche der Zukunft«, die ja auch als Universalkirche die vollendete Menschheit ist, ist der »Organismus der gott-menschlichen Inkarnation, der in Jesus Christus seinen personenhaft-aktiven Mittelpunkt besitzt, auch in seiner dreifachen Äußerung dieselbe Substanz zur Grundlage hat – die Leibhaftigkeit der Göttlichen Weisheit.«[78] »Es ist die vollkommene Verwirklichung dieser göttlich-materiellen Substanz,... die verherrlichte und auferweckte Menschheit – der

Tempel, der Leib und die Gemahlin Gottes (l'Epouse de Dieu)«. Sie ist die *inkarnierte Weisheit Gottes,* der, wie wir schon wissen, *der Name Sophia* im eigentlichsten Sinne *zugehört.*

Für heutiges feministisches Denken und seine Fragestellungen ist die Sophiologie Wladimir Solowjews ein schwer verdaulicher Brocken. Sie scheint dafür nichts auszutragen, im Gegenteil, Wasser auf die Mühle ihrer Gegner zu leiten. Um so erstaunlicher ist es, daß diese Sophiologie damals, um die Jahrhundertwende, so ein lebhaftes Echo gefunden hat. Und das, obgleich sie eigentlich nur einmal gedruckt veröffentlicht wurde, und das noch im Ausland in französischer Sprache!

Diese Sophiologie wurde als Gynaikodizee verstanden und gerade auch deswegen von ihren Gegnern bekämpft. Um so erstaunlicher, als Solowjew ja nicht von der traditionellen Anthropologie abweicht, die den Mann als Verkörperung des rationalen Bewußtseins und des tätigen Handelns, die Frau als Verkörperung des fühlsamen Seele-Seins sieht. Gerade diese Anthropologie aber stellen wir heute in Frage! Solowjew jedoch tut das nicht!

Doch schauen wir noch näher hin! Solowjew betont zwar, daß der Mann das menschliche Wesen »potentiell bereits enthält« und somit »der Mensch im eigentlichen Sinne« ist; aber dieser Mann kann ohne sein Gegenbild, die Frau, nicht real »erkennen«, was er ist. Da er dieses Erkennen als reale Vereinigung nicht verwirklichen kann, ohne sich in Mann und Frau »zu spalten«, ist die letztere nun doch für ihn unentbehrlich.

Zudem ist zu bedenken, daß »das Männliche« im Wesen (Solowjews »essence«) »Mensch« Akt repräsentiert, »das Weibliche«, »Frauliche« – Potenz, die zwar den schöpferischen Akt erwartet und benötigt, um Wirklichkeit hervorzubringen. Gerade die Potenz aber bedeutet die Möglichkeit zur Vermehrung in Raum und Zeit des nicht-göttlichen Elements der Welt. Das ist für Solowjew ein sehr wichtiger Zug aller »Seele«, der »Weltseele« selbst. Das Frauliche ist also auch unerläßliche Bedingung der Möglichkeit des vielheitlichen sozialen Daseins des menschlichen Wesens (essence).

Was damals, als Solowjew diese Gedanken im Kontext von

Kosmologie, Anthropologie und Historisophie äußerte, die für die Frauenbewegung im Rußland der Jahrhundertwende[79] offenen Menschen und darüber hinaus eine ganze Gesellschaft begeisterte, die der vorfindlichen orthodoxen als frauenfeindlich interpretierten Pastoral kritisch gegenüberstand, so attraktiv an der Gestalt der »Sophia« erschien, war wohl folgendes: Nach Solowjews Interpretation umschließt die Gottesebenbildlichkeit, nach der der Mensch von Gott geschaffen ist, *Mann und Frau* als Gestalten – als »typoi«, wie die griechischen Kirchenväter sagen würden – als »Bilder« Gottes –, oder vielleicht beide zusammen als ein Bild Gottes. Obwohl Solowjew an dem quasi Abgeleitetsein und daher Sekundären des Wesens der Frau festhält, ist das vollendete und mit Gott vereinigte Wesen der Menschheit als »Organismus«, als – wie wir schon wissen – Kirche in dem Bilde der »Frau mit der Sonne bekleidet« geschaut, die »Braut und Gattin«,[80] und gerade diese – weibliche – Gestalt trägt den Namen »Sophia Gottes« im eigentlichen Sinne.

Gleichzeitig aber ist Gott die Sophia, er hat sie nicht nur. In seinen innertrinitarischen Erörterungen macht Solowjew klar, daß Gottes Wesen, die »ousia«, – das, was die drei Personen Vater, Sohn und Heiligen Geist eint, »Sophia« ist. Ist also Gottes Wesen weiblich? Das Wesen Gottes ist in der klassischen Trinitätslehre der ökumenischen Konzilien von Nicaea bis Chalcedon dasjenige, was die drei Hypostasen, die drei Personen, Vater, Sohn und Heiligen Geist eins sein läßt. Die Sophia ist nach Solowjew gerade dieses Wesen des dreieinigen Gottes, während der Logos vor allem der »vom Vater in Ewigkeit geborene« Sohn ist. Allerdings haben die drei göttlichen Personen vollständig Anteil aneinander, so ist letztlich doch Gott Vater – Sophia und Logos, Christus – Logos und Sophia, und auch der Heilige Geist beides.

Denkt man eingehend darüber nach, wie Solowjew die Gottebenbildlichkeit des Menschen versteht, dann ist jener erste männliche Mensch, der Gottes Schöpferhand entsprang, eigentlich androgyn, bevor er »sich spaltet«. Und so ist Gott als Urbild dies letztlich auch. So kann – auch bei einem auf ontische Gegebenheiten bezogenen Verständnis des grammatischen Geschlechts »Logos« gleich »Sophia«, Sophia im Logos, Logos in der Sophia sein.[81] Solowjew sagt dies natürlich nicht. Er ist sich sicher bewußt, daß sich der Mensch, obgleich er das Ebenbild Gottes in seinesgleichen – wenn auch durch die Sünde gestört, vielleicht sogar fast zerstört – erblickt, sich nach Ex 20,3 nicht selbst ein »Bild noch Gleichnis«[82] machen darf. Aber das Frauliche in Gott läßt ihm keine Ruhe.

Er findet es im hebräischen Wort weiblichen grammatischen Geschlechts:»be-reschit«, griechisch: »en arche« – ebenfalls weiblich – deutsch: »im Anfang«[83]. Mit diesen Worten beginnt das Alte Testament, der Schöpfungsbericht. Mit eben diesem Wort beginnt (auf griechisch) auch der Prolog des Johannes-Evangeliums: »Im Anfang war das Wort . . .«

Wir haben schon gesehen, daß für Solowjew die Sophia »Prinzip«, »arche« ist. Ist sie in Gott als sein Wesen, so wird sie zur Wirklichkeit der Welt und verkörpert sich in ihr fortschreitend, indem sie Alles zur immer vollkommeneren Einheit führt. Im Anfang ist sie die Göttliche Weisheit – reschit, die »fruchtbare Idee der absoluten Einheit, die einzige Macht, die berufen ist, das All zu einen; am Ende ist sie Malkut, Königsherrschaft Gottes, vollkommene und ganz verwirklichte Einheit von Schöpfer und Schöpfung«[84].

Solowjew betont: »Sie ist *nicht* Weltseele, – die Weltseele ist nur das Vehikel, Mittel und Substrat ihrer Verwirklichung. Sie nähert sich der Weltseele durch das Wirken des Wortes (d. i. des Logos, v. L.) und hebt sie fortschreitend empor zu einer immer vollkommeneren und immer realeren Gleichheit sich«[85], und er fügt hinzu: »Die Chokmah[86], die Sophia, die göttliche Weisheit, ist nicht die Seele, sondern der Schutzengel der Welt, der über alle Geschöpfe seine Flügel ausbreitet, um sie allmählich zum wahrhaften Sein hinauszuführen, wie ein Vogel, der seine Jungen ausbrütet.«[87] Hier ist Solowjew nun bei Gottes Geist, der nach Gen 1,2 »über den Wassern schwebte«. Er weiß offenbar, daß das entsprechende hebräische Verb auch mit »brüten« übersetzt werden kann, wenn er auch entsprechend dem griechischen und russisch-kirchenslawischen Text bei einem wörtlichen Zitat das Wort »schweben« anführt.

Solowjew bezeichnet den Heiligen Geist nicht direkt als weiblich,[88] wie es frühchristliche syrische und aus dem Orient stammende griechische Väter getan haben. Aber, wie wir wissen, ist das Hebräische für ihn die Sprache des inspirierten Schreibers des Urtextes. »Es hieß die Sprache wie überhaupt den Geist des alten Orients völlig verkennen, wenn man glauben wollte, diese Worte, mit denen die Genesis anhebt, seien lediglich ein unbestimmtes Adverb wie unsere modernen Wendungen ›im Anfang‹ und so weiter. Wenn der Hebräer ein Substantiv benutzte, so nahm er es ernst, d. h. er dachte wirklich an ein Wesen oder reales Objekt, das durch dieses Substantiv bezeichnet wurde. Nun aber ist das mit arche, principium übersetzte hebräische Wort reschit unbestreitbar ein wirkliches Substantiv weiblichen Geschlechts. Das entsprechende Maskulinum ist rosch, caput, Haupt.« »Dieser Ausdruck wird in seinem prägnanten Sinne von der jüdischen Theologie[89] zur Bezeichnung Gottes – des höchsten und absoluten Hauptes alles Existierenden gebraucht.«[90] Daraus folgt bei Solowjew die vorhin ausgeführte Deutung der Weisheit Gottes als reschit, als »weiblicher Anfang, weibliches Haupt eines jeden Seins.«

Es gilt hier aber noch einem weiteren Geheimnis des weiblichen Seinsprinzips des Dreieinigen Gottes und seiner Offenbarung und Menschwerdung nachzuspüren. Erinnern wir uns daran, daß nach Solowjew die heilige Jungfrau Maria, die der Inbegriff und die Vollendung in einem Individuum des Weiblichen in dieser Welt ist, sich »mit Gott vereinigt, . . . indem sie sich in vollkommener Demut selbst zunichte machte (s'anéantissant), in einer rein empfangenden und passiven Vereinigung.«[91] Über die Sophia als Wesen Gottes aber sagt er: »Wir wissen, daß die bewirkende Ursache (causa efficiens, arche tes geneseos) der Schöpfung der Willensakt Gottes ist, durch den er es sich versagt, durch seine Allmacht die mögliche Kraft des Chaos zu unterdrücken, oder durch den Er aufhört, gegen diese Möglichkeit durch die besondere Kraft seiner ersten Hypostase zu wirken.«[92]

Wenn wir nun die Parallele zu dem Sich-Entäußern, zum Zunichte-Werden der Gottesmutter ziehen[93] und an das Zunichtewerden des »Staubes« der Erde für die Erschaffung des Menschen in Gott denken, so liegen Wesen und Würde des Fraulichen in Gott und in den Wirkungen der Göttlichen Weisheit in der Welt als reschit, als Prinzip, also gerade in diesem seelischen, passiven Prinzip, das nach der antik-mittelalterlichen Tradition das Wesen der Frau beschreibt. Im Angesicht dieser Göttlichen Weisheit stehen wir vor dem Geheimnis dessen, was in der traditionellen Theologie die Kenosis, die Selbstentäußerung Gottes genannt wird, die sie ja besonders in der Menschwerdung des Sohnes und in Seinem Kreuzestode zu sehen gewohnt ist.[94]

Also doch Gyaikodizee, Rechtfertigung des Frau-Seins!

Solowjew hat ohne Zweifel eine patriarchalische Weltanschauung im genauesten Sinne. Seiten und Seiten seines auch die Sophiologie enthaltende Werks »Rußland und die Universale Kirche« sind mit dem Lobpreis der Würde der Vaterschaft als dem, was das Wesen eines Familien-, Staats- oder Kirchen-Oberhauptes ausmacht (rosch!), angefüllt. Aber ohne das weibliche Wesen in Gott, das Seine Kenosis[95] ausmacht, gäbe es weder eine Welt noch den Menschen noch seine Freiheit (die die Freiheit des Abfalls von Gott einschließt) noch seine Erlösung und Vollendung, die für die gesamte Menschheit am Ende der Tage das Bild der Frau (Offb 12) und der Braut (Offb 22,17) trägt.

Noch ein letztes Wort, das Solowjew in seiner Weisheitstheologie wichtig ist, muß am Schluß zitiert werden – wieder auf lateinisch![96] – Mt 11,19: »et justificatur est Sapientia a filiis suis« – »die Weisheit wird gerechtfertigt von ihren Kindern«.[97] Dies Jesus-Wort aber wird in demselben Reden-Kapitel des Matthäus-Evangeliums geäußert, in dem viele orthodoxe Frauen, von denen viele allergisch[98] auf die Parolen der modernen feministischen Bewegung reagieren, den Trost für ihren eigenen – nach ihrer Meinung mit den Maßstäben der sündigen Welt gesehen – minderen Rang in der vorfindlichen Kirche reagieren: »Ich preise dich Vater und Herr des Himmels und der Erde, daß du solches den Weisen und Klugen verborgen hast und es den Unmündigen offenbart hast.« (Mt 11,25). Wenn Jesus Christus dann von seinem Joch der Sanftmut und

Demut spricht (V.28 f), bemitleiden sie einfach die Christus so fernen Hochmögenden und »Patriarchen«. Unsere »westliche« Frage, ob nicht dieses »passive« Frauenbild vom »Seelchen«, wie wir gerne sagen, ein durch die Jahrtausende weitergereichtes Frauenverständnis aus der Sicht des in einer rein männerorientierten Welt lebenden Mannes ist, das sich die Frauen sozusagen haben »aufschwatzen« bzw. suggerieren lassen, ist ihnen unbekannt und nicht ohne weiteres nachvollziehbar. Sie sehen in »emanzipierten« westlichen Frauen nur einfach sinnlose Nachahmung männlichen Wesens, männlicher Identität. Im Gegensatz zu uns, die wir unsere »gottunmittelbare«, d. h. nicht kulturbedingt erworbene theologisch-anthropologische Identität neu erfragen, sind sie sich der ihren bisher unangefochten sicher. Hier kann nun doch die Sophiologie Waldimir Solowjews beiden Seiten einen Ausgangspunkt zum Nachfragen und Nachdenken bieten.

Verlust oder Erweiterung
weiblicher Eigenständigkeit? –
Sophia und Maria

von Monika Leisch-Kiesl

Sophia wird in ihrer wechselvollen Interpretationsgeschichte immer wieder auch in Verbindung mit Maria gebracht. Und umgekehrt wird Maria unter sophianischen Gesichtspunkten betrachtet. Nach Susan Cady verliert Sophia dadurch viel von ihrer Macht und Unabhängigkeit. Auch werde so die Offenheit und Weite der biblischen Texte in dem von der Kirche eingegrenzten Bild Marias eingefangen.[1]

Dem ist im wesentlichen zuzustimmen. Um die Frage jedoch differenzierter beantworten zu können, ist genau zu beachten, welches Beziehungsverhältnis zwischen Sophia und Maria hergestellt wird. Das bedeutet auch zu fragen: Worin besteht eigentlich die besondere »göttliche« Auszeichnung Marias? Wie ist das »Weibliche« näher bestimmt? Und schließlich: Welche Auswirkungen hat diese »göttliche Weiblichkeit« auf das Frauenbild, bzw. welche Auswirkungen könnte sie haben?

Darüber hinaus sind die Kriterien zu nennen, nach denen »weibliche Eigenständigkeit« beurteilt wird. Hierfür erachte ich den *Relationsbegriff*, die Charakterisierung des Geschlechterverhältnisses, als zentral und unterscheide für die Bestimmung des Gegensatzes und des Gegenübers von Mann und Frau grundsätzlich zwei Modelle:[2]

Zum einen das *hierarchische Strukturprinzip*, jenes Modell, das die 2000jährige Geschichte des Christentums – und Judentums? – entscheidend bestimmt und wesentlich *androzentrisch* und *patriarchal* ist. Das bedeutet, daß der Mann die zentrale Position einnimmt,[3] und die Frau ihm gegenüber nach- und untergeordnet ist. Letztlich repräsentiert der Mann als »Einer« den Menschen, während der Frau als »der Anderen« mindere Seinsqualität zukommt.

Dieser Gegensatz von »Einem« und »Anderem« führt

zwangsläufig zu einem hierarchischen Verhältnis, das die Geschlossenheit des Systems wahrt.

Zum anderen das *korrelative Sturkturprinzip*, ein alternatives Modell innerhalb und neben dieser Geschichte, die wesentlich *dual* und *herrschaftsfrei* geprägt ist. Darin ist Menschsein in gleicher Weise von Mann und Frau bestimmt, und die Geschlechter sind wechselseitig aufeinander bezogen. Der Gegensatz erscheint hier als das korrelative Verhältnis von Anderem und Anderer, das System als Ganzes ist notwendig offen.

Diese beiden Modelle bestimmen in unterschiedlich ausgeprägter Form sowohl die Anthropologie als Rede vom Menschen als auch die Theologie als Rede von Gott. Anthropologische und theologische Bestimmungen durchdringen sich wechselseitig, so daß keine ohne die anderen erörtert werden können. Sie sind wesentlich für die Bestimmung Marias, jener Gestalt christlichen Glaubens, der zunächst in der Inkarnation, der Menschwerdung Gottes, eine wichtige Funktion zukommt, die darüber hinaus aber auch eigene Verehrung erfährt.

Zur Person Marias

Maria als dem Göttlichen nahestehende weibliche Gestalt unterscheidet sich schon strukturell von der Sophias. Sie ist zunächst eine jüdische Frau, die vor rund 2000 Jahren gelebt hat. Doch reicht ihre Bedeutung weit darüber hinaus. Sie ist eine zentrale *Symbolgestalt* christlichen Glaubens, die durch die Geschichte des Christentums – und Judentums? – unterschiedlich geprägt wurde.

Als Symbol ist sie wesentlich Frau. Von daher ist ihre Bestimmung grundsätzlich verflochten mit dem jeweiligen Frauenbild. Marien- und Frauenbild beeinflussen sich wechselseitig.

Als Symbol ist sie aber auch stark kontextabhängig. Die Volksfrömmigkeit mag ein anderes Bild von ihr zeichnen als das kirchliche Lehramt, Männer werden sie anders verstehen als Frauen.

Primäre Quelle für die Marialogie[4] ist zunächst das *Neue Testament*. Die Aussagen über Maria sind nicht nur spärlich (im wesentlichen Mk 3,31–35 par; 6,1–6a par; Mt 1,18–2,23; Lk 1,5–2,52; Joh 2,1–12; 19,25–27; Apg 1,14), sie geben schon vom Ansatz her kaum Auskunft über die konkrete historische Person Maria. Das Neue Testament ist interessiert an Jesus Christus, dem Sohn Gottes. Maria hat ihre Bedeutung im Hinblick auf das Geheimnis der Menschwerdung. Diese Rolle Marias im göttlichen Heilswerk wird jede orthodoxe Rede über sie strukturell prägen.

Neben dem Neuen Testament stellen die Apokryphen eine weitere Quelle dar, von denen vor allem das vermutlich im 2. Jh. entstandene »Protoevangelium des Jakobus«[5] zu nennen ist. Anknüpfend an die wenigen Aussagen des Neuen Testamentes, faltet es die Geschichte Marias breit und detailreich aus. Es ist Zeugnis für das wachsende Interesse an der Gestalt Marias und hat großen Einfluß auf die Entwicklung von Marienlegenden, auf die Kunst und selbst die Liturgie.

Die ersten Theologen entwickeln die im Neuen Testament begegnende Struktur weiter. Die Aufmerksamkeit gilt der Rolle Marias im Heilswerk. Einen wesentlichen neuen Akzent stellt dabei die Entwicklung der Eva-Maria-Antithese dar. Sie begegnet erstmals bei Justin (+165)[6] und wird breit entwickelt von Irenäus (+202) in seiner Lehre von der Rezirkulation beziehungsweise Rekapitulation (Wiederrückführung bzw. Wiederherstellung)[7]. Darin werden Eva und Maria als negativ und positiv einander gegenübergestellt. Entgegen dem Ungehorsam Evas gilt Marias personaler Glaubensakt als Ursache des Heils für die ganze Menschheit. So erfährt Maria ihre Bestimmung wesentlich in Anlehnung an und im Gegensatz zu Eva. Das bedeutet, daß auch für sie grundsätzlich das Modell nach- und untergeordneten Menschseins der Frau Gültigkeit besitzt. Auch die positive Umbesetzung verändert diese Struktur nicht. Inhaltlich erlangen in diesem Zusammenhang vor allem die Beurteilung menschlicher Sexualität sowie die Frage der Mutterschaft Bedeutung.

Aus dem Gesagten ergeben sich bereits vorsichtige Antworten auf die einleitend gestellten Fragen: Eva und Maria werden als negative und positive Figur gegeneinandergestellt und in das Ganze des von der göttlichen Trinität gewirkten Heilssystems eingefügt. Durch Eva geschieht Unheil, durch Maria Heil in Christus.

Die Auszeichnung Marias liegt demnach in ihrer Offenheit und ihrem Gehorsam gegenüber der göttlichen Wirklichkeit.

Mag schon daraus eine Bestimmung für ihre Weiblichkeit abgeleitet werden, so erfährt diese durch die Kontrastierung mit Eva noch deutlichere Konturen. Das mit Eva verknüpfte androzentrisch patriarchale Strukturmuster bleibt dadurch auch für Maria bestimmend.

Bei der Frage nach der Bedeutung der so verstandenen Weiblichkeit für das Frauenbild ist zu unterscheiden, ob Maria allgemein für den Menschen im Gegenüber zu Gott steht, oder aber für den weiblichen Menschen im Gegenüber zum männlich interpretierten Gott. Im zweiten Fall wäre die Beziehung Gott – Maria eine Widerspiegelung des patriarchalen Geschlechterverhältnisses und damit zugleich dessen Legitimation.

In der weiteren theologischen Entwicklung wächst das Interesse an der Person Marias. Doch bleiben die näheren inhaltlichen Bestimmungen von der in den Anfängen grundgelegten Struktur geprägt. Dies gilt auch für die vier sogenannten Mariendogmen: für das Dogma der »Gottesgebärerin« (Konzil von Ephesos, 431)[8], der »Immerwährenden Jungfräulichkeit« (II. Konzil von Konstantinopel, 553)[9] der »Unbefleckten Empfängnis) (Bulle »Ineffabilis Deus« 1854)[10] und der »Leiblichen Aufnahme in den Himmel« (Apostolische Konstitution »Munificentissimus Deus«, 1950)[11]. Erst die beiden letztgenannten Dogmen können im engeren Sinn als »mariologische Dogmen« bezeichnet werden; die beiden ersten entstanden im Zusammenhang mit christologischen Fragen.

Die offiziellen kirchlichen Verlautbarungen enthalten weitere, nicht unbedingt intendierte Konnotationen: So will der Titel »Gottesgebärerin« (»theotókos«) – im Unterschied zur »Christusgebärerin« (»christotókos«) – zwar in erster Linie das rechte Verständnis der gott-menschlichen Natur Christi sichern; er wird jedoch auch als Ehrentitel Marias verstanden und gerade von der Volksfrömmigkeit mit Begeisterung aufgenommen. Damit wird zum einen die Bedeutung Marias stärker von der Mutterschaft her bestimmt, zum anderen wird einer eigenständigen Entwicklung der Volksfrömmigkeit, die Maria mitunter stark mit Göttinnen-Traditionen in Zusammenhang bringt, eine Tür geöffnet.[12]

Die Definition »Immerwährende Jungfräulichkeit« (553) entstand in einem Klima wachsender Sexualfeindlichkeit, wodurch der ursprünglich theologische Begriff sexuell interpretiert wurde.[13] Dies hebt nun Maria über die von Eva her verstandenen Frauen und stilisiert sie so zur Ausnahme.

Die Frage der »Unbefleckten Empfängnis« (1854) wurde durch das ganze Mittelalter diskutiert. Das Dogma zieht die Folgen aus dem Glauben an Marias Sündlosigkeit und kann nur auf dem Hintergrund der augustinischen Erbsündenlehre angemessen verstanden werden. Deren dogmatische Formulierung entstand in einem Klima schwindender kirchlicher Macht. Im Zuge reformatorischer Auseinandersetzungen, der Bedrohung durch die Türken und der Herausforderung durch scheinbar kirchenfeindliche Strömungen wurde häufig Maria als Hüterin der reinen, wahren Lehre in Anspruch genommen.[14]

Die Verkündigung der »Leiblichen Aufnahme in den Himmel« (1950) ist eine fast notwendige Konsequenz aus der bis dahin erfolgten dogmatischen Entwicklung. Wie schon die Lehre von der »Unbefleckten Empfängnis« soll auch die der »Leiblichen Aufnahme« zum Audruck bringen, daß Maria eine bevorzugte Stellung im göttlichen Heilshandeln hat. Strukturell folgt sie dem bereits oben diskutierten Aktiv-passiv-Schema, das dann problematisch wird, wenn es als Modell des Geschlechterverhältnisses verstanden wird.

Die neuere theologische Entwicklung seit dem II. Vatikanischen Konzil (1962–1965) bindet die Rede über Maria in die Dogmatische Konstitution über die Kirche (»Lumen Gentium«) ein. Einer Verselbständigung der Marialogie ist damit ein Riegel vorgeschoben. Das mit Maria verknüpfte Frauenbild behält aber weiterhin Gültigkeit.

Neben dieser offiziellen Entwicklung und der Volksfrömmigkeit gibt es auch eigenständige Ansätze in Zeugnissen von Frauen. Auffallendstes Merkmal darin ist die Vermeidung der Eva-Maria-Antithese. Maria erscheint hier vielmehr als Über-bietung des schon in Eva Grundgelegten, einerseits präexi-stent, andererseits als das geschöpfliche Gegenüber Gottes, das schließlich auch die Vollendung des Heilswerks ermög-licht. Dabei gilt Maria nicht als die Ausnahme der von Eva her negativ bestimmten Frauen, sondern vielmehr als deren Exem-plum.[15]

Diese Ansätze weisen – ohne dies hier im einzelnen ausfüh-ren zu können – in Richtung einer autonomeren Vorstellung des Weiblichen. Sie sind auch eine gewisse Kritik an einem vermännlichten Gottesbild und intendieren außerdem eine Vorstellung von Weiblichkeit, die nicht durch das androzentri-sche, patriarchale Menschenbild eingeschränkt ist, sondern eine eigene Wirklichkeit darstellt. Mit diesem Verständnis Marias als hervorragender Vertreterin ihres Geschlechts füh-ren sie schließlich auch zu einer Aufwertung des Frauenbildes.

Eine eigene Qualität stellt die Marialogie der Ostkirche dar, deren eigentlicher Ort die Liturgie ist. Maria erfährt ihre Wür-digung auf dem Hintergrund einer stark inkarnatorischen So-teriologie, für die die Menschwerdung Gottes für das gesamte Erlösungsgeschehen von entscheidender Bedeutung ist, was Sohn und Mutter fast untrennbar miteinander verbindet. Der sich daran anschließende Lobpreis Marias wird weniger syste-matisch reflektiert als meditativ entfaltet.

Grundsätzlich stellen sich für die Frage der Bedeutung des »Weiblichen« hier dieselben Probleme wie in der westlichen Theologie, doch mag der freiere Umgang mit Bildern eigene Momente zum Tragen bringen.

In diesem Gewebe verschiedener Marialogien kommt es auch zu unterschiedlichen Verknüpfungen mit Sophia, deren Bedeutung für die Frage »weiblicher Eigenständigkeit« im Zu-sammenhang mit dem »Göttlichen« hier selbstverständlich nur exemplarisch und thesenartig versucht werden kann.

Sophia – Maria.
Unterschiedliche Weisen der Verknüpfung

Eine erste Verknüpfung, wenn auch indirekter Art, stellt innerhalb der *Theologie* die Interpretation von Spr 9,1–5: »*Die Weisheit hat sich ein Haus gebaut*...« dar. Die Weisheit ist – so die Väter in Anlehnung an die paulinische und johanneische Christologie – der Christus-Logos, Maria das Haus. Dies liegt auf der Linie der heilsgeschichtlichen Deutung Marias, die v. a. ihre Bedeutung für die Inkarnation betont. Dabei vermittelt das Bild des Hauses die Vorstellung eines bloßen Gefäßes, was dem über Jahrhunderte verbreiteten Verständnis entspricht, nach dem der Mann eine aktive, die Frau – im aristotelischen Sinn als jene, die die Materie zur Verfügung stellt – nur eine passive Rolle im Zeugungs- und Empfängnisgeschehen einnimmt.[16]

Ansätze dieser christologischen Deutung finden sich bei Hippolyt (+ 235/36), wenn er das Haus als das neue Jerusalem und als das heilige Fleisch versteht, das Christus von der Jungfrau angenommen hat. Er bringt auch bereits die sieben Säulen dieses Hauses mit den sieben Gaben des Heiligen Geistes in Zusammenhang.[17] Dieses Verständnis begegnet auch bei Alkuin, der zudem eine Synthese mit den sieben freien Künsten herstellt[18], und ähnlich in der byzantinischen Tradition, etwa in einer Anastasios Sinaites († um 700) zugeschriebenen Quaestio.[19] Der enge Bezug zwischen Maria und Kirche legte auch eine ekklesialogische Deutung der Wendung »Haus der Weisheit« nahe. Ähnlich stellt auch die Interpretation des *salomonischen Throns* (1 Kön 10, 18–20) eine christologisch orientierte Verknüpfung von Sophia mit Maria dar. Salomo gilt als Personifikation der Weisheit und ist so Typus für Christus. Folglich gilt Maria, auf deren Schoß das Kind sitzt, als Thron der Weisheit (Sedes sapientiae).

Diese beiden Stellen sowie deren Interpretation haben auch die *bildende Kunst* stark inspiriert. Es entstanden Bilder des Geheimnisses der Inkarnation. Maria erscheint darin häufig an zentraler Stelle und in eindrucksvoller Würde, was das theologische Verständnis mitunter deutlich erweitert.

Dies gilt bereits für die seit dem 4. Jh. verbreiteten Sophia-Patrocinien des Ostens. Sie stellen einen deutlichen Reflex der christologischen Interpretation der Sophia dar. Doch gab es etwa in der Hagia Sophia in Konstantinopel (532–37) kein Bild der göttlichen Weisheit. Dies hat dazu verführt, die in Apsiden häufig dargestellte *Maria Orans* in diesem Sinn zu interpretieren. Daneben begegnet aber in gleicher Weise auch die Deutung im Sinne von Spr 9,1.[20] Dabei bleibt die Frage offen, wie das Bild der *Maria Orans* vom Volk tatsächlich rezipiert wurde.

Die Frage der Rezeption stellt sich noch massiver bei dem Bildtypus der *Sedes Sapientiae*, der seine Wurzeln in karolingischer Zeit hat, sich im 10./11. Jh. entfaltet und schließlich im 12. Jh. zu voller Blüte gelangt und neben der zweidimensionalen Darstellung v. a. auch als Skulptur weit verbreitet ist. Ikonographisch steht diese Darstellung in der Tradition der Magieranbetung und der *Nikopoia*, eines byzantinischen Typus der Gottesmutter mit dem Logosknaben in axial-frontaler Haltung. Majestätisch thront Maria in hieratischer Distanz mit Christus auf dem Schoß bzw., in Durchbrechung der Symmetrie, auf dem Knie. Dieser hält in der Linken häufig ein Buch oder die Weltkugel und hat die Rechte im Segensgestus erhoben, ist weniger als Kind denn als kleiner Erwachsener dargestellt. Vielfach kennzeichnen sechs Treppen oder Löwen den Thron als salomonischen, oder es weisen sieben Tauben auf die Gaben des Geistes oder ein Rosen- bzw. Lilienzepter in der Hand Marias auf die Sapientia des Prudentius hin[21]. In der Folge wird durch Aufnahme einer Säulenarchitektur die Verbindung mit dem »Haus der Weisheit« hergestellt. Mitunter erscheinen darin auch die Tugenden, wie etwa auf einer Wandmalerei des Gurker Doms aus dem späten 13. Jh.[22].

Die Bildaussage ist klar: Maria präsentiert als *Theotokos* den inkarnierten Logos, garantiert so zum einen die Menschwerdung des Sohnes und ist zum anderen Sitz der göttlichen Weisheit. Das Bild veranschaulicht auf sinnenhafte Weise das Geheimnis der Verbindung menschlicher und göttlicher Wirklichkeit und ist für die mittelalterliche Kultpraxis – vergleichbar mit den byzantinischen Ikonen – eine Vergegenwärtigung des Göttlichen. Die Statue des »Thrones der Weisheit« spielte eine Rolle zu verschiedenen Anlässen: Sie stand gewöhnlich auf dem Altar, fungierte mitunter als Reliquienschrein, wurde in Prozessionen mitgetragen und hatte ihren Ort im liturgischen Drama.[23]

Als Thron hat Maria eine dem Herrscher untergeordnete Funktion und bildet gewissermaßen den Rahmen für die ihm geschuldete Verehrung. Zugleich aber ist sie in überragender Größe dargestellt und wird umringt und geküßt. Auch sind die weisheitlichen Attribute nicht immer eindeutig auf den Sohn bezogen. Der Thron gilt schließlich auch als Zeichen göttlicher Gegenwart und die Herrscherikonographie ist eine Möglichkeit der Veranschaulichung weisheitlicher Würde.

So ist die Darstellung der Sedes Sapientiae – in Kontrast zur eigentlich theologischen Aussage – ein Bild starker Weiblichkeit, das in der Mischung von Plastizität und Strenge des romanischen Stils einen entsprechenden Ausdruck gefunden hat.

Dieser starke Eindruck schwindet teilweise mit der Gotik, in der das Thema zwar noch weitergeführt, aber – nicht zuletzt durch die Verknüpfung mit anderen Gedanken wie der Sponsus-Sponsa-Thematik, in der Maria als die vom Sohn erwählte Braut erscheint, oder der Tugenden, die auf Marias Haltung bei der Verkündigung weisen – stärker individualisiert und psychologisiert wird.

Dieser Traditionslinie folgend, bringt – was im Bild bisweilen schon anklang – christliche *Meditation und Frömmigkeit* allmählich Maria in direkteren Zusammenhang mit Sophia, ja scheint sie zuweilen mit dieser zu identifizieren.[24] So finden zunächst in der Liturgie der Marienfeiertage weisheitliche Texte Verwendung, v. a. neben Spr 9,1–5 Passagen aus Spr 8 und Jes Sir 24. Ein erstes Zeugnis begegnet im 7. Jh. im Westen, also unmittelbar in Zusammenhang mit der Einführung der Feste. Dabei wird zunächst Jes Sir 24,9 vermieden; dieser Vers, wie auch Spr 8,22 ff., wird erst im Laufe des 10. Jh. aufgenommen.[25] Ausgezeichnet mit weisheitlichen Titeln erscheint Maria zwar – entsprechend theologischer Deutungslinie – grundsätzlich als Mutter des Logos, der im eigentlichen Sinn die Weisheit ist, bisweilen aber auch als die Weisheit selbst. Eine gewisse Bestätigung erfährt diese Tendenz durch Bernhard von Clairvaux († 1153). Bei ihm findet sich der Gedanke der Prädestination Marias,[26] der es erlaubt, in eher meditativer Weise analog von Maria als Weisheit zu sprechen, was im 13. Jh. einen gewissen Höhepunkt erreicht. Doch bleibt Maria diejenige, die innerhalb des göttlichen Heilsplans ihren Ort und ihre Funktion hat. So wird nicht Maria von Sophia her interpretiert, sondern umgekehrt: Sophie wird unter marianischer Perspektive betrachtet, was eine Einschränkung weisheitlicher Qualitäten auf jungfräulichen Gehorsam bedeutet.

Diese Tendenz läßt sich weiterverfolgen über die Gegenreformation, die französische Schule des 17. Jh., in der Louis Marie Grignion de Monfort (1673–1716) eine herausragende Rolle spielt, bis zum Dogma der *Unbefleckten Empfängnis*, bei dem die weisheitlichen Aussagen dazu dienen, diese zu erhellen und zu preisen, also keine Neuinterpretation der Mariologie bedeuten.

Für Grignion de Monfort wird die Weisheit über Maria in einer Weise ausgegossen, die sie über alle Kreatur erhebt und in Glauben und Demut reifen läßt, so daß sie selbst den Allmächtigen beeindruckt und die Menschwerdung des Sohnes, der ewigen Weisheit, die im Schoß des Vaters ruht, evoziert. So soll die tiefe Verehrung Marias in die Haltung der Liebe und Opferbereitschaft einführen, die die Menschen zum Sohn gelangen läßt. Dadurch wird sie zur Mittlerin der Weisheit.[27] Aber selbst diese geradezu initiatorische Rolle Marias bei der Inkarnation, die ein aktives Moment zum Ausbruch bringt, wird letztlich von der Demut her interpretiert, was eine starke Reduzierung Sophias bedeutet.

Maria erfüllt im wesentlichen die Rolle des Weiblichen in einem komplementären Sinn[28]: Ihre hervorragende Qualität ist ihre Empfänglichkeit. So verstanden bewirkt die Verbindung von Sophia – Maria sicher einen Verlust (göttlicher) weiblicher Eigenständigkeit.

Ein Zeugnis besonderer Art stellt innerhalb dieser Tradition Hildegard von Bingen (1098–1179) dar. Sie steht dem christlichen Platonismus bzw. Neuplatonismus in der Art eines Johannes Scotus Eriugena nahe und pflegt engen Kontakt mit den Zisterziensern, v. a. mit Bernhard v. Clairvaux. Viele ihrer

Gedanken lassen sich auf diese Einflüsse zurückführen. Was sie aber auszeichnet, ist die Entwicklung einer eigenen ›Theologie des Weiblichen‹.[29]

In der stark inkarnatorisch ausgerichteten Theologie Hildegards hat das Weibliche nicht bloß eine Funktion im Ganzen, vielmehr dienen Männliches und Weibliches in korrespondierender Weise zur Darstellung menschlicher wie göttlicher Wirklichkeit. Darin kommt der Sapientia große Bedeutung zu. Sie ist eine Realität in Gott und zugleich Creatrix, die den Kosmos dadurch schafft, daß sie in ihm existiert.

Auf diesem Hintergrund erhält auch der Bezug zu Maria eine andere Qualität. In einer Vision des *Liber Scivias* schildert Hildegard im letzten Teil im Zusammenhang mit Fragen der Endzeit den noch nicht vollständig erbauten Turm der Kirche und das auf diesen bezogene Haus der Weisheit. Auf diesem steht die Sapientia, beschrieben als eine wunderschöne Gestalt, die »als großer Schmuck in Gott leuchtete und als höchster Rang der übrigen Ränge der Kräfte in ihm bestand und ihm in süßester Umarmung in dreifachem Tanz brennender Liebe verbunden war«. Sie, durch die alles von Gott geschaffen wurde und regiert wird, blickt auf die Menschen, leitet sie und nimmt sie in ihren Schutz. Von Weltbeginn an zielte sie »als ein Weg« schon auf das Ende der Zeiten, erschien nach den Patriarchen und Propheten »geziert in der blendendweißen Jungfräulichkeit in der Jungfrau Maria«, weiter im Glauben der Martyrer und schließlich in der Kraft der Gottes- und Nächstenliebe.[30]

Hier wird Maria als eine »Inkarnation« der Sophia verstanden. Sie ist sie nicht selbst, weshalb auch die Präexistenz nicht auf Maria übertragen wird, sondern sie ist eine unter mehreren geschichtlichen Realisierungen, dieses die Zeiten überdauernden Prinzips. Daher ist es möglich, Maria von Sophia her zu interpretieren, um ihr so zu mehr Eigenständigkeit zukommen zu lassen.

Auch in *De operatione Dei,* wo Hildegard in einer großen Kosmosschau das Wirken Gottes in der Welt und in spezifischer Weise im Menschen als ständige Durchdringung von Makro- und Mikrokosmos ausbreitet, erscheint die Weisheit als diejenige, in der Gott die Welt gegründet hat. In Zusammenhang mit der Vollendung des Kosmos wird sie beschrieben als eine strahlend glänzende Gestalt. Sie trägt ein Kleid aus weißer Seide, weil sie, »indem sie den Menschen in weißem Glanz und Süße der Liebe umarmt, den menschgewordenen Sohn Gottes im Schmuck der Jungfräulichkeit darbietet«, während das grüne Übergewand auf die Kreatur und in besonderer Weise auf den Menschen verweist.[31]

In der Gewandmetapher verknüpft Hildegard die jungfräuliche Geburt des Gottessohnes mit der Weisheit selbst. So wird Maria zu einem Moment der Weisheit, wird also stark sophianisch interpretiert, ohne daß umgekehrt Sophia auf Maria reduziert wird.

Das Besondere Hildegards liegt darin, daß sie sowohl die Identifikation Sophia – Logos und damit die bloß zugeordnete Funktion Marias vermeidet, als auch eine Interpretation Sophias von einem passiv empfangenden Marienbild her. Dies gelingt durch eine Sophialogie, die nicht nur in ein bestehendes, androzentrisch geprägtes Heilssystem eingefügt wird, sondern entsprechend einem dualen korrelativen Strukturprinzip eigenständige Bedeutung hat. Wenn Maria in diesem Sinn als »Inkarnation« beziehungsweise Moment der Sophia erscheint, kann sie auch für das Frauenbild positive Auswirkungen haben.

Die Relevanz des strukturlogischen Moments verdeutlicht ein Vergleich mit der *mittelhochdeutschen Dichtung*, in der ebenfalls eine bemerkenswerte Verknüpfung von Sophia und Maria begegnet.[32] Häufig wird Maria gepriesen als die, die vor aller Zeit von Gott geliebt, »erwelt, ûzerwelt, elegieret, ûzerkoren, vor erdaht, fürsehen« war, dereinst Christus zu gebären. Dabei erscheint sie in enger Beziehung zur Trinität, bisweilen als vor aller Zeit in Gott verborgen und »vierte Person«. So heißt es etwa in einem Lied:

»Ejnlichen ist dryfalt gewesen
der ware got in siner werden maiestat
Bij ym die hohe kunigin
die ist kuntlich die vierd person genennet«[33].

Dies sei allerdings nicht im Sinne einer Vergöttlichung oder Quaternität zu verstehen. Sie ist vielmehr die, die von allen Geschöpfen der Gottheit am nächsten steht, herausgehoben als ein besonderes Gegenüber. Darin wird die Ambivalenz jeder Marialogie, selbst in Verbindung mit einer Sophialogie, sehr deutlich. Wenn die Dichtung Maria auch in einer gewissen spielerischen Leichtigkeit in zärtlichen Tönen umschreibt und darin mitunter zu erstaunlichen Aussagen kommt, bleibt, solange die Sichtweise des Heilssystems nicht grundlegend revidiert wird, die androzentrische Perspektive gewahrt. Maria wird darin als herausragendes Geschöpf bestenfalls ein dem Göttlichen untergeordnetes Gegenüber, was vielleicht die Defizite eines männlich geprägten Gottesbildes signalisiert, aber letztlich keine Neubewertung des »Weiblichen« bewirkt und somit die Geschlechterhierarchie aufrechterhält.

In diesem Zusammenhang einer unmittelbareren Verbindung von Sophia und Maria sei auch wieder ein Beispiel der *bildenden Kunst* betrachtet. Im sogenannten Stammheimer Missale aus der Zeit um 1160/80 erscheint die Sapientia in einem langen gelben Gewand mit Mantel, Skapulier und Krone in der Mittelachse des Bildes, umgeben von alttestamentlichen Propheten. Sie hält den Himmelsbogen, über dem Christus erscheint. Auf dem Skapulier ist – in Anlehnung an Spr 8 – zu lesen: »Mit ihm habe ich die Welt erschaffen«, was deutlich macht, daß Sapientia eine eigenständige Gestalt bleibt. Die Spruchbänder der anderen Gestalten weisen alle auf die Erwartung und das Kommen des Messias.[34] Dies mag eine marialogische Deutung der Sapientias nahelegen, jedoch ohne daß sie darauf festzulegen wäre. Vielmehr vermag dieses Bild von »Frau Weisheit« auch ein Licht auf Maria zu werfen, und ihre Weiblichkeit autonomer erscheinen lassen.

Von hier aus sei abschließend noch ein Blick auf die östliche Tradition, die Ikonographie und die Reflexion der Sophialogie, wie sie innerhalb der russischen Theologie begegnet, geworfen. Eine Figur eigener Art stellt die Sophia in der Gestalt eines sitzenden Engels dar, wie sie auf der *Novgoroder Ikone* zu sehen ist, die aus dem 14./15. Jh. stammt, deren Vorstellungen aber noch weiter zurückreichen[35].

Diese Figur ist dargestellt als eine thronende, gekrönte und nimbierte, geflügelte Frauengestalt, in einem feurigroten, mit Goldborten verzierten Gewand, umgeben von einer Strahlengloriole, mit einem Zepter in ihrer Rechten und einer Schriftrolle in der Linken. Sie hat schon zu einer Reihe von Interpretationen Anlaß gegeben. Einigkeit besteht darin, daß es sich bei dieser beeindruckenden, würdevollen Figur um die Engel-Sophia handelt. Die Fragen stellen sich im Hinblick auf ihre Beziehung zu Christus und zu Maria.

Über ihr erscheint der ebenfalls nimbierte Christus als Brustbild in einer Aureole. Zu ihrer Rechten und zu ihrer Linken stehen Maria und Johannes der Täufer. Maria hält vor ihrer Brust den kindlichen Christus im Clipeus, Johannes der Täufer eine Schriftrolle. Über dieser Gruppe sind in einem Himmelssegment zu beiden Seiten je drei Engel um einen leeren Thron gruppiert.

Wie ist nun das Verhältnis der einzelnen Gestalten zu interpretieren? Erscheint in der Engel-Sophia eine zentrale Wesenheit Christi, und ist Maria im Typus der Platytera damit lediglich die den Sohn präsentierende Mutter[36]? Oder bedeutet die Engel-Sophia die präexistente Maria in Gegenüberstellung zum Logos? Die Maria Platytera wäre dann die Darstellung desselben Gegenübers in inkarnierter Form[37]. Oder handelt es sich bei der Engel-Sophia schließlich um ein Idealbild von Heiligkeit, die sich primär als jungfräuliche Enthaltsamkeit äußert und im höchsten Grade in Maria verwirklicht ist, anfanghaft aber auch in der Seele jedes einzelnen sowie in der Gemeinschaft der Kirche[38]?

Vom Bild her scheint die Engel-Sophia als zentrale und eigenständige Gestalt, die wohl in einer Reihe von Bezügen steht, sich aber nicht durch eines dieser Verhältnisse zwingend definieren läßt. Maria wird von ihrer Rolle im Heilswerk her bestimmt, was durch andere ikonographische Darstellungen dieser Art bestätigt wird.[39]

In diese Richtung weist auch die russische Sophialogie[40], für die – im Unterschied zur westlichen Theologie[41] – Sophia nicht so sehr den Logos bedeutet, sondern die der Trinität gemeinsame und insbesondere im Sohn und Geist betrachtete göttliche Wesenheit. Sie ist die in Gott begründete und mit ihm verbundene Gesamtschöpfung, die alles umfassende Form und lebendige Seele der Natur und des Alls, die reine und volle Menschheit, in der Christus, Maria und die Kirche eine hervorragende Stellung einnehmen. Sie erscheinen als Inkarnationen und Verwirklichungen der Sophia.

Diese Sicht einer eigenständigeren Sophia erlaubt auch ein freieres sophianisches Verständnis Marias. So wird zwar in unterschiedlichen Bildern von Maria als vergottete Kreatur oder auch als Geistträgerin gesprochen[42]. Dies garantiert jedoch noch keineswegs ein Modell (göttlicher) weiblicher Eigenständigkeit. Der Grund liegt in einem wesentlich androzentrischen Denken, nach dem das »Weibliche«[43] verstanden wird als die passiv empfangende Ergänzung des Mannes[44] oder als das Unselbständige[45]. Analog wird auch Marias Rolle bei der Verwirklichung des Heilswerks interpretiert. Obgleich es sich also um eine Sophialogie handelt, in der Maria an Bedeutung gewinnt, wird aufgrund des vorgefaßten Verständnisses von »Weiblichkeit« kein Modell weiblicher Eigenständigkeit entwickelt.

Zurück zur Ausgangsfrage: Auch wo Maria indirekt – in der Linie der christologischen Deutung – mit Sophia in Zusammenhang gebracht wird, ändert sich die funktionale Sicht Marias nicht. Wird Maria unter weisheitlichen Aspekten betrachtet, so bedeutet das in der Regel eine marialogische Interpretation Sophias und damit deren Reduzierung auf Qualitäten jungfräulichen Gehorsams. Selbst im freien dichterischen Spiel, in dem Maria mitunter im Licht Sophias nahezu vergöttlicht erscheint, oder auf dem Hintergrund einer eigenen Sophialogie, wie in der östlichen Theologie, die auch eine besondere sophianische Betrachtung Marias erlaubt, bewirkt diese Verknüpfung aufgrund eines androzentrischen Weiblichkeitskonzeptes kein Modell weiblicher Eigenständigkeit.

Anders äußern sich manche Zeugnisse der bildenden Kunst, in denen Bilder starker Weiblichkeit die theologische Sicht Marias zu sprengen scheinen. Vor allem aber bringt eine nach einem korrelativen Strukturmodell entwickelte Sophialogie, wie sie bei Hildegard v. Bingen begegnet, auch im Hinblick auf Maria weibliche Wirklichkeit vielfältiger zum Ausdruck.

Dies erlaubt die These, daß die Frage weiblicher Eigenständigkeit nicht so sehr von dem Konnex Sophia – Maria her zu bestimmen ist, sondern letztlich vielmehr von dem darin vertretenen Modell von »Weiblichkeit« und den damit zusammenhängenden Relationsbegriff. Für die demnach geforderte Entwicklung einer »Theologie des Weiblichen«, die immer auch anthropologische Konsequenzen hat, könnte die Sophialogie – besser als die Marialogie – ein möglicher Anknüpfungspunkt sein.

»Frau Weisheit« durchwaltet voll Güte das All
(Weish 8,1b) –
Zur Aktualität weisheitlicher Lebensgestaltung

von Verena Maria Kitz und Verena Wodtke

Wie vielfältig die Rezeptionsgeschichte der Weisheit ist, haben die in diesem Buch zusammengestellten Beiträge gezeigt. Uns liegt daran, einen Abschluß für diese speziellen Untersuchungen zu finden, der eine systematische Spur verfolgen möchte. Wir möchten dies in der Form grundsätzlicher Überlegungen tun, die als Anregung zum Weiterdenken gedacht sind.

Dabei verfolgen wir zwei Spuren: Die eine zeigt Problemfelder gegenwärtigen Denkens und Lebens auf. Die zweite Spur soll Wege aus den problematischen Bereichen weisen, sie orientiert sich dabei an der Gestalt der »Frau Weisheit« und an dem von ihr symbolisierten Ethos.

Natürlich können wir nicht alle neuralgischen Punkte ansprechen, sondern treffen eine gewisse Auswahl, die sich auf die vier folgenden Felder beschränkt:

- das Verhältnis der Menschen zu Gott;
- das Verhältnis der Menschen untereinander;
- das Verhältnis der Menschen zur (Um-)Welt;
- die Reflexion der genannten Verhältnisse in den Wissenschaften.

Das Grundproblem, das wir hier wahrnehmen, läßt sich aus der Beobachtung einer bestehenden und zunehmenden Zersplitterung in den oben genannten Lebens- und Verstehensbereichen formulieren. Dieses Phänomen der Spaltung, das in wachsender Beziehungslosigkeit und rücksichtsloser Durchsetzung eigener Interessen erfahrbar ist, nimmt mittlerweile bedrohliche Ausmaße an: Die Auswirkungen einzelner Handlungen reichen immer mehr über den Bereich, für den sie eigentlich gedacht waren, hinaus und betreffen in oft störender Weise das Ganze.[1]

Auf der Suche nach einem intakten Beziehungsgefüge begegnet uns in der Gestalt von »Frau Weisheit« ein Entwurf, der diese Zersplitterung und ihre Folgen zu beheben versucht.

»Frau Weisheit« wird in Schrift und Tradition im Bild der liebenden Mutter (Jes Sir 24,19) und klugen Frau von Gott und Mensch erkannt. Sie symbolisiert durch ihre Schöpfungsteilnahme (Weish 7,12) die lebendige Verbundenheit allen Seins schlechthin. Dabei hat »Frau Weisheit« für uns die Funktion eines »autoritativen Symbols«[2], das zwischen konkret erlebter Erfahrung und einer bestimmten religiösen Weltsicht vermittelt.[3] Der amerikanische Begriff connectedness[4], der hier als ursprüngliche Seinsverbundenheit, Vernetzung *(web of life)* oder, theologisch gesprochen, als Geschöpflichkeit verstanden werden soll, bezeichnet prägnant dieses Beziehungsgefüge, das in der Gestalt der Weisheit symbolisiert wird. Im folgenden geben wir den Begriff connectedness mit *lebendiger Verbundenheit allen Seins* wieder.

Die Methode und das erkenntnisleitende Interesse[5]

Unsere Überlegungen sind davon geprägt, daß wir als Theologinnen arbeiten, denen die Fragestellungen der feministischen Theologie wichtig geworden sind. Es geht uns also um eine Grundhaltung, die den Anspruch grundsätzlicher Gleichberechtigung, Gleichbehandlung und Gleichwertigkeit von Frauen und Männern in verschiedenen Generationen, gesellschaftlichen Schichten und Rassen erhebt. Als Theologinnen feministisch zu arbeiten, bedeutet für uns, daß wir uns für ein »neues Verstehen, eine neue Hermeneutik und eine neue Interpretationsmethode« der Offenbarung einsetzen, weil »Gottes Wort keine Unterdrückung und Minderwertigkeit der Frau beinhaltet«.[6] Alle Situationen und Verhältnisse, die sich aktuell oder strukturell der Gleichberechtigung von Frauen und Männern, ebenso der umfassenden Rücksichtnahme auf Natur und Kultur widersetzen, sind aufzudecken und zu kritisieren, Veränderungen sind anzumahnen. Aus diesem Grund kritisieren wir auch als Theologinnen ein vorwiegend männlich geprägtes Gottesbild. Die weibliche Sophia ergänzt die einseitige und tradierte Vorstellung vom *Herr* – Gott und eröffnet damit auch (jüngeren) Frauen einen neuen Zugang zu Gott und anderen Formen der Spiritualität. Insgesamt ermöglicht es uns »Frau Weisheit«, zugunsten eines integrativeren Weltverständnisses zu sprechen und zu einer vernünftigen und wirklichkeitsgerechten und somit umfassend verantwortungsbewußten Praxis zu kommen.

Methodisch folgen wir einem Schema, das in einem Dreischritt aus Sehen-Urteilen-Handeln die Wirklichkeit kritisch in den Blick nimmt. Dieses analytische Modell liegt im Prinzip dem materialistischen Feminismus zugrunde, der von Christine Delphy formuliert wurde[7] und der bei dem Phänomen der Unterdrückung einer Gruppe durch eine andere ansetzt.

Solche Phänomene von Unterdrückung sollen in den oben angeführten Bereichen, also in christlicher Religion, Gesellschaft, Natur und Wissenschaft aufgewiesen werden, wobei für uns die Unterdrückung von Frauen durch Männer besondere Bedeutung hat.[8] Wir gehen dabei immer wieder von Beispielen erfahrbarer Wirklichkeit aus, an denen die Probleme besonders augenfällig werden.

Die selbstauferlegte Beschränkung des materialistischen Feminismus besteht darin, bei der bloßen Beschreibung der Mißstände zu verweilen. Die Theorie will oder kann nicht zeigen, wie neue Ideen in den einzelnen Teilbereichen entstehen und wie sie sich praktisch auswirken. Das Konzept der *lebendigen Verbundenheit allen Seins* dagegen eröffnet mögliche Wege, die aus den Problemfeldern herausführen können, ohne inhaltlichen Fixierungen zu verfallen.

Im Lichte der Gestalt der Sophia beurteilen wir diese Situation der Unterdrückung als lebensfeindlich. Schließlich versuchen wir, ausgehend von der beziehungsstiftenden Gestalt der Weisheit, Handlungsperspektiven aufzuzeigen, die in einen Zustand freier Selbstbestimmung in Form *lebendiger Verbundenheit allen Seins* führen sollen.

Die Aufsplitterung der Lebensbereiche

Betrachten wir unsere Gegenwart, so fällt eine zunehmende Aufsplitterung der Lebensbereiche auf. Der Prozeß der Individualisierung verstärkt sich, die Bereitschaft oder das Vermögen, das Ganze zu sehen, nimmt ab. Einzelne Menschen, Völkergemeinschaften, Institutionen und wissenschaftliche Disziplinen konzentrieren sich auf sich und ihre Interessen und glauben, auch nur dafür moralisch verantwortlich zu sein. Dieses Auseinandertreten der Lebenszusammenhänge ist ein Kennzeichen der europäischen Neuzeit. Es zeichnet sich bereits im Spätmittelalter ab und gilt als Voraussetzung des sogenannten Fortschritts. Solcher auf einzelnen Gebieten erreichter Fortschritt hat seinen Preis. Nach Wilhelm Korff »erscheint ... der Gedanke an den Fortschritt der Menschheit an eine Form des Umgangs mit der Wirklichkeit gebunden, die ihre Effizienz gerade der Selektivität ihres Vorgehens verdankt, nämlich dem Aufknüpfen des unendlich komplexen Gewebes dieser Wirklichkeit nach vielfältigen Methoden und der Nutzung darin erkannter Gesetzmäßigkeiten für selbstgesetzte Zwecke.«[9]

Das »Aufknüpfen des unendlich komplexen Gewebes« hat zur Folge, daß der Blick auf das Ganze nicht mehr möglich ist, daß mögliche Nebenwirkungen einzelner Handlungen auf das Gesamtgefüge nicht mehr überschaubar sind und der angestrebte Nutzen sich damit in sein Gegenteil verkehren kann.

Diese Aufsplitterung der Gesamtwirklichkeit soll nun anhand von Beispielen aus verschiedenen Bereichen des Lebens und Denkens verdeutlicht werden.

Zur Vorstellung von Gott

Hier wollen wir uns mit möglichen Ursachen für das einseitig männlich geprägte Gottesbild beschäftigen.

Im allgemeinen ist die gesellschaftlich vollzogene Abwertung des Weiblichen gegenüber dem Männlichen anzusprechen. Im Kontext der Fragestellung dieses Buches ist die Identifikation der weiblichen Sophia mit dem männlichen Christus als Logos zu hinterfragen, weil dadurch weibliche Elemente aus dem Gottesbild getilgt wurden.

Beides könnte durch eine neue Begegnung mit Frau Weisheit relativiert werden.

Problemfeld: Das einseitig männlich tradierte Gottesbild

Theologie als Rede von Gott ist menschliche Rede von Gott und sagt deswegen im Gottes-*Bild* immer auch etwas über das Selbstverständnis derjenigen aus, die über Gott nachdenken. Eine Theologie, die bis heute fast ausschließlich von Männern gemacht wird, spiegelt folglich die männliche Wahrnehmung von Wirklichkeit auch in kirchlich tradierten und anerkannten Gottesbildern wider.

Es ist für uns ganz normal geworden, daß Gott als Vater und die Trinität als Einheit dreier männlicher Personen vorgestellt wird.[10] Diese Blickweise hängt gewiß auch mit der Orientierung der frühesten Theologie an der griechischen Metaphysik zusammen: Bei Aristoteles ahmt das geistige, formgebende Prinzip (Eidos) das Männliche nach, während das formbare Materia-Prinzip (Hylé) mit dem Weiblichen verglichen wird. Gott kann in dieser Gedankenlinie natürlich nur dem formgebenden, geistigen und männlichen Prinzip gleichen.[11]

Die Dominanz einer patriarchalen Theologie wird – entgegen allen Beteuerungen von Theologen – in solch kindlichen Alltagsvorstellungen von Gott wie dem »altem Mann mit weißem Bart« und in der einseitig männlich geprägten Sprache von Liturgie und Verkündigung deutlich. Selbst aufgeklärte theologisch Denkende transportieren auf diese Weise immer (unbewußt) eine Vorstellung von Gott, die sich unwillkürlich dem *herr*schenden männlichen Gottesbild verpflichtet weiß. Die Ursache für eine solche Dominanz des Männlichen im Gottesbild liegt darin, daß die Frau – als etwas Unvollkommenes abgewertet wurde – gegenüber dem Mann – als etwas Vollkommenem – (z. B. Kol 3,18; Eph 5,21–25). Die im Mittelalter so geläufige Analogie, das Verhältnis von Gott und Geschöpf mit demjenigen des Mannes (als Bild für Gott) zur Frau (als Bild des Geschöpfes) zu vergleichen, hat die Unterdrückung der Frau durch den Mann eindeutig ausgedrückt und gerechtfertigt. »Sie eröffnete damit die Möglichkeit, solch anthropologischen Dualismus wieder in die göttliche Wirklichkeit hineinzuprojizieren und den Schöpfergott (der laut Gen 1,27 Mann und Frau gleichberechtigt als sein Ebenbild geschaffen hat)[12] des Judentums zu verwerfen.«[13]

Die Verdrängung des Weiblichen aus der Gottesvorstellung zeigt sich geistesgeschichtlich nicht nur in der Ignoranz gegenüber mittelalterlich-weiblicher Bildrede von Gott, sondern auch in der Identifikation der weiblich (Spr 7,4; 8,26ff.; Weish 8,2) gezeichneten Sophia mit dem männlichen Christus. Es gelang aber nicht ganz, die Erinnerung an das weibliche Geschlecht der Sophia zu tilgen, wie ein Scholastiker bezeugt: »Wenn Christus die Weisheit Gottes ist, warum wird er Sohn und nicht Tochter genannt?«[14]

Auch in der Kunst finden sich Zeugnisse für die Ambivalenz der »männlichen« Weisheit: So macht W. Nyssen auf einen androgynen Salomo aufmerksam, der als männliche Gestalt mit weiblichen Brüsten dargestellt ist.[15] Die Problematik dieser Identifikation, die immer wieder als heikel empfunden wurde, zeigt sich an mehreren Ungereimtheiten: Die Übertragung der Sophia auf Christus wurde von der Patristik bis hin zur Scholastik eigentlich nie exklusiv verstanden.[16] Die Weisheit wurde allen drei göttlichen Personen gleichermaßen zugeordnet.[17] Trotzdem ist die exklusive Anbindung der Weisheit an Christus, wie sie z. B. der Kirchenvater Athanasius[18] vertritt, keine Ausnahme, aber dennoch irreführend: Der orthodoxe Theologe Zander formulierte diese Problematik in Anlehnung an S. Bulgakow sehr prägnant: »In Wahrheit aber gilt: ›Logos (= Jesus Christus) ist Sophia, aber Sophia ist nicht Logos.‹ D. h., der Logos ist weise, der göttlichen Weisheit teilhaftig, er stellt sie dar und offenbart sie. Aber die Weisheit als solche darf nicht mit dem Logos identifiziert werden . . .«.[19] Daß die Weiblichkeit der Sophia auf diesem Übertragungsweg vollkommen auf der Strecke geblieben ist, ist um so bedauerlicher.

Weg aus dem Problemfeld: Gott und »seine« Sophia
Ausgangspunkt unseres Gottesbildes ist die Vollkommenheit in Gott, zu der auch die Einheit von Weiblichem und Männlichem gehört. Diese Art der *lebendigen Verbundenheit allen Seins* in Gott drückt das Alte Testament dadurch aus, daß es Sophia entweder als Gottes Tochter (Spr 8,34) sieht, die aus seinem Wesen stammt, weil er sie vor aller Zeit zeugte[20] (Spr 8,26 f.), oder die Texte reden von ihr als Geliebte oder Gemahlin Gottes

(Weish 8,2 ff.), die Jahwe in ehelicher Gemeinschaft verbunden ist. Diese Gemahlin sitzt aber keineswegs untätig neben dem Schöpfer und bewundert seine Kreativität, sondern sie erschafft mit ihm alle Dinge (Weish. 7,12; 9,9 ab) und ist gleichberechtigte Ratgeberin und Votantin bei der Schöpfung (Weish 8,4 ab). Insofern ist Gottes Liebe bildlich als seine und ihre Zuwendung zu verstehen. Vom alttestamentlichen Befund her ist ein einseitig männlich geprägtes Gottesbild unvollständig und damit unvollkommen.

Die problematische Identifikation von Christus und Weisheit konnte die weibliche Identität der Sophia nicht ganz verdrängen. Bei genauer Betrachtung gibt es sogar Umkehrungen. Wir finden plötzlich Merkmale Jesu Christi, die auf die Sophia übertragen wurden. Wie sonst wäre die recht freie lateinische Übertragung des griechischen Wortes *esothésan* aus Weish 9,18 (Sie wurden gerettet) mit dem Ehrentitel *Salvatrix mundi* (Retterin der Welt),[21] für die Weisheit zu verstehen, die doch deutlich an Jesus Christus als *Salvator mundi* (Retter der Welt) angelehnt ist? Die Auslegung der Weisheit als *Retterin* findet sich nach Elisabeth Gössmanns Untersuchungen auch in der Schriftexegese der Patristik und des Mittelalters zu Lk 15,8 ff., wo es darum geht, daß eine Frau eine verlorene Drachme sucht und findet.[22] Schon in altchristlicher Zeit versinnbildlicht die Drachme die Menschheit, die von »Frau Weisheit« gesucht wird. Die Frau zündet eine Lampe an und findet die Münze mit dem Herrscherbild. Das Herrscherbild wurde als Zeichen der Gottebenbildlichkeit der Menschen verstanden. Für Cyrill von Alexandrien sind wir Menschen die Drachme, Jesus Christus ist die Frau, die Weisheit, die uns findet.[23] Für Augustinus[24] repräsentiert die Frau aus dem Lukasevangelium die Klugheit und Weisheit einer Frau schlechthin (Spr 31,10 ff.) oder sogar die Weisheit Gottes selbst.[25] Die Erlösergestalt erscheint in der Auslegung des Gleichnisses im Bild der weiblichen, liebenden und barmherzigen Weisheit, auch wenn Jesus Christus damit gemeint ist. *Retterin* und *Retter* bilden in der Gleichnisauslegung eine Einheit, auch hier ist eine *lebendige Verbundenheit des Seins* von Weiblichem und Männlichem erkennbar. Daß Jesus selbst auch schon in neutestamentlicher Zeit als Prophet, Kind oder die Sophia selbst verstanden wurde, hat Elisabeth Schüssler-Fiorenza in diesem Buch gezeigt. Sein ganzes Leben stand in harmonischer Einheit mit Gottes Weisheit, die es ihm möglich machte, völlig eins mit Gottes Willen zu leben und auch zu sterben. Eine patriarchale Unterdrückung[26] war ihm unmöglich, weil seine enge Verbindung zur (weiblichen) Weisheit keine Spaltung oder Unterdrückung zuließ. Theologisch formuliert heißt das, da Jesus frei von Sünde war, existierte in ihm selbst eine ungebrochene Einheit der weiblichen und männlichen Anteile, d. h., er lebte in *lebendiger Verbundenheit* mit seiner Sophia und damit auch mit Gott. Diese Integrität bewirkte, daß seine Vernunft die Form liebender Weisheit annahm. Jesus zog sich lieber wie die Weisheit zurück (1 Hen 42,1 f.), als daß er sich mit Gewalt durchgesetzt hätte. Durch seine Erlösungstat erneuerte er die Gottebenbildlichkeit des Menschen, die auch in der Einheit[27] des Weiblichen mit dem Männlichen zu sehen ist. Durch seine Beziehung zur weiblichen Weisheit ist er nicht nur ein neuer Adam, sondern auch eine neue Eva und begründet so wieder die *lebendige Verbundenheit* der Menschen als Frauen und Männer untereinander. Die Erbschuld des Menschen zeigt sich auch in der gespaltenen Beziehung zwischen Frau und Mann. Wenn Jesus die Menschen erlöst hat, dann ist auch diese Polarität miterlöst worden.

Zum Verhältnis von Frau und Mann

Dieser Teil versucht, die schon oben angedeutete Abwertung des Weiblichen gegenüber dem Männlichen genauer als die Unterordnung bzw. Unterdrückung von Frauen durch Männer zu thematisieren und die Bedeutung, die ›Frau Weisheit‹ für ein gleichberechtigtes Verhältnis der Geschlechter hat, aufzuzeigen.

Problemfeld: »Er aber wird über dich herrschen« (Gen, 3,16)
Im Verhältnis der Geschlechter zeigt sich die verlorene Verbundenheit mit ihren gesamtgesellschaftlichen Auswirkungen in der Unterdrückung von Frauen durch Männer. Diese Unter-

drückung wurde lange einfach als biologische Gegebenheit akzeptiert und führte in ein starres Rollenverständnis, wie Mary Daily es skizziert: »Die Rollen und Strukturen patriarchaler Gesellschaft werden durch eine künstliche Polarisierung menschlicher Eigenschaften in Richtung der traditionellen geschlechtsspezifischen Stereotypen entwickelt und unterstützt.

Die Vorstellung von einer Autoritätsperson und das damit verbundene Verständnis ›seiner‹ Rolle entsprechen dem ewig männlichen Stereotyp, zu dem Hyperrationalität, ›Objektivität‹, Aggressivität, dominierende und manipulative Verhaltensweisen gegenüber Mensch und Umwelt gehören wie auch die Tendenz, Schranken zwischen dem ›Ich‹ (und denen, die mit ›ich‹ identifiziert werden) und ›den Anderen‹ zu errichten. Die Karikatur eines Menschen, die diesem Sterotyp entspricht, braucht für ihre Existenz natürlich den Gegenpol – das ewig Weibliche, hyperemotional, passiv, unterwürfig, ect.«[28]

Solche Zuweisungen bestimmter Eigenschaften an das jeweilige Geschlecht und die damit verbundene Überordnung der Männer über die Frauen wurden gerade durch die problematische Auslegung der Geschichte vom Sündenfall im jüdisch-christlichen Kulturraum bestimmt (Gen 3). Sie diente dazu, die Frau in die Nähe des Bösen zu rücken. Obwohl die Theologie die Formulierung von der Schuld Adams ständig im Munde führt, gelten eigentlich Eva und »alle ihre Töchter« als die wirklich Schuldigen. Eine breite Traditionsgeschichte weist – abgesehen von wenigen Ausnahmen – der Frau immer die Rolle der raffinierten Verführerin zu, die den Mann zur Sünde anstiftet. Die Sünde bahnt sich durch die Schlange und durch die Frau den Weg in die Welt. Unterdrückt der Mann die Frau, dann unterdrückt er damit die Sünde, so das Denken mittelalterlicher Theologen! Die Folge der Urschuld ist der Verlust der *lebendigen Verbundenheit* in allen Bereichen des Lebens: Der Mensch verspielte seine Unsterblichkeit, das gleichgestellte Verhältnis zwischen Frau und Mann pervertierte sich in ein Verhältnis der Unterordnung der Frau unter den Mann in der Art, wie Gen 3,16 es sagt: »Du hast Verlangen nach deinem Mann, er aber wird über dich herrschen.«

Weg aus dem Problemfeld: »Als Mann und Frau schuf er sie« (Gen 1,27).
Ausgangspunkt unserer Überlegung ist Gen 1,27: »Gott schuf also den Menschen als sein Abbild; als Abbild Gottes schuf er ihn; als Mann und Frau schuf er sie.«

Die Gottebenbildlichkeit des Menschen als Mann und Frau lenkt unseren Blick noch einmal auf das Gottesbild. Grundlage war die Annahme einer Vollkommenheit in Gott, zu der auch die Einheit von Weiblichem und Männlichem gehörte. Wenn wir annehmen, daß die Einheit des Männlichen und des Weiblichen in Gott in den Bildern von Jahwe und seiner Geliebten oder Ehefrau Sophia (Weish 8,3) versinnbildlicht ist und wir nach Gen 1,27 als Frauen und Männer diesem Gott ebenbildlich sind, dann gilt diese Ebenbildlichkeit auch in Bezug auf die Gemeinschaft von Frau und Mann, die ihren Grund und Ziel in der liebenden und schöpferischen Gemeinschaft von Jahwe und Sophia hat.

Das Verhältnis von Vergangenheit, Gegenwart und Zukunft

Im folgenden geht es uns darum, mögliche Konsequenzen verdrängter Vergangenheit aufzuzeigen und durch die Gestalt der Weisheit die Verbundenheit mit unserer eigenen und unserer gemeinsamen Vergangenheit zu benennen. Wir möchten dies vor allem am Beispiel des Verhältnisses zwischen den Generationen verdeutlichen.

Problemfeld: Die Verdrängung der Vergangenheit und Vergänglichkeit
Der Verlust der *lebendigen Verbundenheit des Seins* zeigt sich schließlich in einer einseitigen Zukunftsfixiertheit und einer damit verbundenen Verdrängung der Vergangenheit und der Vergänglichkeit. Dieses Phänomen kann individual- und kollektivgeschichtlich festgestellt werden.[29] Die Notwendigkeit, sich mit der persönlichen Geschichte zu beschäftigen, ist bisher zu sehr auf sogenannte psychopathologische »Fälle« beschränkt worden. In *lebendige Verbundenheit* zum eigenen Ich zu treten, ist konstitutiv für die Persönlichkeitsbildung. Es bedeu-

tet, daß der Mensch sich nicht nur im Fall psychischer Krisen mit seiner positiven oder mißglückten Vergangenheit beschäftigen soll, sei sie schuldhaft oder nicht, sondern immer neu zu sich eine Beziehung aufnimmt.

Die starke Ausrichtung auf die Zukunft geht mit der Verdrängung der Vergänglichkeit einher und hat gesellschaftlich gesehen z. B. die Ausgrenzung der älteren Generation zur Folge. Sichtbares Zeichen für die Verdrängung der eigenen Vergänglichkeit und damit des Alterns ist die Idealisierung von Jugend, Schönheit und Leistungsfähigkeit, während ältere Menschen ihren Platz am Rande der Gesellschaft auf abgelegenen, euphemistisch als ›Seniorenresidenzen‹ bezeichneten Abstellgleisen haben. Lebenserfahrung, die in früheren Zeiten als Weisheit hochgeachtet wurde, zählt nicht mehr. Mit dem Ausbau des sozialen Netzes wird die Kleinfamilie zum Regelfall. »An die Stelle der familiengebundenen Altersfürsorge tritt die gesellschaftlich getragene Altersversorgung.«[30] Die Folge dieser Verdrängung ist, daß es immer weniger »Begegnungsräume« zwischen den Generationen gibt, zwischen (vergangener) Geschichte, Gegenwart und Zukunft.

Weg aus dem Problemfeld: Vom Nebeneinander zum Miteinander
Es gibt gewiß viele Gründe, die die Entfremdung zwischen den Generationen erklären können: Die Auflösung der Großfamilie, die unpersönliche, soziale Alterssicherung sind nur einige, die dazu zu rechnen sind. Der tiefe Grund liegt u. E. in der Verdrängung der *eigenen* Vergänglichkeit und des eigenen Todes, aus Angst vor dem vermeintlich *absoluten* Ende der persönlichen Existenz. Mit der wahren Einsicht in das, was mit *Netz des Lebens* gemeint ist, nämlich eine wirkliche Verbundenheit aller Geschöpfe untereinander, könnte die Perspektive für einen natürlicheren Umgang miteinander angedeutet werden, der auch die Vergänglichkeit nicht ausklammert, sondern sich eingestehen kann, daß zwischen Vergangenheit (auch im kollektiven Sinn) und Vergänglichkeit eine unausweichliche Beziehung besteht, die einfach nicht aufzulösen ist. Das lehrt uns auch die Weisheit: »Alle haben den gleichen Eingang zum Leben, gleich ist auch der Ausgang« (Weish 7,6).

Das Verhältnis Natur – Kultur

Betrachten wir in einem nächsten Schritt den Umgang des Menschen mit der ihn umgebenden Umwelt, so fällt auch hier wiederum die benannte Aufsplitterung auf, die sich in noch immer ungehemmter Ausbeutung der Natur und in unkontrollierter Zerstörung lebenswichtiger Ressourcen wie Luft, Wasser, Wälder erweist. Dem halten wir den Schöpfungsbegriff entgegen, der die *lebendige Verbundenheit des Seins* durch die Weisheit beinhaltet.

Problemfeld: Das Mißverständnis: »Macht euch die Erde untertan«
Es soll nicht einer unkritischen Zurück-zur-Natur-Mentalität das Wort geredet werden, denn Fortschritt durch Technik bedeutet auch eine Befreiung, aber heute ist uns klar, daß die Technik zur Versklavung von Mensch und Natur beitragen kann.[31]

Zu den Gründen der Versklavung gehört neben dem Profitstreben des Menschen die Dominanz des naturwissenschaftlichen Weltverständnisses nach der falsch verstandenen Handlungsanweisung: »Macht euch die Erde untertan.« Dazu kommt die durch die technokratische Weltanschauung angelegte Unfähigkeit, auf die Bedingungen der Möglichkeit und die Konsequenzen solchen Handelns zu reflektieren.[32] Die Vernachlässigung solcher Reflexion hat Konsequenzen: »Die Tatsache, daß die Natur zurückschlägt, wo der Boden ihrer Bedingungen preisgegeben, wo ihre Ökologie zerstört und ihre Ressourcen geplündert werden, zeigt an, daß sich auf die Dauer kein Fortschritt hält, der gegen das Strukturgefüge der Natur verläuft.«[33]

Dies ist keine neue Einsicht. Schon das Mittelalter hat mit seiner kosmischen Theologie, wie sie besonders Hildegard von Bingen repräsentiert, bedacht, daß die Verfehlungen des Menschen sich im Kosmos auswirken, zu dem die Natur selbstverständlich gehört: »Sofern der Kosmos auch das Haus des Menschen ist, kann man insbesondere für das 12. Jh. von einer Art Öko-Ethik des Mittelalters sprechen. Verfehlungen des Menschen, die immer in der Verletzung des rechten Maßes liegen, wirken sich negativ auf die kosmischen Kräfte aus.«[34]

Hildegard hat Mikro- und Makrokosmos[35] zusammengesehen. Ihr war dadurch auch ein Kausalzusammenhang zwischen der Sünde des Menschen und negativen Auswirkungen in der Natur selbstverständlich.[36] Als der Mensch in Sünde fiel, hat sich die gesamte Schöpfung verdüstert.[37] Alle Elemente des Kosmos sollten dem Menschen zur Verfügung stehen: »Auf daß er mit ihnen wirke, weil der Mensch ohne sie weder leben noch bestehen kann.«[38]

Hildegard spricht von *zusammenwirken*, nicht von *beherrschen*. Beherrscht der Mensch den Kosmos oder versucht es, dann zerstört er seine eigenen Lebensgrundlagen: »Und ich hörte, wie sich mit einem wilden Schrei die Elemente der Welt an jenen Mann (Gott) wandten. Und sie riefen: Wir können nicht mehr laufen und unsere Bahn nach unseres Meisters Bestimmung vollenden. Denn die Menschen kehren uns mit ihren schlechten Taten wie in einer Mühle von unterst zuoberst. Wir stinken schon wie die Pest und vergehn vor Hunger nach der vollen Gerechtigkeit.«[39]

Die Elemente schreien, wenn auch nicht auf menschliche Weise[40], weil sie infolge der Sünde des Menschen in Verwirrung geraten und ihrer geschöpflichen Aufgabe nicht mehr gerecht werden können. Hildegard wußte, daß sie damit ein Bild verwandte, auch wenn in ihrer Zeit dieser Kosmostheologie durchaus ein naturwissenschaftlicher Erkenntniswert zugeschrieben wurde. Für uns sind ihre Gedanken heute von großer Bedeutung und mahnen zur Besinnung, denn auch unser Kosmos schreit nicht auf menschliche Weise, sondern auf eine Weise, die wir mittlerweile deutlich sehen, riechen und spüren können.

Weg aus dem Problemfeld: Die Natur als Schöpfung begreifen
Auch für diesen Bereich gibt uns der Entwurf einer universalen, *lebendigen Verbundenheit allen Seins* einen Rahmen, innerhalb dessen sich Wege aus dem Problemfeld finden lassen. Die Aufgabe besteht darin, zu einem vernünftigen, d. h. zu einem weisen Umgang mit der Natur als Schöpfung zu finden. So gilt

es also, ein Denken zu entwickeln, das nach Frederic Vester[41] korrelativ genannt werden könnte, das die Auswirkungen einzelner Handlungen auf das Ganze mitberücksichtigt, auch wenn sie unter Umständen erst kommende Generationen betreffen. Das bedeutet, daß nicht alles, was uns möglich ist, auch erlaubt ist, wenn wir das Ganze als Maßstab nehmen. Der Maßstab für vernünftiges Handeln ist ein Umgang mit der Schöpfung im Sinne der *lebendigen Verbundenheit allen Seins*. Korff schreibt: »Die Ausweitung der technischen Welt widerspricht als solche der evolutiven Vernunft der Schöpfung nicht. Tatsächlich vollzieht sie sich ganz und gar auf deren Linie, solange der Mensch in jedem seiner technisch-rationalen Schritte von der Zielvorstellung eines je und je herzustellenden Fließgleichgewichtes zwischen Ökonomie und Ökologie mitbestimmt bleibt . . . Hier aber – und nur hier – liegt das eigentliche Problem. Die entsprechende Rückbindung dieser unserer technisch-rationalen Welt in das sie ermöglichende Netzwerk der Natur ist bisher keineswegs zureichend geleistet. Der kategorische Imperativ im Hinblick auf eine umweltgerechte Technik lautet: Rückvernetzung, Retinität.«[42]

Die Garantin für eine solche Verbundenheit oder Vernetzung alles Geschaffenen ist die Weisheit, weil sie an der Schöpfung beteiligt war (Spr 8,27–50) und folglich in der Schöpfung ihre weisheitlichen Spuren hinterlassen hat, die wir schon häufiger mit dem Begriff der *lebendigen Verbundenheit allen Seins* umschrieben haben. Dieses Netzwerk verknüpft nicht nur die Geschöpfe und Elemente des Kosmos untereinander, sondern zeigt auch ihre Verbindung mit der schaffenden Gottheit und fordert von uns einen entsprechenden, also weisheitlichen Umgang mit allem Geschaffenen.

Zum Wissenschaftsverständnis

In diesem letzten Abschnitt geht es darum, die Aufspaltung der Wissenschaft einem sezierenden Erkenntnisideal zuzuordnen und dem ein weisheitlich geprägtes Wissenschaftsverständnis gegenüberzustellen.

Problemfeld: Die Zersplitterung der Wissenschaft

Auch im Bereich der Wissenschaft läßt sich eine zunehmende Segmentierung und Unfähigkeit, das Ganze zu sehen, feststellen. Konkurrenz und persönliches Rechthaben, statt gemeinsamer Suche nach Wahrheit und Fortschritt des Ganzen, stehen im Vordergrund. Vergessen scheint die Tugend des Sokrates, die Wahrheit immer gemeinsam, im *Dazwischen* (dialogein), im Dialog zu suchen. Unter Wissenschaftlern unterschiedlicher Sachgebiete ist kaum noch eine Verständigung möglich. So bemerkte Marcel: »Ein in hohem Maße spezialisierter Wissenschaftler steht fast nur noch mit denen in enger Kommunikation oder Verbindung, die mit der gleichen Spezialisierung betraut sind . . . Dies zeigt sich . . . an der Tatsache, daß die immer weitere Ausbreitung der hermetischen Ausdrucksweise – wobei hermetisch im Sinne von nicht-esoterisch zu verstehen ist – eine ausgesprochen babylonische Situation herbeiführt, die übrigens einen Gegenposten einschließt: Das Universelle ist nunmehr auf seiten der Technik, auf seiten der Verfahren, die angewandt werden, um bestimmte praktische Ziele zu erreichen.«[43]

Die Voraussetzung für solche Segmentierung ist die Erkenntnishaltung sogenannter Objektivität. Das heißt zunächst nichts anderes, als sich den zu erforschenden Gegenstand als Objekt gegenüberzustellen, um ihn untersuchen oder gar beherrschen zu können. Catharina Halkes zeigt, daß diese Erkenntnishaltung der Objektivität als Voraussetzung modernen wissenschaftlichen Denkens ein schon seit Jahrhunderten existierendes Ideal männlicher Wissenschaft ist. Sie zitiert aus Kulturtheorie Georg Simmels: »Die künstlerischen Forderungen . . . die Gerechtigkeit des praktischen Urteils und die Objektivität des praktischen Erkennens . . . all diese Kategorien sind zwar gleichsam ihrer Form und ihrem Anspruch nach allgemein menschlich, aber in ihrer tatsächlichen historischen Gestaltung durchaus männlich. Nennen wir solche als absolut auftretende Ideen einmal das Objektive schlechthin, so gilt im geschichtlichen Leben unserer Gattung die Gleichung objektiv = männlich.«[44]

Diese Art der Objektivität bezeichnet Catharina Halkes als

»statische Objektivität«, weil »das Streben nach Wissen schon von einer Trennung von Subjekt und Objekt ausgeht«[45], welches Herrschaft und Kontrolle über das zu erforschende Objekt impliziert. Entlarvend ist dabei die Sprache mancher Wissenschaftler, die ihre wissenschaftliche Arbeit mit Metaphern aus dem Bereich der Wildjagd und des Krieges beschreiben.[46]

Weg aus dem Problemfeld:
Zum Verhältnis von Weisheit und Wissenschaft
Das weisheitliche Konzept der *lebendigen Verbundenheit allen Seins* ist eine Möglichkeit, wissenschaftliche Reflexion in das beschriebene Verhältnis von Gott und Welt hineinzunehmen. Schon im Alten Testament wird eine Verbindung zwischen Mensch und Göttlichem anhand des Bildes einer Liebes- oder Ehegemeinschaft des Menschen mit der Sophia versinnbildlicht (Weish 8,2). Die Weisheit ist also nicht bloß Gemahlin Gottes (Sponsa Dei), sondern auch Gemahlin des Menschen (Sponsa hominis). Die Verbindung oder Teilhabe des Menschen an der göttlichen Weisheit formuliert die Schrift so: »Sorge um Bildung ist Liebe« (Weish 6,8a). Und sie spart die erotische und sinnenbetonte Begrifflichkeit dabei bewußt nicht aus. Denn Weisheit ist mehr als nur rationale Erkenntnis. Sie umfaßt die Ethik (Weish 8,2–8) und die Gottesfurcht, verstanden als Ehrfurcht vor dem Schöpfer und vor allem Geschöpflichen. Denn zur Weisheit im biblischen Sinn gehört es, immer das Ganze in den Blick zu nehmen und die Folgen der eigenen Erkenntnis und des eigenen Handelns auf das Gesamt hin zu betrachten. Der wirklich weise Mensch braucht viel mehr als das bloße Know-how, so Ziegler: »Wenn der Verfasser des Liber Sapientiae den Satz ›Die Menge der Weisen ist das Heil der Welt‹ übernommen hat, dann ist dies geschehen in seiner Hochachtung vor dem wahren Chakam (Weisen), der eben nicht nur klug, gewandt, erfolgreich, sondern auch ›gottesfürchtig‹, gewissenhaft, religiös ist und verantwortungsvoll handelt. Wenn man hier sophos sapiens rein intellektuell als den intelligenten Menschen faßt, der an der Stelle des Steinbeils, das der homo sapiens im Systema von Linné in der Hand hat, um einen wirklichen oder vermeintlichen Feind zu töten,

die Atombombe bereithält, und bei plétos sophon an ein Team von Wissenschaftlern denkt, die im Auftrag eines Staatschefs arbeiten, der jeder Chokma bar ist, dann könnten nach einer gewaltigen Katastrophe, die kosmische Ausmaße hat, jene, die noch einmal davongekommen sind und vielleicht die Bibel als einziges Buch gerettet haben, den Satz umkehren: Die Menge der Weisen war der Untergang der Welt und ein unvernünftiger Despot die Vernichtung der Völker.«[47]

Catharina Halkes kennzeichnet die weise Haltung in der Wissenschaft als »dynamische Objektivität« im Gegensatz zu der kritisierten »statischen Objektivität«: »Dynamische Objektivität hat eine Form des Wissens zum Ziel, die der uns umgebenden Welt ihre Integrität garantiert. Sie tut das in einer Weise, die sich unserer Verbundenheit mit dieser Welt bewußt ist und die sich auf diese Verbundenheit gründet. In dieser Hinsicht stimmt dynamische Objektivität mit Empathie überein, einer Form des Wissens über andere Menschen, die ausdrücklich auf die Gemeinsamkeiten von Gefühlen und Erfahrungen gerichtet ist, um das Verständnis für die/den andere/n in ihrer/seiner Eigenständigkeit zu fördern.«[48]

Die Tradition gibt der Weisheit nicht nur die Titel »Retterin« und »Gemahlin«, sondern auch den der »Mutter und Lehrerin aller Künste, Wissenschaften und Tugenden«.[49] Damit wird der einheitstiftende Grund der Disziplinen in der »Mutter Weisheit« angedeutet. So sehr sie sich auch differenzieren, in ihr haben sie ihren gemeinsamen, normativen Ausgangspunkt. Die Weisheit wurde in der mittelalterlichen Ikonographie oft mit großen Brüsten dargestellt, aus denen sieben Ströme von Milch flossen, mit denen sie unaufhörlich die sieben freien Künste nährte.[50] Der Fachbegriff dafür ist »Sapientia lactans«, nährende Weisheit, und hat seine biblische Fundierung in Jes Sir 51,17[51], wo die Weisheit mit einer Amme verglichen wird.[52] Die Vorstellung der Weisheit als Lehrerin ist nicht weit von der der nährenden Mutter entfernt, weil sie die anderen Tugenden oder auch die Menschen in den heilsrelevanten Dingen unterweisen möchte. Die heutige Bedeutung des Bildes von der nährenden und lehrenden Weisheit mit ihren sieben Töchtern kann auf mehreren Ebenen gesehen werden, eine

Bedeutung legt sich in diesem Zusammenhang besonders nahe: Im mittelalterlichen Bild wird den einzelnen Töchtern der Weisheit, also den Wissenschaften, das Ethos ihrer Mutter gleichsam mit der Muttermilch als Lebens- und Verstehensgrundlage (auch ihrer selbst) mitgegeben. Durch das Verhältnis der Mutter zu den Töchtern und der Töchter als Geschwister untereinander, die alle aus einer Mutter kommen und von ihr genährt werden, zeigt sich eine ›lebenskonstitutive‹ enge Beziehung aller Glieder untereinander. Keine kann sich wirklich von der anderen lösen. Der desolate Zustand der allgemeinen Sprachverwirrung der Einzelwissenschaften untereinander läßt uns zum Sinngehalt solcher Bilder zurückkehren.

Die starke weibliche Prägung dieser Bilder macht auch angesichts der schwachen Beteiligung und der geringen Chancen von Frauen in Lehre und Wissenschaft stutzig und mahnt zugleich zur Veränderung solcher Zustände. Das weibliche Geschlecht der Weisheit mit ihren Töchtern transportiert ein Ethos, das sich von demjenigen vieler Männer abhob und sich vielfach immer noch abhebt: Einheit in Verschiedenheit: Die Einheit in der Verschiedenheit neu zu lernen und in den verschiedenen Lebens- und Verstehensbereichen gemeinsam neue Wege zu suchen, dazu ermuntert uns Frau Weisheit:

»Strahlend und unvergänglich ist die Weisheit, wer sie liebt, erblickt sie schnell, und wer sie sucht, findet sie«
(Weish 6, 12).
»Sie geht selbst umher, um die zu suchen,
die ihrer würdig sind;
freundlich erscheint sie ihnen auf allen Wegen
und kommt jenen entgegen, die an sie denken«
(Weish 6, 16).

Anmerkungen

Weise Frauen und Ratgeberinnen in Israel

* Beim hier vorliegenden Beitrag handelt es sich um eine überarbeitete Fassung des Habilitationsvortrags der Autorin, gehalten am 19. Mai 1989 an der Kath. theol. Fakultät Freiburg/Schweiz. Da die fem.-theol. Fachdiskussion über die personifizierte Weisheit inzwischen sehr intensiv weitergeführt wurde, sei hier vorab auf zwei neuere Beiträge der Verf. hingewiesen, in denen wichtige, im vorliegenden Beitrag nur kurz angesprochene Aspekte des Themas unter Einbezug auch neuester feministischer Literatur vertieft werden: S. Schroer, Jesus Sophia. Beiträge der feministischen Forschung zu einer frühchristlichen Deutung der Praxis und des Schicksals Jesu von Nazaret, in: Doris Strahm/Regula Strobel (Hg.), Vom Verlangen nach Heilwerden. Christologie in feministisch-theologischer Sicht, Freiburg/Luzern 1991; dies., Die göttliche Weisheit und der nachexilische Monotheismus, in: Marie-Theres Wacker/Erich Zenger (Hg.), Der eine Gott und die Göttinnen. Die alttestamentliche Rede von Gott im Horizont feministischer Theologie, Freiburg i. Br. 1991.

Eine einfach geschriebene Einführung zur biblischen Weisheitsgestalt bietet das Heft »Sophia. Gott im Bild einer Frau«, Bibel heute 103 (1990) 146–163.

1 M.-Th. Wacker, Gefährliche Erinnerungen. Feministische Blicke auf die hebräische Bibel, in: dies. (Hrsg.), Theologie feministisch, Düsseldorf 1988, 14–58. Vgl. auch: dies., Die Göttin kehrt zurück. Kritische Sichtung neuerer Entwürfe, in: dies. (Hrsg.), Der Gott der Männer und die Frauen, Düsseldorf 1987, 11–37.

2 An dieser Stelle seien vor allem die fachwissenschaftlichen Publikationen von S. Cady/M. Ronan/H. Taussig, Sophia. The Futur of Feminist Spirituality, New York 1986 und von E. Schüssler Fiorenza, Zu ihrem Gedächtnis. Eine feministisch-theologische Rekonstruktion der christlichen Ursprünge, München/Mainz 1988 genannt. Vgl. den Artikel der Verfasserin: Gott Sophia und Jesus Sophia. Biblische Grundlagen einer christlichen und feministischen Spiritualität, Bibel und Liturgie 62 (1989), 20–25, mit weiteren Angaben zur Fachliteratur. Wichtig auch: B. Lang, Wisdom and the Book of Proverbs. An Israelite Goddess Redefined, New York 1986; U. Winter, Frau und Göttin, OBO 53, Freiburg–Göttingen, 508–529; S. Schroer, Die Zweiggöttin in Palästina/Israel. Von der Mittelbronze II B-Zeit bis zu Jesus Sirach,

in: Jerusalem. Texte – Bilder – Steine, hrsg. von M. Küchler, Chr. Uehlinger, NTOAG, Freiburg (Schweiz)–Göttingen 1987, 201–225.

3 B. Lang, a.a.O., bes., 60–70; vgl. auch U. Winter, a.a.O., 514 ff.

4 Die Autorin untersucht die Verbindung der personifizierten Weisheit und des Frauenbildes im Buch der Sprüche mit den älteren israelitischen Überlieferungen mittels eines literarischen Ansatzes. Vgl. im folgenden vor allem C. Camp, Wisdom and the Feminine in the Book of Proverbs, Sheffield 1985, 79–147 und 255–282.

5 A. Brenner (The Israelite Woman: Social Role and Literary Type in Biblical Narrative (ISOT), Sheffield 1985, bes. 33–45, hat sich eingehender mit den verschiedenen Bedeutungen von »weise sein« und »Weisheit« in der Verbindung mit Frauen beschäftigt.

6 Vgl. Camp, a.a.O., 120 f.

7 Vgl. zur Abigajil S. Schroer, Abigajil. Eine kluge Frau für den Frieden, in: K. Walter (Hrsg.), Zwischen Ohnmacht und Befreiung. Biblische Frauengestalten, Freiburg i. Br. 1988, 92–99.

8 Vgl. dazu ausführlicher E. Schüssler Fiorenza, a.a.O., 158–162.

9 Camp, a.a.O., 86–90. Die voreilige Unterscheidung zwischen gutem und schlechtem Rat oder Beratung und Handlungsanstoß bzw. Verführung lehnt die Autorin begründet ab.

10 Vgl. aber die dem erotischen Kolorit getreue Übersetzung von D. Georgi (Jüdische Schriften aus hellenistischer Zeit Bd. III Lfg. 4, Gütersloh 1980) bes. zu Weish 7,28–8,18.

11 Vgl. zum Umfeld M. Küchler, Schweigen, Schmuck und Schleier. Drei neutestamentliche Vorschriften zur Verdrängung der Frauen auf dem Hintergrund einer frauenfeindlichen Exegese des Alten Testaments im antiken Judentum, NTOA 1, Freiburg (Schweiz), Göttingen 1986.

12 G. Molin, Die Stellung der Gebira im Staate Juda, Theologische Zeitschrift 10 (1954), 161–175; H. Donner, Art und Herkunft des Amtes der Königinmutter im Alten Testament, in: R. von Kiemle (Hrsg.), Festschrift für J. Friedrich, Heidelberg 1959, 105–145; G. W. Ahlström, Aspects of Syncretism in Israelite Religion (Horae Soederblomianae V), Lund 1963, 57–88. Diese älteren Beiträge bedürften einer feministischen Revision.

13 N.-E. A. Andreasen, The Role of the Queen Mother in Israelite Society, CBQ 45 (1983), 179–194; Iromi, Die Königinmutter und der Camm ha'arez im Reich Juda, VT 24 (1974), 421–429.

14 Vgl. Wacker, a.a.O., und zum Ascherakult S. Schroer, In Israel gab es Bilder, OBO 74, Freiburg (Schweiz), Göttingen 21–45.

15 Vgl. Camp, a.a.O., 199 f., 278 f.

16 P. A. H. de Boer, The Counsellor, in: Wisdom in Israel and the Ancient Near East, Festschrift für H. H. Powley, VT Suppl., Leiden 1955, 42–71.

17 A.a.O., 59. Der Vorschlag de Boers wurde offenbar nicht zur Kenntnis genommen (vgl. z. B. Winter, a.a.O., 644–648).

18 R. Albertz, Der sozialgeschichtliche Hintergrund des Hiobbuches und der »Babylonischen Theodizee«, in: J. Jeremias/L. Perlitt (Hrsg.), Die Botschaft und die Boten. Festschrift für H. W. Wolff, Neukirchen-Vluyn 1981,

349–372. F. Crüsemann, Die unveränderbare Welt. Überlegungen zur »Krisis der Weisheit« beim Prediger (Kohelet), in: W. Schottroff/W. Stegemann (Hrsg.), Der Gott der kleinen Leute. Sozialgeschichtliche Bibelauslegungen Bd. 1, Altes Testament, München u. a. 1979, 80–104. Vgl. auch S. Schroer, Entstehungsgeschichtliche und gegenwärtige Situierungen des Hiob-Buches, in: Hiob (hrsg. vom Ökumenischen Arbeitskreis für Bibelarbeit), Basel, Einsiedeln 1989.

19 Ich kann an dieser Stelle nur auf die gründlichen Studien von C. Camp (Wisdom and the Feminine, 227–291) verweisen und die Ergebnisse ihrer Arbeit in einigen Thesen referieren.

20 Zu sehr ähnlichen Ergebnissen gelangt, wenn auch auf anderen Wegen, E. S. Gerstenberger in seinem lesenswerten Büchlein »Jahwe – ein patriarchaler Gott?« Stuttgart u. a. 1988, bes. 17–27.

21 Vgl. Camp, a.a.O., 112–119 und 265–271.

22 Vgl. Cady, Ronan, Taussig, Sophia, bes. 1–15. Die folgenden Überlegungen verstehe ich als Anregungen. Antworten auf die vielen offenen historischen Fragen zur Chokmah können und wollen sie nicht sein.

23 F. Christ, Jesus Sophia. Die Sophia-Christologie bei den Synoptikern, ATANT 57, Zürich 1970. M. Küchler, Frühjüdische Weisheitstraditionen. Zum Fortgang weisheitlichen Denkens im Bereich des frühjüdischen Jahwe-Glaubens, OBO 26, Freiburg (Schweiz), Göttingen 1979, 584–586. E. Schüssler Fiorenza, a.a.O. (Anm. 2). Vgl. auch den in Anm. 2 zitierten Beitrag der Verf. sowie dies., Der Geist, die Weisheit und die Taube. Feministisch-kritische Exegese eines neutestamentlichen Symbols auf dem Hintergrund seiner altorientalischen und hellenistisch-frühjüdischen Traditionsgeschichte, Freiburger Zeitschrift für Philosophie und Theologie 33 (1986), 197–225.

24 Vgl. zum Folgenden Cady, Ronan, Taussig, Sophia, bes. 76–93.

Auf den Spuren der Weisheit – Sophia im Neuen Testament

1 A. Rich, The Dream of a Common Language, New York 1978, 60–67.

2 Diesen Ausdruck verdanke ich dem Werk von Christine Schaumberger.

3 Wisdom and the Feminine in the Book of Proverbs, BLS 14, Sheffield, 1985.

4 R. A. Baer, Philo's Use of the Categories of Male and Female, Leiden, 1970.

5 B. Mack, Logos und Sophia. Untersuchungen zur Weisheitstheologie im Hellenistischen Judentum, StUNT 10, Göttingen 1973, 188.

6 Dieses Wort darf nicht im Sinne eines christlichen Antijudaismus verstanden werden, wie R. Horsley, Questions about Redactional Strata and the Social Relations Reflected in Q, in: D. J. Lull (Hg.), SBL Seminar Papers, Atlanta 1989, 186–203, zu Recht betont hat. Es drückt das Sentiment von galiläischen Menschen gegen die Machtzentrale Jerusalem aus.

7 S. Schroer, Der Geist, die Weisheit und die Taube, Freiburger Zeitschrift für Philosophie und Theologie 33 (1986), 213 f.

8 Vgl. B. A. Pearson, Hellenistic-Jewish Wisdom Speculation and Paul, in:

R. L. Wilken (Hg.), Aspects of Wisdom in Judaism and early Christianity, Notre-Dame 1975, 43–66.

9 Zum folgenden Abschnitt und zu bibliographischen Hinweisen vgl. meinen Aufsatz, Wisdom Mythology and the Christological Hymns of the New Testament, in: Wilken (Hg.), Aspects of Wisdom, 17–24.

10 B. Mack, a.a.O., 61: »Das Schema von der Rückkehr in den Himmel nach einem Aufenthalt auf Erden entspricht einer Form des Isis-Osiris-Mythos der hellenistischen Zeit.« (vgl. Plutarch, De Iside, 25 ff.).

11 K. Wengst, Christologische Formeln und Lieder des Urchristentums, StNT 7, Gütersloh 1972, 166–180 (170).

12 Siehe besonders die verschiedenen Beiträge und Diskussionen in: Karen King (Hgin), Images of the Feminine in Gnosticism, Philadelphia 1988; D. J. Good, Reconstructing the Tradition of Sophia in Gnostic Literature, SBLMS 32, Atlanta 1987; und besonders auch die Bücher von Elaine Pagels.

13 F. Christ, Jesus Sophia. Die Sophia-Christologie bei den Synoptikern, ATANT 57, Zürich 1970, 81–93.

14 J. S. Kloppenborg, Wisdom Christology in: Q, Laval Théol Phil, 34 (1978), 141.

15 Vgl. H. Gese, Wisdom, Son of Man, and the Origins of Christology: The Consistent Development of Biblical Theology, in: Horizons in Biblical Theology 3 (1981), 45.

16 R. E. Brown, The Gospel According to John, Bd. I, CXXII.

17 Vgl. z. B. J. Chamberlain Engelsman, The Feminine Dimension of the Divine, Philadelphia 1979, 95–148. Mit etwas anderer Argumentation auch Rosemary R. Ruether, Sexism and God Talk, Boston 1983, 57–61. Während jedoch Chamberlain Engelsman die Jungsche Archetypenlehre feministisch aufnimmt, ist Radfort Ruether zu Recht kritisch gegenüber einem männlich-weiblichen Symbolsystem, in dem Weiblichkeit immer zweiter Ordnung ist.

18 Vgl. James M. Robinson, Very Goddess and Very Man: Jesus' Better Self, in: K. King Hgin), Images of the Feminine in Gnosticism, 113–127 und Elizabeth A. Johnson, Jesus the Wisdom of God: A Biblical Basis for Non-Androcentric Christology, Ephemerides Theologicae Lovanienses LXI (1985), 261–294, die meinen Ansatz aufnimmt und ihn im Sinne systematischer Christologie expliziert. Sie versucht eine Christologie im Sinne inkarnatorischer Androgynie zu vermeiden, indem sie betont, daß die Männlichkeit Jesu ebenso wie sein religiöses und kulturelles Judentum theologisch keine Rolle spielen sollte. Aber insofern sie eine essentielle Geschlechterdifferenz annimmt, öffnet sie die Tür für die ontologisch-theologische Normativität des männlichen Menschseins Jesu.

19 Vgl. z. B. Christa Mulack, Jesus – der Gesalbte der Frauen, Stuttgart 1987.

20 Vgl. mein Buch: Zu ihrem Gedächtnis. Eine feministisch-theologische Rekonstruktion der christlichen Ursprünge, München 1988.

21 Dies hat graphisch E. V. Spelman, Inessential Woman, Problems of Exclusion in Feminist Thought, Boston 1988, für das Altertum und die Moderne veranschaulicht.

22 Vgl. S. Thistlethwaite, Sex, Race, and God. Christian Feminism in Black and White, New York 1989.
23 Vgl. besonders die praktischen Übungen und liturgischen Rituale in: Cady, Ronan, Taussig, Wisdom's Feast. Sophia in Study and Celebration, New York 1989.

Ein Bild voller Spannungen

1 Nag-Hammadi-Bibliothek, Faksimile-Ausgabe der Nag Hammadi Codices, veröffentlicht mit Unterstützung des Amtes für Altertümer der Arabischen Republik Ägypten in Zusammenarbeit mit der UNO, Bd. 1–11, Leiden 1972–1977.
2 W. Bousset, Hauptprobleme der Gnosis, Göttingen 1907, 18.
3 H.-C. Puech, Gnosis and Time, in: Man and Time, Bollingen Series No. 20, New York 1957, 38–84, (68).
4 U. Wilckens, Sophia. Theological Dictionary of the New Testament, 1971, Bd. 7, 465–556, (513).
5 Bousset, a.a.O., 18.
6 J. Doresse, The Secret Books of the Egyptian Gnostics, London 1960, 61.
7 K. Rudolph, Sophia und Gnosis: Bemerkungen zum Problem ›Gnosis und Frühjudentum‹, in: Altes Testament-Frühjudentum-Gnosis, hrsg. von K. W. Tröger, Berlin 1980, 220–237. Hans Jonas, Delimitation of the Gnostic Phenomenon, in: Le Origini dello Gnosticismo, hrsg. von U. Bianchi, Leiden 1970, 90–108, (93).
8 L. Schottroff, Der Glaubende und die feindliche Welt, Neukirchen 1970, 10, 42–86.
9 E. Pagels, The Gnostic Gospels, New York 1983, 54. Dies., The Johannine Gospel in Gnostic Exegesis, Nashville – New York 1973, 86–97.
10 D. Good, Reconstructing the Tradition of Sophia in Gnostic Literature, Atlanta 1987.
11 Irenäus, Adversus haereses I. 11, 1.
12 Ebd. I. 11, 2.
13 Ebd. I. 14, 5.
14 Das treffendste Beispiel dafür findet sich im lateinischen Text von Adversus haereses I. 2, 2, der im Unterschied zu dem griechischen den Zusatz enthält: »das in diesem sündigen Äon ausbrechende (Leiden), das Sophia ist.« Die französischen Herausgeber einer neuen Ausgabe des Irenäus haben diese Entwicklung fortgesetzt, indem sie den Namen der niederen Sophia »Achamoth« in die französische Übersetzung von Adversus haereses I.4,1–2 einfügten, ohne daß vom griechischen oder vom lateinischen Text her eine solche Identifikation oder gar eine Schuldzuweisung zu rechtfertigen wäre. Vgl. Adversus haereses, hg. von A. Rousseau und L. Doutreleau, Sources Chrétiennes, Paris 1979, 264. Und D. Good, Sophia in Valentinianism, The Second Century 4,4, 1984, 198–201.
15 R. Arthur, The Wisdom Goddess, Washington 1984, 86.

16 J. Buckley, Female Fault and Fulfilment in Gnosticism, Chapel Hill 1986, 39–60.

17 P. Perkins, The Gnostic Dialogue, New York 1980. Dies., Sophia and the Mother–Father: The Gnostic Goddess, in: The Book of the Goddess Past and Present, hrsg. von C. Olson, New York 1983, 97–109.

18 Dies., Sophia, 107.

19. G. Stroumsa, Another Seed: Studies in Gnostic Mythology, Leiden 1984 (mit ausführlicher Bibliographie).

20 Rudolph, Gnosis, 291–294.

21 J. Dillon, The Middle Platonists, New York 1977. Ders., The Descent of the Soul in Middle Platonic and Gnostic Theory, in: The Rediscovery of Gnosticism, hrsg. von B. Layton, Leiden 1975, 357–346.

22 H. Jonas, The Gnostic Religion, Boston 1958, 239–289.

23 M. Friedländer, Der vorchristliche jüdische Gnostizismus, Göttingen 1898. F. Sagnard, La Gnose Valentinienne et la temoignage de Saint Irenee, Paris 1947, 594.

24 G. MacRae, The Jewish Backround of the Gnostic Sophia Myth, in: Novum Testamentum 12 (1970), 86–101. Vgl. auch Rudolph, Sophia, 223.

25 Bousset, Hauptprobleme, 260–273.

26 H. Conzelmann, The Mother of Wisdom, in: The Future of Our Religious Past, hrsg. von J. Robinson, New York 1971, 230–243, (237, n. 36).

27 H. M. Schneke, Nag-Hammadi-Studien III, ZRGG 14 (1962), 352–361.

28 »Er sieht sich spiegelartig in sich selbst, erscheinend in der Gestalt des Selbst-Vaters«, Eugnostos III, 3, 75, 4–6.

29 Adv. haer. I. 5,3.

30 Ebd., I. 4,1: »Aus diesem Grund trägt sie zwei Namen: Sophia nach ihrem Vater, da Sophia ihr vom Vater abgeleiteter Name ist, und Heiliger Geist nach dem Geist, der zu Christus gehört.

31 »Sein männlicher Name ist [eingeborene Geist-] Vollkommenheit, und sein weiblicher Name ist Allwissende Erzeugerin Sophia (76,23 – 77,4).

32 Die Übersetzung »Elternteil« gibt das koptische Wort »eiot« (Vater) wieder. Wo der koptische Text das griechische Wort für »Eltern« übersetzt, verwendet er die maskuline Pluralform von »eiot«. Es kann also angenommen werden, daß das koptische »eiot« am angemessensten mit dem Wort »Elternteil« wiedergegeben wird. Vgl. D. Good, Gender and Generation: Observations on Coptic Terminology with particular attention to Valentinian Texts, in: Images of the Feminine in Gnosticism, hrsg. von K. King, 23–40.

33 Johannes-Apokryphon 9,26–10,12.

34 Adv. haer. I. 30,3.

35 Adv. haer. I. 23,2: »In ihrer Wanderschaft von Körper zu Körper, in der sie des weiteren die Schande fortsetzte, prostituierte sie sich schließlich selbst in einem Bordell – dies war das verlorene Schaf (Mt18,19).

36 Tripartate Tractate 77, 6–11 und 80,11–21.

37 M. Williams, The Immovable Race, Nag Hammadi Studies 25, Leiden 1985, 17.

38 Johannes-Apokryphon 23,21 ff.

39 Bousset, Hauptprobleme, 58.

40 P. Perkins, Sophia as Goddess in the Nag Hammadi Codices, in: Images of the Feminine in Gnosticism, hrsg. von K. King, 96–112.

41 H.-C. Puech, Où en est le problème du gnosticisme? in: En quête de la Gnose I, Paris 1978, 151 f.

42 J. Sieber, The Barbelo Aeon as Sophia in Zostrianos and Related Tractates, in: Rediscovery II, 788–795.

43 M. Scopello, L'Exegese de l'Ame, Nag Hammadi Studies 25, Leiden 1985, 17.

44 Adv. haer. I. 30,9.

45 Ebd., I. 30,15.

46 Hypostase der Archonten 92,19–93,2. Vgl. auch A. McGuire, Virginity and Subversion: Norea Against the Powers in the Hypostasis of the Archons, in: Images of the Feminine, hg. von K. King, 239–258.

47 Vgl. ebd.

48 P. Trible, Texts of Terror. Literary Feminist Readings of Biblical Narratives, Philadelphia 1984, 57.

49 Vgl. die Nowgoroder Sophia-Ikone in der Tretiakow-Galerie in Moskau. Vgl. auch D. Good, An Iconography of Wisdom in Christian Tradition, 1991.

»Wer ist die Schöne Maid, die ihr Gesicht mit Schleiern verhüllt?«

1 Von keinem der heutigen Forscher wird noch die Ansicht vertreten, daß Rabbi Schimon Bar Yochai der Verfasser des Sohar war. Vgl. Y. Liebes, How the Zohar was written, in: ›The Age of the Zohar‹, Edition J. Dan, Proceedings of the third International Conference on the History of Jewish Mysticism, Jerusalem 1989, Band 8, 1–72. Bezüglich der Geschichte der Sohar-Forschung vgl.: I. Tishby, The Wisdom of the Zohar, Oxford University, 1989, 17–116 der hebräischen Ausgabe von 1971; sowie G. Scholem, Major Trends in Jewish Mysticism, N. Y. 1978, Kap. 5.

2 Halachah ist die Lehre und auch die Weise, nach dem jüdischen Gesetz zu leben.

3 Eine jüdische Erlösungsbewegung des 17. Jahrhunderts, angeführt von Schabtai Zvi und nach ihm benannt.

4 Tishby, The Wisdom, 40; Scholem, Major Trends, 156.

5 Der Ausdruck Sephirah (Mehrzahl: Sephirot) kommt im Sohar kaum vor. Statt dessen finden wir in ihm Bezeichnungen wie Stufen, Lichter, Kräfte, Seiten, Welten, Firmamente, Maße, Kleider, Kronen, usw. Die Sephirot sind Manifestationen der verborgenen Gotteskraft und bezeichnen bestimmte Aspkete seines Wesens. Jeder Sephirah sind vielerlei Symbolwerte eigen, die auf ihre Eigenschaften und Wirkgebiete hinweisen. Sie sind aber auch der Schlüssel zur mystischen Erfassung der Gottheit. Die gebräuchlichsten Namen für die zehn Sephirot sind: Obere Krone – für die erste und dem Unendlichen nächste Sephirah, unerreichbar für menschliches Fassungsvermögen; Chokhmah – für die erste göttliche Idee; Binah – für die göttliche

Intelligenz (die Sephirot Chokhmah und Binah stehen auch für Vater und Mutter oben, deren Vereinigung die Welt der Sephirot aufrichtet); Chesed (wtl. Gnade) – für die Liebe und Güte Gottes; Gevurah (wtl. Macht) – für die Kraft von Recht und Gericht; Tipheret (wtl. Pracht) – für Barmherzigkeit, die in der Mitte zwischen göttlicher Gnadenfülle und gesetzlichen Begrenzungen gedacht wird; Netzach (Sieg, Dauerhaftigkeit), Hod (Herrlichkeit, Zier), Yesod (Grundlage, Fundament) – für eine Art unterer Ausläufer der drei ersten Sephirot; Malkut (Königreich) – für das Reich Gottes in der Welt und die weibliche Kraft des Göttlichen. Diese äußerst knappe Beschreibung der Sephirot ist bei weitem nicht erschöpfend. Eine eingehende Beschreibung bringt G. Scholem, Major Trends, 207–225; auch Tishby, The Wisdom, Abschn. A, 131–161.

6 Moses de Leon, »Sepher ha'Rimmon«, Ausgabe E. Wolfson The Book of the Pomegranate, Alt. 1988, 22–24.

7 De Leon, »Shekel ha'Kodesh«, Ausg. A. W. Greenup, London 1911, 21. Hierüber ausführlicher in meiner Dissertation: Magie und Zauberei im Sohar, Hebr. Universität Jerusalem 1989, besonders 41 und Anmerkung 27 auf 285, wo ich diesbezüglich auf verschiedene Aufsätze hinweise.

8 Nach jüdischer Auffassung gibt es mehrere Welten, und jeder Mensch ist eine Welt für sich.

9 Das hebr. Wort Adam bezeichnet den Prototyp des Menschen und kann somit auch Menschheit bedeuten.

10 Das hebr. Wort »neschamah« (Gen 2,7), oft mit (Lebens-)Odem übersetzt, ist hier mit Gottseele wiedergegeben, zur Unterscheidung von der noch unentfalteten triebhaften Seele (»nephesch«, Seele, bezeichnet alles, was Atem hat, z. B. Gen 1,20.24, und kann damit allerdings auch deren Entfaltung zur Gottseele mit einschließen).

11 Allerdings unter Auslassung der Teile, die sich mit Detailfragen der göttlichen Seele befassen und unser Anliegen hier nicht direkt berühren.

12 Er bezog sich damit auf die Worte seines Gesprächspartners Rabbi Chija. Denn in einem Weisen, der sich mit Thora beschäftigt, sieht man die Schechinah erscheinen.

13 Gemeint ist die Thora, die durch die Sephirah Malkut symbolisiert wird.

14 Die zwei wurden drei, weil sie mit Rabbi Chija beisammen waren. Zu dritt wurden sie eins durch ihre Beschäftigung mit der Thora.

15 Denn tatsächlich ist ja von einer Priestertochter die Rede.

16 In die Sephirot Tipheret und Yesod, die den männlichen Aspekt der göttlichen Welt symbolisieren, da sie die göttliche Fülle an die unteren Sephirot weitergeben.

17 Die Sephirah Chesed, Gnade, die Vater Abraham symbolisiert.

18 Die Sephirah Malkut, die als Tor fungiert, durch welches die Gottseelen von der oberen in die untere Welt gezogen werden.

19 Das heißt, die Gottseele wird hier als Tochter des Heiligen, gelobt sei Er, aufgefaßt, als Funke seines Wesens.

20 Die Sephirah Malkut, die in sich die Kräfte der Sephirot Chesed und Din, Gnade und Gericht, vereint.

21 Dies ist ein Hinweis auf die vielschichtigen Bedeutungen der Thora die sich dann später in dem vierseitigen Bauwerk des »Pardes« kristallisierten, das aus Pschat, Remes, Drasch und Sod besteht. In der üblichen Auslegung dieser Begriffe sieht man im Pschat (wtl. das Einfache) das schlichte Verständnis des geschriebenen Textes, im Remes (wtl. Hinweis) die allegorische Darstellung, im Drasch die tiefergehenden Midraschim (Auslegungen) der Weisen, und im Sod (wtl. Geheimnis) das Geheimnis des Glaubens, nämlich das mystische Verständnis der Kabbala. Hierüber sind sehr viele Forschungsarbeiten geschrieben worden, z. B. von G. Scholem in: Zur Kabbala und ihrer Symbolik, Zürich 1960 (58–59 der hebräischen Fassung); Sendler in: Zur Frage des Pardes und das System der Seiten (hebräisch, im Buch E. E. Urbach, Jerusalem 1956, 222–235); Tishby, Wisdom of, Abschn. B 369.

22 Das Gleichnis findet sich im Sohar Abschn. B, Kap. »Mischpatim«, 94b–99b im Zusammenhang mit dem Stück über den »Sabba d'Mischpatim« (dem Alten der Rechtssprüche). Wegen der Art der Erzählform und der Einmaligkeit seiner Gedanken erregte dieses Gleichnis das Interesse vieler Forscher, so z. B. P. Lachover, An der Grenze zwischen Altem und Neuem, Jerusalem 1941, 40–51. D. C. Matt, Zohar, The Book of Enligntenment, N. Y. 1983, 121–126 (mit einer Übersetzung des Gleichnisses ins Englische), sowie die Anmerkungen auf 252, 253; D. Cohen-Alloro, Das Geheimnis des Gewandes und der Anblick des Engels (hebräisch, 45–49); E. Wolfson, Female Imaging of the Thora: From Literary Metaphor to Religious Symbol, in: From Ancient Israel to Modern Judaism Vol II, Atlanta 1989, 295–296.

23 De Leon, Shekel ha'Kodesh, 6.

24 De Leon, »Sepher ha'Rimmon«, negative commandments, Critical Edition by D. Cohen-Alloro, Hebräische Universität, Jerusalem 1987.

25 Bereschit Rabbah, 44:9.

26 Va'Yikra Rabbah, 11:3. Die Erwähnung von sieben Büchern der Thora anstatt der allgemein bekannten fünf Bücher beruht auf einer Überlieferung, derzufolge das Vierte Buch Mose (Numer.) eigentlich aus drei Büchern besteht (vgl. dazu die Anmerkungen des Textbearbeiters des Va'Yikra Rabbah).

27 Bereschit Rabbah, 1:1.

28 Sohar Abschn. A, 204.

29 Sohar Abschn. B, 156b

30 Sein Werk heißt: Ta'ame ha'mitzroth (Bedeutung der Gebote). Diesen Abschnitt bringt M. Idel in seinem Aufsatz: Thora-Verständnis in der Hechalut-Literatur und seine Transformierung in der Kabbala, in: Jerusalem Studies in Jewish Thought, A, Jerusalem 1941, (68 der hebr. Fassung).

31 Die Sephirah Malkut, die der Titel dieses Abschnittes in Gikatilias-Buch »Scha'arei Orah« ist. Dieses Buch enthält zehn Abschnitte. Jedes davon ist einer Sephirah gewidmet und befaßt sich mit den verschiedenen Symbolen derselben. Die Zitate daraus sind der Ausgabe von Ben-Schlomoh Jerusaelem 1970, entnommen.

32 Gikatilia, Scha'arei Orah, Abschn. A, 86.

33 Sepher ha'Rimmon, negative commandments, 91. Bezüglich dieser Identifi-

zierung der Schechinah mit der mündlich überlieferten Thora in der frühen und der späteren Kabbala siehe G. Scholem, Grundlagen, (S 50 ff. der hebr. Fassung); E. Wolfson, Female Imaging, 290 ff.

34 Sohar Abschn. C, 296a, Idra Suta.

35 Das zugrundeliegende hebräische Wort kann ›im‹ (=wenn) oder ›äm‹ (=Mutter) gelesen werden.

36 Vgl. Ex. 29,45; Lev. 26,12, u. a.

37 Siehe diesbezüglich den Aufsatz von G. Scholem, Die Schechinah, in: Kabbala zum Verständnis der Kabbala und ihrer Symbole, 259–307 hebr. Fassung; ders., Der Sinn der Thora in der jüdischen Mystik, 49–115 (deutsche Fassung); ders., Major Trends in, 229–231; ferner Tishby, Wisdom, Abschn. A, 219–231, und Abschn. B, 363–398; und schließlich E. Wolfson, Female Imaging, wo er auch eine ausführliche Aufzählung weiterer Forschungsarbeiten bringt, die sich mit diesem Thema beschäftigen.

38 Schon das hebräische Wort für Sprache, »saphah«, deutet diese Begrenzung an; es bedeutet auch Lippe sowie Ufer, das, was dem Fluß Grenzen setzt.

39 Aziluth, abgeleitet von dem Grundwort ›ezel‹ (=nahe bei) bezeichnet den Teil der Weltschöpfung, der in seinem ideellen Anfang dem Unendlichen, Ewigen am nächsten und in diesem Nahesein noch voller ungeminderter Würde ist. Beriah bedeutet »Schöpfung« und bezieht sich schon auf deren (materiellen) Beginn.

40 Gikatilia, Scha'arei Orah, Abschn. B, 74–75.

41 Schemot Rabbah 15:26.

42 Im Hebräischen liegt hier ein Wortspiel mit den Worten ›calah‹, Braut, und »clulah«, »alles enthaltend«, vor. Abgeleitet von dem Grundwort ›col‹, alles, kann man also die Braut mit als »mein ein und alles« bezeichnen.

43 Ebenso in den hebräischen Schriften de Leons (bei G. Scholem: Die zwei Schriften de Leons, zusammengefaßt in Band 8, Jerusalem 1976, 382): »Die Braut, die alles von allem enthält und in ihrem Grund vollkommen ist«. Scholem weist in diesem Zusammenhang auch auf weitere Quellen hin, 86.

44 Ebd. Siehe auch Sohar Abschn. A 81b und 140b: »Aus diesem Grund sagte Abraham: »Sie ist meine Schwester«; denn er wollte der Schechinah zugehören, gemäß dem Wort: »Sprich zur Weisheit, meine Schwester bist du.«

45 Sohar Abschn. A, 228a.

46 Shekel ha'Kodesch, 91.

47 Sohar Abschn. B, 12a.

48 Scha'arei Orah Abschn. A, 61.

49 Scha'arei Orah Abschn. A, 57.

50 Sohar Abschn. A, 235a.

51 Shekel ha'Kodesh, 95.

52 Sohar Abschn. A, 223b.

53 Shekel ha'Kodesh, 72.

54 Shekel ha'Kodesh, 72.

55 Scha'arei Orah, 57.

56 Sohar Abschn. C, 108a.

57 Siehe weiter unten Kap. »Das Geheimnis des Gewandes«.

58 Sohar Abschn. B, 36b.

59 Shekel ha'Kodesh, 115. Das Tetragrammaton kann auf verschiedene Weise ausgesprochen werden, je nach dem Aspekt, der zum Ausdruck gebracht werden soll. Jeder Ausspracheversuch ist so eine unzulässige Begrenzung des Unbegrenzten.

60 Scha'arei Orah Abschn. A, 87.

61 Die zwei Schriften de Leons, 383 (s. o. Anm. 6 und 7).

62 Scha'arei Orah, 81.

63 Über diese Vorstellung und die verschiedenen Ausdrucksformen, die sie im Sohar fand, schrieb ich ausführlich in meinem Buch »Das Geheimnis des Gewandes und der Anblick des Engels« (hebr.).

64 Vgl. beispielsweise die Worte des Sohar Abschn. C 77b: »Die obere Mutter (Binah) wird Gefährtin genannt, weil die Liebe des Vaters (Sephirah Chokhmah) niemals von ihr wich«. Im weiteren Verlauf wird dann der Unterschied zwischen der unaufhörlichen Paarung des oberen Vaters und der oberen Mutter und der durch die Sünde gestörten Paarung zwischen dem unteren Vater und der unteren Mutter (den Sephirot Tipheret und Malkut) erläutert.

65 Siehe hierüber Tishby, Wisdom of, Abschn. A, 135, Abschn. B, 7–11.

66 Näheres über die verschiedenen Seiten der Magie im Sohar in meiner Dissertation »Magic and Sorcery in the Zohar«.

67 Über die Wiederherstellung der (gestörten) Sephirot durch Thora-Vertiefung und die mit dieser Vorstellung verbundenen magischen Grundzüge siehe in dem Aufsatz von J. Liebes, The Messianic Idea in Jewish Thought, Jerusalem 1977 (182–191 der hebr. Fassung). Ferner Tishby, Wisdom of Abschn. B, 363–375. – In der Nacht des Wochenfestes (Lev 23,15 ff.; christlichen Lesern bekannt als Pfingsten) ist es üblich, Thora zu lernen zur Vorbreitung auf den Empfang des Gesetzes, nämlich der göttlichen Lehre, der Thora, an deren erstmalige Gabe am Sinai dieses Fest erinnert. Laut jüdischer Lehre soll jede Generation sich als vor den Sinai gestellt sehen.

68 Zu dem Thema »Heilige Paarung« siehe Tishby, The Wisdom, Abschn. B, 607–626; G. Scholem, Kabbala, 131–132; J. Liebes, Der Messias im Sohar, 198–203 (›Paarung gemäß -göttlichem- Willen‹); D. C. Matt ›The Mystic and the Mizwot‹ in: Jewish Spirituality, ed. A. Green, N. Y. 1986, 387, 389.

Die Mütterlichkeit Gottes

Teile dieses Beitrags erschienen in englisch in: The Downside Review 108 (1990), 111–130.

1 Bernhard von Clairvaux, Sermo 9.5 super Cantica, in: Opera Sancti Bernardi, hg. von J. Leclercq, C. H. Talbot, H. Rochais, Rome, 1957–1977, I, 45.

2 Epistola 322, Opera VIII, 257.

3 Sermo 9.10 super Cantica, Opera I, 48.

4 Sermo 23.2 super Cantica, Opera I, 140.

5 Epistola 258, Opera VIII, 167–68.

6 Caroline Bynum, Jesus as Mother and Abbot as Mother: Some Themes in

Twelfth-Century Cistercian Writing, in: Jesus as Mother, Berkeley, 1982, 154–66.

7 Epistola 2, Opera VII, 12–13.

8 Ausführlich begründet in: Barbara Newman, Sister of Wisdom: St. Hildegard's Theology of the Feminin, Berkeley, 1987, Kap. 3.

9 Epistola 48 in: J.-P. Migne (Hg.), Patrologiae latinae cursus completus (Paris 1855, hier kurz: PL), Bd. 197, 249b.

10 Liber divinorum operum I. 2.19, in: PL 197, 765a.

11 Liber vitae meritorum I. 46 und III. 8, in: J.-B. Pitra (Hg.), Analecta Sacra 8 (Monte Cassino, 1882), 23, 108.

12 Liber divinorum operum I. 1.2, in: PL 197, 743.

13 J.-M. Bissen, La tradition sur la prédestination absolue de Jésus – Christ du VIIe au XIVe siècles, France franciscaine 22 (1939), 9–34.

14 Epistola 30, PL 197, 192d.

15 Liber divinorum operum, I. 4.100, in: PL 197, 885c.

16 Caroline Bynum, Holy Feast and Holy Fast: The Religious Significance of Food to Medieval Women, Berkeley, 1987, 102–103.

17 Leben Seuses, Kap. 3, in: Deutsche Schriften, hg. von Karl Bihlmeyer, Stuttgart, 1907, 13.

18 Ebd., Bihlmeyer, 14.

19 Ebd., Kap. 44, Bihlmeyer, 149.

20 Ebd., Kap. 8, 12, Bihlmeyer, 26–27, 32–33.

21 Ebd., Kap. 35, Bihlmeyer, 103.

22 Jeffrey Hamburger, The Use of Images in the Pastoral Care of Nuns: The Case of Heinrich Suso and the Dominicans, Art Bulletin 71 (1989), 25.

23 Leben Seuses, Kap. 13, Bihlmeyer, 34.

24 Büchlein der Ewigen Weisheit, Kap. 7, Bihlmeyer, 223.

25 Beide Texte in: E. Colledge und J. Walsh (Hg.), A Book of Showings to the Anchoress Julian of Norwich, 2 Bde., Toronto 1978.

26 Vgl. Kari Børresen, Christ notre mère, la théologie de Julienne de Norwich, in: Mitteilungen und Forschungsbeiträge der Cusanus-Gesellschaft 13, Mainz 1978, 320–29.

27 Ausführliche Fassung, Kap. 51, Colledge und Walsh II, 533–34.

28 Ebd., Kap. 58 f., Colledge und Walsh II, 585. 590.

29 Ebd., Kap. 60, Colledge und Walsh II, 595–97.

30 Ebd., Kap. 57, Colledge und Walsh II, 580.

31 Ebd., Kap. 63, Colledge und Walsh II, 618.

32 Kurzfassung, Kap. 6, Colledge und Walsh I, 222.

33 Bernhard Lang, Frau Weisheit: Deutung einer biblischen Gestalt, Düsseldorf 1975.

34 Felix Christ, Jesus und Sophia: Die Sophia-Christologie bei den Synoptikern, Zürich 1970.

35 Vgl. zum Beispiel: Christa Mulack, Die Weiblichkeit Gottes: Matriarchale Voraussetzungen des Gottesbildes, Stuttgart 1983. Elisabeth Moltmann-Wendel (Hg.), Weiblichkeit in der Theologie: Verdrängung und Wiederkehr, Gütersloh 1988.

»Der einzige Weg zur Erkenntnis Gottes«

1 Gottfried Arnold, Das Geheimnis der göttlichen Sophia, Faksimile-Neu-
   druck der Ausgabe von Leipzig 1700, hg. von Walter Nigg, Stuttgart-Bad
   Cannstatt, 1963, Teil 1, Kap. 21 u. 15, 152. Alle Zitate aus dieser Sophia-
   Schrift werden im Text mit Klammern nachgewiesen. Bei der unpaginierten
   Vorrede beziehen sich die Angaben auf die Abschnitte, bei Teil 1 auf die
   Seiten.

2 Das geschah in »Babels Grablied«, nachgedruckt in: Erich Seeberg, hg.:
   Gottfried Arnold. In Auswahl, München 1934, 276–278.

3 Das Hauptwerk Gichtels bildet die siebenbändige »Theosophia Practica«,
   Leyden 1722.

4 A Fountain of Gardens, London 1696; deutsch: Ein Garten-Brunn, Amsterdam 1697.

5 Vgl. hierzu Wilhelm Struck, Der Einfluß Jakob Boehmes auf die englische
   Literatur des 17. Jahrhunderts, Rostock 1935, 141.

6 Vgl. hierzu Nils Thune, The Behmenists and the Philadelphians, Uppsala
   1948, 49.

7 Vgl. hierzu Walter Nordmann, Die Eschatologie des Ehepaares Petersen,
   ihre Entwicklung und Auflösung, in: ZVKGS 26 (1930), 83–108 und 27
   (1931), 1–19, bes. 9–13.

8 Jung-Stilling nennt die himmlische Weisheit »Siona«, sie tritt in seinem Ro-
   man ›Heimweh‹, aber auch in anderen Texten auf. Zu Novalis vgl. Gerhard
   Wehr, Novalis. Ein Meister christlicher Einweihung, Freiburg 1980, 55–57.

9 Vgl. hierzu Ernst Benz, Gottfried Arnolds »Geheimnis der göttlichen Sophia«, und seine Stellung in der christlichen Sophienlehre, in: Jahrbuch der
   Hessischen Kirchengeschichtlichen Vereinigung 18 (1967), 51–82.

10 Diesem Zitat wurde der Titel des Aufsatzes entnommen.

11 Diese Bilder stammen vor allem aus den alttestamentlichen Weisheitsschriften.

12 Die Vorrede zum zweiten Teil der Sophia-Schrift, aus der dieses Zitat
   stammt, ist wieder unpaginiert; Zitat: Abschn. 17. Die folgenden beiden Zitate kommen aus diesem Teil 2.

13 Böhmes Werke werden nach folgender Ausgabe zitiert: Jakob Böhme,
   Sämtliche Schriften, Faksimile-Neudruck der Ausgabe von 1730 in 11 Bän-
   den, hg. von Will-Erich Peuckert, Stuttgart 1955–1961. Die »Aurora« befindet sich in Bd. 1 dieser Ausgabe, Bd. 11 enthält Biographisches zu Böhme.
   Im folgenden wird im Text in Klammern zuerst die Bandzahl angegeben,
   dann folgt die Seitenzahl.

14 Vgl. hierzu auch die Arbeiten von Thomas Schipflinger: Die Sophia bei Jakob Böhme, in: Una Sancta 41 (1986), 195–210; Sophia-Maria. Eine ganzheitliche Vision der Schöpfung, München/Zürich 1988, 121–137.

15 Dieses und das folgende Zitat stammen aus der Schrift »Vierzig Fragen von
   den Seelen«, in Bd. 3 der Gesamtausgabe, Frage 36, 166.

16 »Der Weg zu Christo« enthält mehrere in sich abgeschlossene Traktate, alle
   folgenden Zitate stammen aus »Von wahrer Busse«.

Die Weisheit Gottes

1 Für die Transliteration der russischen Namen benutzen wir im Falle Wladimir Solowjews (ausgesprochen: Solowjow) die Schreibweise der Deutschen Gesamtausgabe der Werke von Wladimir Solowjew, hrsg. v. Wladimir Szylkarski, Ludolf Müller u. a. Freiburg/Br. 1954 ff.

2 Angesichts des hohen Prozentsatzes der Bevölkerungszahl unseres Planeten, der Sprachen spricht, die kein grammatisches Geschlecht kennen, hält die Verf.-in es für methodisch unkorrekt, die für den indoeuropäischen Sprachgebrauch der Neuzeit und Gegenwart gemachten Beobachtungen über solche Beziehungen von Wörtern mit bestimmtem grammatischem Geschlecht zu den Realitäten anthropologisch-soziologischer Befindlichkeiten oder bestimmter Sachverhalte zu machen. Ihr scheint es, daß bei solchem linguistisch-philosophischen Arbeiten über »sexistische« und (der Frau gegenüber) »exklusive« oder »inklusive« Sprache Verstehensmuster der sogenannten »ersten« – vielleicht auch der »zweiten« – Welt in unzulässiger, zumindest ungeprüfter Weise auf allgemeingültige, also zeitlich und räumlich unbegrenzte Aussagen übertragen werden.

3 Eingeschlossen ist auch solches feministische Denken, das den Einen Gott, geschweige den Dreifaltigen Gott der christlichen Tradition nicht als seiend anerkennt, aber in einer religions-wissenschaftlichen Schau von außerhalb aller Glaubenstraditionen dennoch eine religiöse, irgendwie transzendentale Sphäre und/oder einen Mythos zur Rechtfertigung der angestammten Menschenwürde der Frau sucht.

4 Hier ist etwa an Hildegard von Bingen, Herrad von Landsberg, Heinrich Seuse oder Jakob Böhme ebenso wie an die christliche Kabbala zu denken.

5 Hier ist etwa an Friedrich Schelling und dann an die russischen Religionsphilosophen zu denken.

6 Über einige Züge der damaligen Sophia-Begeisterung vgl. meinen Aufsatz Sophia – die Weisheit Gottes. Über die Visionen des Wladimir Solowjew als Grundlage seiner Sophiologie, in: Una Sancta 39. Jg. (1984), 113–129.

7 Im Lebensverlauf Wladimir Solowjews ging die mystische Schau der philosophischen Begründung voraus. Vgl. meinen in Anm. 6 zitierten Aufsatz.

8 Insbesondere handelt es sich hier um Pavel Florenskij und – im Westen mehr bekannt geworden – Sergij Bulgakow. Beide waren nicht nur Gelehrte, sondern auch Priester ihrer russischen orthodoxen Kirche.

9 Hier ist vor allem Georgij Florovskij (im englischen Sprachraum unter Georges Florovsky veröffentlicht) zu nennen.

10 Es sei daran erinnert, daß die orthodoxe Kirche den Kanon der biblischen Bücher der Septuaginta hat, also einschließlich der Deuterokanonika des alttestamentlichen Textes.

11 Gemeint ist die Zeit der ungeteilten Kirche der VII Ökumenischen Konzilien ebenso wie die getrennte Ostkirche und Westkirche des Mittelalters.

12 Die Verf.-in hat die Absicht, diesem Thema eine eigene Arbeit zu widmen.

13 S. Bulgakow kann sogar als Offenbarungspositivist, ähnlich wie Karl Barth, sein Zeitgenosse, bezeichnet werden.

14 So heißt in der orthodoxen Kirche der eucharistische Gottesdienst.

15 In der Tat nimmt der Prolog des Johannes-Evangeliums implizit gerade auf diese Texte und den Schöpfungsbericht Bezug, so daß die Verknüpfung gerade dieser Texte bei Solowjew und seinen Nachfolgern keine willkürliche Auswahl bedeutet.

16 Florovskij hätte auch auf die in den Evangelien und bei Paulus verborgene Jesus- bzw. Christus-Sophiologie hinweisen können; sie war aber zu seinen Lebzeiten in der neuen exegetischen Literatur zum Neuen Testament noch nicht herausgearbeitet. Vgl. hierzu: Felix Christ, Jesus Sophia. Die Sophia-Christologie bei den Synoptikern, Zürich 1970.

17 Gewöhnlich werden Ikonen dieser Art dem Typus »Christus-Pantokrator« zugerechnet.

18 Jes Sir 8,2.

19 »Gespielin«, »Gefährtin«, sagte der griechische Text der Septuaginta und so übersetzt nach ihm die kirchenslawische Bibel. Der revidierte deutsche Text der Lutherbibel sagt Werkmeister(in) nach dem hebräischen Urtext. Die richtige Übersetzung des hebräischen Originals an dieser Stelle ist aber bei den Exegeten bis heute umstritten. Vgl. B. Lang, Frau Weisheit. Deutung einer biblischen Gestalt, Düsseldorf 1975.

20 Spr 8,23.30 f.

21 So erscheint sie im Codex Rossanensis (VI. Jh.) dem Evangelisten Markus gleichsam als seine Inspiratorin; so sitzt sie in der Initiale »O« des Buches Sapienta Salomonis in der Alkuin-Bibel. In der spätbyzantinischen Kunst tritt sie hingegen als Engel auf, also als geschlechtsloses Wesen, ob sie nun wieder die Evangelisten inspiriert oder den Tempel Gottes stützt. Vgl. hierzu meinen Aufsatz: Frau Weisheit – in byzantinischen und karolingischen Quellen des 9. Jahrhunderts – Allegorische Personifikation, Hypostase oder Typos?, in: Tupos, Symbol, Allegorie bei den östlichen Kirchenvätern und ihre Parallelen im Mittelalter, hrsg. v. Margot Schmid und Carl-Friedrich Geyer, Eichstätter Beiträge Bd. 4, Regensburg 1982, 146–186.

22 Sie spielen immer eine Rolle in den Gottesdiensten, die auf die Christusfeste vorbereiteten, so z. B. zu Weihnachten oder zum Karfreitag.

23 Deutsche Gesamtausgabe der Gesammelten Werke von Wladimir Solowjew (Anm. 1) (von jetzt an zitiert: GW) III, 368.

24 Solowjew denkt hier an die Sophia-Kathedralen in Kiew, Nowgorod und Polotzk, deren Patrocinium aus dem Ende des 10. Jahrhunderts stammt, also unmittelbar nach der Annahme des Christentums durch Fürst Wladimir I.

25 GW III, 368.

26 Als Anspielung auf Spr 9,1.

27 Allerdings kann man das nicht mit Bestimmtheit behaupten. Der ganz jugendliche Mann und die Jungfrau sind in vielen mittelalterlichen Darstellungen zum Verwechseln ähnlich.

28 Vgl. Weish 7,26 u. ö.

29 Mit »westlich« bezeichne ich römisch-katholische und reformatorische

Theologie als Kinder derselben lateinischen altkirchlichen Tradition der Alten Kirche.

30 Man denke an die Sapientia-Antiphon unter den großen »O-Antiphonen« der letzten vorweihnachtlichen Tage.

31 Zuviel Allgemeinplätze hat es schon in schnellen allgemeinen Übersichten über die russische Sophiologie gegeben. Die Verf.-in hat die Absicht, noch mehrere den einzelnen Sophiologien im Gefolge Solowjews gewidmete Artikel folgen zu lassen.

32 W. Solowjew gehörte zusammen mit einigen Anglikanern zu den Wegbereitern der ökumenischen Bewegung des 20. Jahrhunderts.

33 Gewöhnlich wird übersehen, daß die Sophiologie Wladimir Solowjews auch in engem Zusammenhang mit seiner Soziallehre steht.

34 Hervorhebung durch W. Solowjew.

35 Ergänzung des Übersetzers um der genauen Wiedergabe des Sinnes des Urtextes willen.

36 GW II, 385.

37 Vgl. GW III, 367.

38 Ebd.

39 D. h. durch das Mysterium, das Sakrament der hl. Eucharistie.

40 Ebd.

41 Ebd.

42 Es fehlt m. W. noch eine Spezialuntersuchung zu Solowjews Substanzbegriff (ebenso wie zu dem der »Form«). Bei seinem in so vieler Hinsicht deutlichen Platonismus, der sowohl der Denkweise der griechischen Kirchväter und der Lehrweise seiner Professoren an der Moskauer Geistlichen Akademie zu jener Zeit entsprach als auch der vom deutschen Neokantianismus inaugurierten Platorenaissance, wären das doch wohl deutliche Züge aristotelischen Denkens bei Solowjew. Hier jedenfalls gebraucht er »Natur«, »Wesen«, und »Substanz« offenbar als Synonyma.

43 Das griechische Wort ist: »theanthropos«.

44 Solowjew kennt natürlich noch keine literarkritische Unterscheidung zwischem »erstem« und »zweitem« Schöpfungsbericht.

45 Vgl. Gen 1,1. Solowjew schließt sich hier der traditionellen Exegese der Kirchenväter an.

46 GW III, 341 f.

47 GW III, 343. Die Weisheit Gottes will immer das Eine, alles Umfassende.

48 GW III, 357.

49 Hier ist das im Deutschen nicht voll wiederzugebende Wortspiel zu beachten, das sowohl für das gr. »arche« als auch für das lat. »principium« und das russ. »nacalo« gilt. Diese Wörter bedeuten zugleich »im Anfang, zu Beginn« und »im Prinzip«. Genau in diesem doppelten Sinne will Solowjew seine Ausführungen verstanden wissen. Vgl. die Bemerkung der Übersetzer GW III,352.

50 Solowjew gebraucht hier das hebräische Wort anstelle des russischen-kirchenslawischen »carstvo«, wohl um zu unterstreichen, daß hier nicht etwa ein räumliches »Reich« zu verstehen ist, sondern der ewige Akt der uneinge-

schränkten herrlichen Herrschaft Gottes. Die Wahl des Wortes mag auch auf Solowjews Studium der Kabbala hinweisen, mit der er sich während seines Studienaufenthaltes in London vor allem beschäftigt hatte.

51 Man erinnere sich an das über Solowjews Platonismus schon Angemerkte. In diesem Zusammenhang der platonische Begriff der »methexis«. Hier haben wir ein gutes Beispiel für diese Denkweise und den Zusammenhang von Idee, Ideal und Realität, in Wirklichkeit und Erkenntnis.

52 GW III, 362.

53 Vgl. Gen 2,7. Leider ist das Bibelstellenregister im für Solowjews Sophia-Lehre vor allem zu benützenden Band der deutschen Gesamtausgabe völlig ungenügend. Solowjew zitiert den von ihm interpretierten Wortlaut der angezogenen Texte ständig und ohne die vollständige Aufführung der Zitate. So ist es schwer, sich ein Bild über seine exegetische Arbeitsweise zu machen, wenn man nicht mit ihr vertraut ist. – Allerdings hat die französische Originalausgabe, die ich nie gesehen habe, wohl kein solches Register; jedenfalls hat die russische Übersetzung der russischen Gesamtausgabe keines.

54. GW III, 362.

55 Vgl. M. George, Mystische und religiöse Erfahrung im Leben Vladimir Soloviews, Göttingen 1988.

56 Spr 8,31.

57 Gen 1,26 f.

58 Vgl. GW III,363.

59 Ebd.

60 Ebd.

61 Ebd.

62 Vgl. oben Anm. 59.

63 GW III, 362.

64 GW III, 364 f.

65 GW III, 365.

66 Ebd.

67 Solowjew setzt hier das Wort in griechischen Lettern.

68 Vgl. Röm 5; 1 Kor 15.

69 GW III, 366.

70 Ebd.

71 GW III, 367.

72 Nochmals möchte ich betonen, daß m. A. n. der aristotelische Begriff der Entelechie am besten geeignet ist, Solowjews teleologisches Denken nachzuvollziehen.

73 Dies »Bibelzitat« in lateinischer (!) Sprache ist sehr seltsam. Natürlich ist hier tatsächlich auf Gen 3,15 angespielt, wo es heißt, daß Gott Feindschaft setzen wolle zwischen dem »Samen« der Schlange, der Verführerin zum Abfall, und zwischen dem Samen der Eva, also der Frau, d. h. dem ganzen Menschengeschlecht. Aber warum zitiert Solowjew, der hier immer auf den hebräischen Text rekurriert und den griechischen ohne Zweifel die ganze Zeit im Kopf hat, den lateinischen, und woher hat er das »scilicet Sophiae«? Hier

hoffe ich auf Auskunft der Kenner der barocken deutschen und englischen Sophiologie und christlichen Kabbalistik. Denn dieses »scilicet Sophiae« sollte doch wohl aus irgendeiner ähnlichen Auslegung der Geschichte von Schöpfung und Fall stammen.

74 Hier und an ähnlichen Stellen erlaube ich mir, die Übersetzung der GW im Sinne modereneren Sprachgebrauchs zu ändern. Immer wo er für franz. »femme« »Weib« sagt, gebrauche ich »Frau«.

75 GW III, 367.

76 Wir sollten nicht vergessen, daß Solowjew im Zeitalter der universalgeschichtlichen Deutungen z. B. von G. W. Hegel, A. Comte und K. Marx lebt.

77 Vgl. oben S. 130.

78 GW III, 367.

79 Diese hatte schon eine ansehnliche Geschichte hinter sich. In dieser Hinsicht war Rußland im Vergleich zu vielen anderen Ländern Europas sehr fortschrittlich.

80 Zu dieser Übersetzung des franz. Wortes »Epouse« vgl. Anm. des Übersetzers in GW III, 325, n. 1.

81 Heutige Sophiologen in der Sowjetunion (die als solche bisher nicht publizieren konnten, aber der Verf.-in bekannt sind) verbinden gerne Solowjews Urbild-Ebenbildverständnis mit der C. G. Jungschen Lehre von den ›Archetypen‹, die sie dann wiederum als auch jenseits vom Psychischen ontisch reale ›typoi‹ verstehen.

82 Ex 20,4. Es werden hier genau die gleichen Wörter wie in Gen 1,26 f. gebraucht.

83 Vgl. hierzu das oben S. 127, Anm. 49 über »arche«, »principium« Gesagte.

84 GW III, 352 f.

85 GW III, 353.

86 Hebr. für »Sophia« »Weisheit«.

87 GW III, 353 ff. Hierbei wären wir beim Engel, der in der russischen Sophia-Ikone ja vorgegeben ist. Auf die Engellehre Solowjews können wir hier aus Raumgründen unmöglich eingehen. Sie setzt jedenfalls die Engel als Kräfte in einen anderen Bereich als die Ideen (ganz im platonischen Sinne verstanden). Während die Ideen mehr dem Logos zugehören, gehören die Engel zum Heiligen Geist. Sie sind es sozusagen, die die noetischen Ideen zu teleologisch wirkenden Entelechien machen.

88 Das semitische Wort für Geist ist weiblichen grammatischen Geschlechts.

89 Gemeint ist hier ohne Zweifel gerade die kabbalistische Tradition.

90 GW III, 352.

91 GW III, 366.

92 Solowjew erinnert daran, daß nach dem christlichen Glaubensbekenntnis der ›Allmächtige Vater‹ der eigentliche Schöpfer der Welt ist.

93 Solowjew tut es nicht!

94 Darüber spricht Solowjew im Kontext der Entfaltung seiner Sophia-Lehre hier nicht, aber es wäre im Zusammenhang seines Gesamtwerks darüber noch weiter nachzudenken. Täte man es im Rahmen Solowjewschen So-

phiologie konsequent, käme man auch bei Jesus Christus und Seiner Hingabe in Gethsemane, die der Seiner Mutter gleicht, auf »androgyne« Züge, die unserer Interpretation der Gottesebenbildlichkeit entsprechen würde (vgl. oben S. 134 f.). In Ihm ist ja dieses »Bild Gottes« nach Kol 1,15 und Hebr 1,3 in seiner vollen Reinheit ohne Verstörung durch die Sünde wiederhergestellt.

95 P. Florenskij und S. Bulgakow werden dann die Sophia auch einfach mit »Liebe« gleichsetzen und an Joh 4,16 erinnern.

96 Vgl. oben Anm. 73

97 Der Luthertext übersetzt richtig nach dem griechischen Mehrheitstext: »und die Weisheit muß sich rechtfertigen lassen von ihren Kindern.« Zu den »Kindern der Weisheit« vgl. oben S. 137.

98 Man muß allerdings vom Standpunkt »westlichen« Denkens sagen, daß diese Frauen (es gibt sie allerdings auch im Westen!) nicht zwischen dem Streben nach Gleichberechtigung der Frau und nach einem ontologischen Gleich-sein-Wollen mit dem Mann zu unterscheiden wissen. Sie nehmen immer sofort das letztere an und wollen ihre »Fraulichkeit« bewahren. Sie tadeln gern die »Vermännlichung« »westlicher« emanzipierter Frauen. Dazu haben sie, sofern sie in kommunistischen Gesellschaften leben oder gelebt haben, mit der dort sogenannten »Gleichberechtigung« der Frau die allerschlechtesten realen Erfahrungen gemacht: mehr als eine Doppelbelastung der Frau gegenüber dem Mann ist nicht herausgekommen, während alle Höflichkeit, alles Zuvorkommen gegenüber der Frau wegen eben dieser »Gleichberechtigung« abhanden gekommen zu sein scheint. Diese Höflichkeit wiederzugewinnen, ist ihnen wichtiger. Es ist interessant, daß im Gefolge der Solowjewschen Sophiologie bei den Dichtern, die sie poetisch aufgenommen (wenn auch oft nur halbverstanden oder abgewandelt) zum ersten Mal in der russischen Kultur das abendländische Ideal des Ritters und des ritterlichen Kults der »hohen Frau« in der poetischen Bildwelt erscheint!

Verlust oder Erweiterung weiblicher Eigenständigkeit

1 Susan Cady/Marian Ronan/Hal Taussig, Sophia. The future of feminist spirituality, New York 1986, 59.

2 Zur Bedeutung des Relationsbegriffes für die Geschlechteranthropologie vgl. Monika Leisch-Kiesl, Eva in Kunst und Theologie des Frühchristentums und Mittelalters. Zur Bedeutung Evas für die Anthropologie der Frau, (Theol. Diss.) Salzburg 1990; dort weitere Literatur, v. a. G.E.R. Lloyd, Polarity and Analogy. Two Types of Argumentation in Early Greek Thought, Cambridge 1966.

3 Wortbedeutung: griechisch: anér = der Mann, andreios = männlich.

4 Ich verwende »Marialogie« für jede Rede über Maria im Unterschied zu »Mariologie«, worunter ich lehramtliche kirchliche Aussagen i. e. S. ver-

stehe. Dasselbe gilt sowohl für »Sophialogie« als Rede über Sophia im weitesten, auch bildliche Aussagen einschließenden Sinn als auch für »Ekklesialogie« als Rede über die Kirche.

5 Deutsche Übersetzung: Edgar Hennecke/Wilhelm Schneemelcher (Hg.). Neutestamentliche Aopkryphen, Bd. 1, Evangelien, Tübingen 1987[5], 334–349.

6 Justin, Dialogus cum Tryphon 100 (PG 6), 709–712.

7 Vgl. Irenäus, Adversus haereses III, 22,4 (SC 211), 438–444; V,19,1 (SC 153), 248–250.

8 DS 252; COD 59.

9 DS 422. 427

10 DS 2803.

11 DS 3903.

12 In Ephesus wurde vor der Christianisierung die ebenfalls jungfräuliche Artemis/Diana verehrt. In der Entwicklung der Marienverehrung lassen sich bei einer Reihe von Motiven ein Reflex antiker oder germanischer Traditionen feststellen. Vgl. Marina Warner, Maria, Geburt, Triumph, Niedergang – Rückkehr eines Mythos?, München 1982; Monika Leisch-Kiesl, Die Schutzmantelmadonna. Entstehung, Bedeutung und theologische Implikationen, (Theol. Diplomarbeit) Linz 1983; Adolf Weis, Die Madonna Platytera. Entwurf für ein Christentum als Bildoffenbarung anhand der Geschichte eines Madonnenthemas, Königstein/Ts. 1985.

13 Vgl. Anne Jensen, Auf dem Weg zur Heiligen Jungfrau. Vorformen des Marienkultes in der frühen Kirche, in: Elisabeth Gössmann/Dieter R. Bauer (Hg.), Maria für alle Frauen oder über allen Frauen?, Freiburg–Basel–Wien 1989, 36–62, v. a. 48–58.

14 Vgl. Gottfried Bachl, Maria Siegerin in allen Schlachten?, (Stichworte. Theologische Texte 4/1983) Linz 1983.

15 Die Forschungen hierzu stecken noch zu sehr in den Anfängen, als daß von einer eigenen marialogischen Frauentradition gesprochen werden könnte. Doch weisen eine Reihe von Einzelergebnissen in diese Richtung. Zu nennen sind hier v. a. die Arbeiten Elisabeth Gössmanns, v. a. das Archiv für philosophie- und theologiegeschichtliche Frauenforschung, bisher 4 Bde., München 1984 ff.; vgl. auch M. Leisch-Kiesl, Eva, Teil III: Frauentexte.

16 Zur Entwicklung der Zeugungs- und Empfängnistheorien vgl. Erna Lesky, Zeugungs- und Vererbungslehren der Antike und ihr Nachwirken, (Akademie der Wissenschaften und Literatur, Geistes- und sozialwissenschaftliche Klasse 19) Mainz–Wiesbaden 1950, 1225–1425; Danielle Jacquart/Claude Thomasset, Sexualité et savoir médical au moyen age, Paris 1985.

17 Hippolyt, Fragmenta in proverbia (PG 10) 625–628.

18 Alkuin, De grammatica (PL 101), 853.

19 Anastasios Sinaites, Epothesis/Quaestio 42 (PG 89), 593.

20 Vgl. A. M. Ammann, Darstellung und Deutung der Sophia im vorpetrinischen Rußland, in: Orientalia Christiana Periodica 4 (1938) 132–133; André Grabar, Ikonographie de la Sagesse Divine et de la Vierge, in: Cahiers Archéologiques 8 (1956) 254–261.

21 Dieser stellt in seiner Schrift »Psychomachia« (2.H.4.Jh.), die den Kampf der Tugenden und Laster beinhaltet, die Weisheit (Sapientia) als die höchste der Tugenden dar. Sie wird mit Buch- und Rosen- bzw. Lilienzepter beschrieben. Daneben erscheint der Tempel der Weisheit mit sieben Säulen, die die sieben Tugenden symbolisieren (Text: CChr. SL 126, 149–181; mit deutscher Übersetzung: U. Engelmann, Die Psychomachie des Prudentius, Freiburg/Br. 1959).

22 Vgl. Gertrud Schiller, Ikonographie der christlichen Kunst, Bd. 1, Gütersloh 1969², Abb. 47–48.

23 Vgl. Ilene H. Forsyth, The Throne of Wisdom. Wood Sculptures of the Madonna in Romanesque France, Princeton 1972.

24 Umfangreiches Material bei Etienne Catta, Sedes Sapientiae, in: Hubert du Minoir (Hg.), Maria, 6, Paris 1961, 689–866.

25 Vgl. Catta, a.a.O., 694–695.

26 Ebd., 759.

27 Vgl. ebd., 794–800. 807 f.; Louis-Marie Grignion de Monfort, L'amour de la Sagesse éternelle, Paris 1977.

28 So auch Louis Bouyer, Le Trône de la Sagesse. Essai sur la signification du culte marial, Paris 1987³ (1957), der explizit das Strukturmuster Adam – Eva nach Gen 2f. wählt, um das Verhältnis Weisheit/Christus – Maria zu interpretieren.

29 Vgl. Barbara Jane Newman, O feminea forma. God and woman in the works of St. Hildegard (1098–1179), Diss. Yale University 1981.

30 Hildegard v. Bingen, Scivias III, 9,25 (CChr.CM 43A), 538–540.

31 Hildegard v. Bingen, De operatione Dei III, 9,2 (PL 197), 984–985.

32 Vgl. Peter Kern, Trinität, Maria, Inkarnation. Studien zur Thematik der deutschen Dichtung des späteren Mittelalters, Diss. 1970. Philologische Studien und Quellenhefte 55, Berlin 1971, v. a. III. Maria als Erwählte, Geliebte und Wohnstätte der Trinität, 81–138; und hier besonders Kap. 1 Maria – 'sophia', 81–92.

33 Kolmarer Liederhandschrift (15. Jh.), Bayerische Staatsbibliothek München Cod. germ. 4997, 350 b.c., zit. n. Kern, a.a.O., 87.

34 Ps 132,11; Gen 22,18; Mal 3,1; Num 24,17; Dan 9,24; Gen 49,18; Lk 1,78.

35 Vgl. Ammann, a.a.O., 134–146.

36 In diese Richtung weisen die Untersuchungen von Ammann, a.a.O., 146–148, Grabar, a.a.O., 254–261, sowie Jean Meyendorff, L'Iconographie de la Sagesse Divine dans la Tradition Byzantine, in: Cahiers Archéologiques 10 (1959), 260–277 mit jeweils ikonographischen Vergleichen sowie textlichen Zeugnissen.

37 Thomas Schipflinger, Sophia – Maria. Eine ganzheitliche Vision der Schöpfung, München–Zürich 1988, 53, Anm. 31. 194 f.

38 Ammann, a.a.O., 148–155 in einem zweiten Deutungsansatz für den er ebenfalls eine Reihe textlicher Zeugnisse anführt.

39 Vgl. ein Fresko in S. Kliment in Ohrid (um 1300), Abb. bei Schiller, a.a.O., Bd. 4/1, Abb. 162, oder eine russische Ikone des 16. Jh., Abb. bei Meyendorff, a.a.O., Fig. 10+11.

40 Sie ging aus von Vladimir Soloview (1853–1900) und ist, daran anschließend, vertreten durch Pavel Florenskij, (1881–1935/37), Sergij Bulgakov (1871–1944), Eugenij Trubeckoj (1863–1920) und Lev Karsavin (1882–1952). Zur Frage des Zusammenhanges von Sophia und Maria vgl. Bernhard Schultze,Maria und Kirche in der russischen Sophia-Theologie, in: Maria et Ecclesia 10 (1960), 51–141.

41 Jakob Böhme und seine Schule stellen hier eine Ausnahme dar, ihre Sophialogie hatte direkten Einfluß auf die russische; vgl. Schipflinger, a.a.O., 121–158.

42 Dabei ist die besondere Nähe Marias zum Hl. Geist begrifflich nicht ganz klar gefaßt. Einerseits wird die Geschöpflichkeit und daher nur gnadenhafte Besonderheit und Würde Marias betont, andererseits wird davon gesprochen, daß ihr Gnadenleben das hypostatische Leben des Hl. Geistes sei. Vgl. Sergej Bulgakov, Kupina Neopalimaja, 204–205, zitiert bei Schultze, a.a.O., 98.

43 Vgl. Vladimir Soloview, Die Idee der Menschheit nach August Comte (Werke russisch, in 9 Bdn., Bd. 8, 225–245), zitiert bei Schultze, a.a.O., 61; vgl. auch die Gedichte »Das Ewig-Weibliche« und »Drei Begegnungen« (Gedichte von Wladimir Solowjew, deutsch von L. Kobilinski-Ellis/ R. Knies, Mainz–Wiesbaden 1925, 38 f.; 41–51), dazu die Vorrede (ebd., 1 f., zitiert bei Schultze, a.a.O., 68 f.

44 Vgl. V. Soloview, Rußland und die universale Kirche, Deutsche Gesamtausgabe III, 365–366; La Russie et l'Eglise, 260, zitiert bei Schultze, a.a.O., 55; die Passivität im Verhältnis zu Gott auch bei Pavel Florenskij, vgl. Schultze, a.a.O., 74.

45 Vgl. Sergej Bulgakov, Kupina Neopalimaja, 75, zitiert bei Schultze, a.a.O., 101.

Frau Weisheit »durchwaltet voll Güte das All«

1 Beispiele lassen sich in unserer Wirklichkeit zahlreich finden. Die unkontrollierte Rodung des Regenwaldes, die aus wirtschaftlichen Motiven geschieht, jedoch mittlerweile das globale Klima gefährdet, ist nur eines. Das Handlungsergebnis entwickelt eine gefährliche Eigendynamik. Im folgenden werden wir immer wieder Beispiele erfahrbarer Wirklichkeit anführen, die die Verbindung zwischen Theorie, Erfahrung und Praxis illustrieren sollen.

2 Die ganze Diskussion um ihren ›quasi-hypostatischen Charakter‹ wird unter diesem Gesichtspunkt hier nicht ausdrücklich aufgenommen, vgl. Anm. 21.

3 Vgl. V. Claudia Camp, Wisdom and the Feminine in the book of Proverbs (Bible Literature Series 11), Sheffield 1985, 228.

4 Susan Cady, Marian Ronan, Hal Taussig, Sophia. The Future of feminist spirituality, San Francisco 1986, 4.

5 Daß alle Erkenntnisprozesse durch bestimmte Interessen gegenüber dem potentiellen Erkenntnisobjekt konstituiert werden und es folglich nie einen neutralen Boden gibt, auf dem eine Einsicht erwächst, ist in den letzten zehn Jahren durch Jürgen Habermas hinreichend gezeigt worden. Vgl. ders., Erkenntnis und Interesse, Frankfurt 1973; ders., Theorie des kommunikativen Handelns, Frankfurt 1981.

6 Catharina Halkes, Gott hat nicht nur starke Söhne, Grundzüge einer feministischen Theologie, Gütersloh 1980², 34.

7 Heide Göttner-Abendroth, Wissenschaftstheoretische Positionen in der Frauenforschung, in: Was Philosophinnen denken I, hrsg. von Brigitte Weisshaupt, Halina Bendkowski, Zürich 1983, 267.

8 Uns ist an der Theorie des materialistischen Feminismus besonders wichtig, »daß sie sich bleibend als soziale Revolte versteht, die voraussetzt, daß es keine unveränderliche Bestimmung für ›Weiblichkeit‹ gibt, denn gäbe es diese, dann wäre eine bestimmte Art von Weiblichkeit unvermeidbar und die soziale Revolte überflüssig« (ebd., 267). Damit greift Delphy die Grundhaltung des kritischen Rationalismus auf, der dafür eintritt, daß sich Theorien immer wieder an der sich verändernden Wirklichkeit kritisch zu überprüfen haben (Falsifizierbarkeitsprinzip).

9 Wilhelm Korff, Leitideen verantworteter Technik, in: St.d.Z. 4 (1989), 253–266, (254).

10 Daß im Hochmittelalter von seiten der weiblichen und männlichen Zisterzienserklöster das Mutterbild Gottes für alle drei Personen eine sehr große Bedeutung hatte, wurde verdrängt und hat damit weder in die offiziellen Theologie noch in die Liturgie Eingang gefunden.

11 Vgl. Aristoteles, Metaphysik 988a, 3 f.; 1072a,9; 1058b, 21 f.. Dazu Franz K. Mayr, Trinitätstheologie und theologische Anthropologie, in: ZThK 68 (1971), 427–477.

12 Anmerkung der Verfasserinnen.

13 Elisabeth Schüssler-Fiorenza, Zu ihrem Gedächtnis. Eine feministisch-theologische Rekonstruktion der christlichen Ursprünge, Mainz 1988, 181.

14 St. Martin Legionensis, Sermo IV in Natale Domini, MPL 208, Sp.137D.

15 Wilhelm Nyssen, Der Dreikönigsschrein (des Nikolaus von Verdun) im Kölner Dom. Mappe mit 16 Postkarten und Einleitung, Köln 1977.

16 »Wie wir also für das einzige Wort Gottes die Bezeichnung Weisheit als vorzüglich empfinden, während in einem umfassenden Sinn der Hl. Geist und der Vater die Weisheit ist . . .«: Augustinus, De Trinitate (CCSL 50), XV,17,31, Z. 96–100, 505.

17 Die Scholastik hat in der Appropriationslehre ein für allemal geklärt, daß die göttlichen Wesenseigenschaften wie Macht, Weisheit und Güte oder Liebe den einzelnen Personen der Trinität nie exklusiv zugesprochen werden dürfen (non per res), sondern nur als Bezeichnung (sed per nomen), denn alle drei sind gleich machtvoll, weise und gütig. Vgl. Ludwig Hödl, Von der Wirklichkeit und Wirksamkeit des dreieinen Gottes nach der appropriativen Trinitätstheologie des 12. Jh., (Mittlg. des Grabmann-Institutes) Heft 12, München 1965.

18 Athanasius or.c.Ar. 1,5–6, in: FKDG 31, Göttingen 1980, 40–43.

19 L. Zander, Die Weisheit Gottes im russischen Glauben und Denken, in: KuD 2 (1956), 29–53, (35). Eine ausführliche historische Untersuchung u. a. über die Beziehung der dritten trinitarischen Person zur Weisheit wird in der Dissertation von Verena Wodtke, Über das Mutterbild des Hl. Geistes in der Scholastik mit Rückbezügen in die Patristik, Ende 1991 vorgelegt.

20 Verena Wodtke, Die göttliche Weisheit in weiblicher Gestalt. Sophia im Zeugnis von Schrift, Mystik und Kunst, in: Die Wahrheit der Kunst. Wider die Banalität, Festschrift für Günter Rombold, hrsg. von Monika Leisch-Kiesl/Enrico Savio, Stuttgart 1989, 138–149: »Strittig ist in der Forschung die Übersetzung des Wortes ›quanani‹, das sowohl erschaffen wie erzeugt heißen kann. Für die letzte Möglichkeit führt B. Lang zwei triftige Gründe an: Zum ersten paßt zum Gezeugtsein das anschließende Geborenwerden (neᵉsakkoti) besser, zum anderen wird im AT für Jahwes Schaffen immer exklusiv ein anderes Wort, barà, verwendet« (139).

21 Die Vetus Latina, hrsg. von W. Thiele, Sapientia Salomonis, Bd. 11,1 Freiburg 1977–85, gibt für das griechische Wort verschiedene Varianten der lateinischen Übertragung an: sanati; salvati; servati sunt (vgl. 426).

22 Elisabeth Gössmann, Haec mulier est divinitas. Das Gleichnis von der Frau mit der verlorenen Drachme in seiner Auslegungsgeschichte bei den Kirchenvätern und Hildegard v. Bingen, in: Weite des Herzens, Weite des Lebens, Festschrift für Abt Odilo Lechner OSB, hrsg. von Anselm Bilgri, Michael Langer, Regensburg 1989, 607–615.

23 Cyrill v. Alexandrien Comm. in Lucem, MPG 72, Sp.340 D, 800.

24 Augustinus Enarr. in Ps. 138,14, CCSL 40, 2000.

25 Vgl. auch Gregor der Große MPL 176, Sp.1249; Beda Venerabilis MPL 92, Sp.521.

26 Das zeigt sich daran, daß Jesus einen ungewöhnlich gleichberechtigten Umgang mit Frauen pflegte. z. B. Joh 4, 7–30; Lk 8, 1–3.

27 Unter Einheit verstehen wir nicht Gleichheit, sondern Verbundenheit des Unterschiedenen.

28 Mary Daily, After the Death of God the Father, in: Women Spirit Rising. A feminist reader in religion, ed. by Carol P. Christ, Judith Plaskow, New York 1979, 55 (Übersetzung der Verfasserinnen).

29 Wie wichtig die Aufarbeitung der schuldhaften Vergangenheit ist, hat sich in jüngerer Zeit im sogenannten ›Historikerstreit‹ gezeigt.

30 Korff, a.a.O., 259.

31 Vgl. Gabriel Marcel, Der Untergang der Weisheit, Heidelberg 1960, 23 f.

32 Ebd., 33 f.

33 Korff, a.a.O., 256 f..

34 Elisabeth Gössmann, Zirkuläres Denken und Kosmische Spekulation im 12. Jahrhundert, in: Fernöstliche Weisheit und Christlicher Glaube, Festschrift für Heinrich Dumoulins, hrsg. von Hans Waldenfels, Thomas Immos, o.O. 1985, 147–159, (147). Dies., Hildegard v. Bingen OSB, Ein Beispiel von Öko-Ethik im deutschen Mittelalter, in: Acta institutionis philosophiae et aestheticae Vol.1, ed. Tomonobu Imanichi, Tokyo 1983, 103–110.

35 Die Vorgänge in der Natur werden in Analogie zu denen in der Seele gesetzt. Vgl. Liber vitae meritorum (LVM), hrsg. und übers. von Heinrich Schipperges, Salzburg 1985², III, 28, 145.

36 LVM, I, 43, 43; II, 48, 106.

37 LVM, IV, 67, 212.

38 Liber Divinorum operum (LDO), I, 2, MPL 197, Sp. 755.

39 LVM, III, 2, 133. Vgl. auch Scivias I, 2 (=CCSL 43,1), 660 f. Die Elemente werden wie der Mensch erneuert, weil auch mit ihnen gesündigt wurde. Vgl. LDO X, 35, MPL 197, Sp. 1035; Ep. 45, MPL 197, Sp. 217.

40 LVM I, 23.

41 Korff, a.a.O., 261 f.

42 Ebd., 258.

43 Marcel, a.a.O., 121 f

44 Catharina J.-M. Halkes, Das Antlitz der Erde erneuern. Mensch Kultur Schöpfung, Gütersloh 1990, 123 f.

45 Ebd., 126.

46 Ebd., 126 f. Painter sagt: »Ich wollte die Arbeitsweise eines anderen Kopfes durch die minuziösen, quälenden Nachforschungen verfolgen, um zu sehen, wie ein schonungsloser Beobachter die Natur in den Griff nimmt und sie ausquetscht, bis ihr überall der Schweiß ausbricht und ihre Schließmuskeln sich lösen!« (127).

47 Joseph Ziegler, Chokma, Sophia, Sapientia, in: Würzburger Universitätsreden N.F. 32 (1961), 5–26, (19).

48 Halkes, a.a.O., 126.

49 Marie-Therese d'Alverny, La sagesse et ses sept filles, in: Mélanges dédies à la mémoire de Félix Grat I, Paris 1946, 245–278. Dies., Quelques Aspects Du Symbolisma De La ›Sapientia‹ Chez Les Humanistes, in: Umanesimo et esoterismo, Atti del V. Convegno internaz. di studi umanistici (Archivo du filosofia 1960/ 2+3), 321–333. Dies., Le symbolisme de la Sagesse et le Christ de Saint Dunstan, in: Bodleian Lib. Record 5 (1954/56), 232–244.

50 Die sieben freien Künste sind Musik, Arithmetik, Geometrie, Astronomie (Quadrivium), Grammatik, Rhetorik, Dialektik (Trivium). Ihnen entsprachen die sieben Tugenden oder Gaben des Hl. Geistes: Klugheit, Mäßigkeit, Stärke, Gerechtigkeit (Kardinaltugenden), Glaube, Liebe, Hoffnung (theologische Tugenden).

51 Zum Thema Milchspeisung im NT, 1 Kor 3,1 ff.; Hebr 5,12 ff.

52 Zur Milchspeisung in der Patristik vgl. vor allem: Clemens v. Alexandrien, Paed. I, 34–52. 1981 wurde von Sabine Hellinger an der theologischen Fakultät der Universität Basel eine Diplomarbeit verfaßt, in der sie besonders auf das Milchspeisungsmotiv bei Clemens und in den Oden Salomons eingeht (II. Kap., 21–33).
Abbildung einer mittelalterlichen ›Sapientia lactans‹, Detail aus MS. Pal. Lat. 1066, Vatikan-Bibliothek, in: Erich Neumann, Die große Mutter, 1987², Abb. 174.

Abkürzungsverzeichnis

ATANT =	Abhandlungen zur Theologie des Alten und Neuen Testamentes, Zürich 1942 ff.	
CBQ =	The Catholic Biblical Quarterly, Washington 1939 ff.	
CChr =	Corpus Christianorum seu Nova Patrum Collectio, Tournhout/ Paris 1953 ff.	
CCSL =	Corpus Christianorum. Series Latina, Turnholti (76, 76A 1969/70).	
CSEL =	Corpus Scriptorum Ecclesiasticorum Latinorum, Wien 1866 ff.	
DS =	Denzinger-Schönmetzer.	
FKDG =	Forschungen der Kirchen- und Dogmengeschichte, Göttingen 1953 ff.	
KuD =	Kerygma und Dogma, Göttingen 1955 ff.	
NTOA =	New Testament abstracts, Weston Mass., 1956 ff.	
OBO =	Orbis Biblicus Orientalis, Freiburg/Schweiz, 1973 ff.	
PG/MPG =	Patrologia Graeca, hrsg. v. J. P. Migne, 161 Bde., Paris 1857–66.	
PL/MPL =	Patrologia Latina, hrsg. v. J. P. Migne, 217 Bde. u. 4 Reg.-Bde., Paris 1878–90.	
SBL =	Society of Biblical Literature, Ontario etc., Dissertation abstracts, 1973 ff.	
SC =	Sources Chrétiennes, Paris 1961 ff.	
ST.d.Z. =	Stimmen der Zeit, Freiburg/München 1871 ff.	
StNT =	Studien zum Neuen Testament, Gütersloh 1969 ff.	
StUNT =	Studien zur Umwelt des Neuen Testaments, Göttingen 1962 ff.	
ZRGG =	Zeitschrift für Religions- und Geistesgeschichte, Marburg 1948 ff.	
ZVKGS =	Zeitschrift des Vereins für Kirchengeschichte der Provinz Sachsen, Magdeburg 1904 ff.	

Die Autorinnen

Silvia Schroer, geboren 1958. Habilitation über ›Weise Frauen in Israel‹. Veröffentlichungen im Bereich der feministischen Theologie und alttestamentlichen Exegese. Leiterin der Bibelpastoralen Arbeitsstelle (Schweizerisches Katholisches Bibelwerk) in Zürich.

Elisabeth Schüssler Fiorenza hat den Stendahl-Lehrstuhl für neutestamentliche Interpretation der Divinity School der Harvard Universität. Viele Veröffentlichungen im Bereich der feministischen Theologie und neutestamentlichen Exegese.

Ruth Albrecht, geboren 1954. Promotion über »Das Leben der hl. Makrina«, z. Zt. Habilitation über die Sophia im Pietismus. Lebt und arbeitet in Hamburg.

Deidre Good. Professor of NT am General Theological Seminary/New York. Veröffentlichungen zur Sophia in der gnostischen Literatur.

Fairy v. Lilienfeld. 1967–1987 o. Professorin für Geschichte und Theologie des christlichen Ostens/Erlangen. Zahlreiche Veröffentlichungen in diesem Bereich.

Barbara Newman. Professor of English, Northwestern University, Evanston, Illionois. Sie hat mehrere Bücher und Aufsätze zur mittelalterlichen Spiritualität publiziert, u. a. eine englische Übersetzung Hildegards Gesänge. Sie schreibt an einem Werk über die Geschichte der Sophia-Theologie.

Monika Leisch-Kiesl, geboren 1960, Assistentin am Institut für Kunst und Kirchenbau/Linz. Promotion über »Eva in der Kunst und Theologie des Frühchristentums und Mittelalters«.

Dorit Cohen-Alloro, geboren 1947. Promotion im Bereich der jüdischen Kabbalistik. Zahlreiche Veröffentlichungen. Lebt in Jerusalem.

Verena Maria Kitz, geboren 1961, Diplom in katholischer Theologie. Pastoralreferentin in Frankfurt/Main.

Verena Wodtke, geboren 1960, Diplom kath. Theologie, Staatsexamen Germanistik. Z. Zt. Promotion zum Mutterbild des Hl. Geistes in Mittelalter und der Alten Kirche. Lebt in Tübingen.

DATE DUE			
NOV 12			

HIGHSMITH 45-220